Racines
Tome II

Éditions J'ai Lu

ALEX HALEY

Racines
Tome II

Traduit de l'américain
par Maud SISSUNG

Ce roman a paru sous le titre original :

ROOTS

— V'là qu'hier j' vois passer c' Toby, alors j'y crie : « Eh là, négro, viens donc m' voir un coup ! » T'aurais vu comme il me toise, et il répond pas un mot ! A ton avis, quoi qui lui prend ? demanda le Violoneux au vieux jardinier.

Comme celui-ci n'en avait pas la moindre idée, ils interrogèrent Bell :

— J'en sais pas plus qu' vous. L'a qu'à l' dire s'il est malade ou quèq'chose. L'est trop bizarre, moi, j' m'occupe plus d' lui ! déclara-t-elle.

M'sieu Waller lui-même remarqua que son cocher, habituellement si pondéré, avait changé. Pourvu que ce ne soit pas le stade d'incubation de cette épidémie qu'ils avaient, l'un et l'autre, côtoyée de si près ! Aussi lui demanda-t-il un jour s'il se sentait malade.

— Non, m'sieu, répondit aussitôt Kounta, et m'sieu Waller ne songea plus à son cocher autrement que pour se faire conduire où il le voulait.

Sa rencontre avec le Ghanéen avait profondément bouleversé Kounta, et cela même lui montrait à quel point il était désemparé. De jour en jour, d'année en année, il avait plié un peu plus, il s'était soumis, il avait oublié qui il était, sans même s'en rendre compte. Sans doute était-il arrivé à mieux connaître — et comprendre — le Violoneux, le vieux jardinier, Bell et les autres Noirs. Mais il sentait maintenant qu'il ne serait jamais l'un d'entre eux, jamais comme eux. Tous ceux-là l'irritaient même, comparés au Ghanéen. Ils le tenaient à distance, eh bien, tant mieux. Pourtant, la nuit, il se retournait sur sa paillasse sans trouver le sommeil — il avait honte de ce qu'il était devenu. Pouvait-il encore se dire africain ? Depuis combien de temps ne pensait-il plus à Djouffouré, ne priait-il plus Allah ? Tout cela venait de ce qu'il avait appris le parler des toubabs. Alors, les mots mandingues lui échappaient de plus en plus. Il en arrivait même à *penser* dans la langue des toubabs. Au fond, la seule vraie fierté qu'il pouvait avoir, bien mince sans doute, c'était de n'avoir jamais mangé de porc — depuis vingt pluies qu'il était là.

Kounta, pourtant, se creusait l'esprit : il devait tout de même avoir conservé quelque chose de sa personnalité d'Africain ? Et il trouva : il avait conservé sa dignité. A travers tout ce qu'il avait enduré, il avait porté sa dignité de la même façon qu'à Djouffouré il portait un talisman pour écarter les esprits mauvais. Plus que jamais, il allait placer cette dignité comme un écran entre lui et ces Noirs qui s'appelaient eux-mêmes des « négros ». Ceux-là ne savaient rien de leurs ancêtres, alors que lui, dès l'enfance, en avait été instruit. Kounta se répétait mentalement les noms des Kinté depuis le clan premier, dans l'empire du Mali, jusqu'aux générations successives en Mauritanie et enfin en Gambie — jusqu'à lui et ses frères ; et ce même savoir ancestral, chaque membre de son kafo le possédait.

Alors, Kounta songea à ses camarades d'enfance. Mais il s'aperçut, d'abord avec étonnement puis avec émoi, qu'il ne pouvait se remémorer leurs noms. Il revoyait les visages, et aussi certaines scènes : quand ils se précipitaient comme une volée de merles au-devant du voyageur arrivant en vue de Djouffouré et lui composaient une escorte babillarde; quand ils jetaient des bâtons contre les singes dans les arbres — et les bêtes les leur renvoyaient avec de grands cris; quand ils rivalisaient à celui qui pouvait avaler le plus vite une demi-douzaine de mangues. Mais, en dépit de tous ses efforts, pas un nom ne lui revenait.

Qu'il soit dans sa case ou qu'il conduise le maître, Kounta n'arrêtait plus de fouiller sa mémoire. Et il finit par retrouver leurs noms l'un après l'autre. Sitafa Silla — son meilleur ami! Kalilou Conteh — il avait traqué et rapporté ce gros oiseau pour obéir au kintango. Séfo Kéla — celui qui avait sollicité du Conseil des Anciens l'autorisation de nouer l'amitié tériya avec cette veuve.

A leur tour, les visages des anciens lui revenaient — et aussi leurs noms, qu'il croyait avoir totalement oubliés. Le kintango, c'était Silla Ba Dibba! L'alimamo — Koudjali Demba! Le ouadanéla — Karamo Tamba! Et la fête de fins d'études, au sortir du troisième kafo : Kounta avait si bien récité ses versets du Coran qu'Omoro et Binta avaient fait présent d'une belle chèvre à l'arafang — Brima Cesay! Kounta s'abandonnait à sa joie d'avoir retrouvé ces noms et puis, soudain, ce fut la désolation : ces anciens devaient être morts, à présent; les camarades de son kafo, qu'il revoyait comme des petits garçons, ils avaient maintenant son âge, à Djouffouré; et lui, Kounta, il ne les reverrait jamais. Pour la première fois depuis bien longtemps, il s'endormit en pleurant.

Quelques jours plus tard, au chef-lieu du comté, Kounta apprit par un cocher que des Noirs du Nord, réunis dans la « Société des Noirs », prônaient un retour massif en Afrique pour tous, libres ou esclaves. Kounta rétorqua que cela n'arriverait jamais, qu'il suffisait de voir les maîtres se disputer les Noirs et lâcher des sommes de plus en plus fortes pour s'en procurer, mais il était bouleversé par cette perspective.

Tout en sachant que le Violoneux préférerait demeurer esclave en Virginie que de vivre libre en Afrique, Kounta aurait voulu en discuter avec lui, car le Violoneux était toujours au courant de tout ce qui pouvait avoir trait à l'affranchissement.

Seulement, cela faisait près de deux mois qu'il observait une réserve hargneuse à l'égard du Violoneux, comme envers Bell et le vieux jardinier. Sans doute pouvait-il se passer d'eux, et d'ailleurs il ne les aimait pas tellement — mais il éprouvait un sentiment croissant d'abandon. Au moment où il déposa un caillou dans la gourde, le lendemain de la nouvelle lune, il se trouvait si seul qu'il lui semblait être retranché du monde.

Il saisit la première occasion pour esquisser un signe de tête au passage du Violoneux. Mais celui-ci poursuivit son chemin sans paraître le voir, ce qui vexa terriblement Kounta. Le lendemain, il se trouva presque nez à nez avec le jardinier, et l'homme obliqua aussitôt dans une autre direction. Cette nuit-là, Kounta arpenta sa case pendant des heures. Il était blessé, il était furieux — et il se sentait un peu coupable. Le lendemain matin, rassemblant son courage, il claudiqua jusqu'à la case qu'il connaissait bien et frappa à la porte. Le Violoneux ouvrit et demanda sèchement :

— Quoi qu' tu veux ?

— J'ai eu dans l'idée d' passer t' voir, dit Kounta d'un ton neutre.

Le Violoneux cracha par terre.

— Écoute, négro, j'ai quèqu' chose à t' dire. Moi et Bell et l' vieux, on a parlé de toi. Et s'il y a quèq' chose qu'on peut pas sentir, nous autres, c'est un négro qu'est pas franc du collier ! (Il dévisagea férocement Kounta.) Et c'est ça qui va pas chez toi ! T'es pas malade ni rien !

Le regard de Kounta demeurait braqué sur ses souliers. Les yeux furieux du Violoneux s'adoucirent.

— Pisque t'es v'nu jusque-là, t'as qu'à entrer. Mais j' vais t' dire une chose : t'as qu'à nous tourner seu-l'ment encore une fois le cul, et tu verras si y en a un qui t' reparle, même que tu vivrais vieux comme Mathusalem.

Ravalant sa rage et son humiliation, Kounta entra, prit un siège et, après un silence interminable — que le Violoneux n'avait apparemment aucun désir de rompre — il se força à parler du projet de retour en Afrique. Le Violoneux répondit froidement qu'il en était informé depuis longtemps, et qu'il y avait encore moins de chance qu'il se réalise que de trouver un flocon de neige en enfer.

Devant l'expression navrée de Kounta, le Violoneux sembla mollir légèrement.

— J' vais t' dire quèq' chose que *toi* tu sais pas. Là-haut dans l' Nord, au New York, y a c' qu'on appelle une Société d' Mancipation qu'a ouvert une école pour les négros libres ; z'apprennent à lire, à écrire, et tout' sortes de métiers.

Kounta était si heureux, si soulagé que le Violoneux ait fini par parler qu'il entendait à peine ce que lui disait son vieil ami. Au bout de quelques minutes, le Violoneux se tut et contempla Kounta d'un air perplexe.

— J' te dérange ? demanda-t-il enfin.

— Hein ? répondit Kounta, qui était perdu dans ses pensées.

— J' t'ai posé une question, y a cinq minutes.

— 'Scuse-moi, j' pensais à quèq' chose.

— Eh bien, pisque tu sais pas écouter, j' vais t' montrer comment faut faire, dit le Violoneux en croisant les bras, le buste raide.

— Tu continues pas c' que t'étais en train d' dire ? demanda Kounta.

— J'ai oublié d' quoi j' parlais. Et toi, à quoi tu pensais ?

— C'était pas important. Quèq' chose qui m' passait par la tête.

— Justement, sors-le avant qu' ta tête éclate — à moins qu' ce soye la mienne.

— J' peux pas discuter d' ça.

— Ah ! bon ! Si tu l' prends *comme ça,* dit le Violoneux d'un air vexé.

— C'est pas à cause de toi. Mais c'est trop *personnel.*

— Dans c' cas, dis rien ! C't' à cause d'une femme, hein ? demanda le Violoneux d'un air entendu.

— Jamais d' la vie ! riposta vivement Kounta. (Perdant contenance, il resta un moment sans voix et finit par se lever en expliquant :) J' m'en vas pasque j' suis en r'tard pour le travail. J' te r'mercie d' m'avoir parlé. A plus tard !

— C'est ça ! T'as qu'à r'venir quand *tu* voudras parler !

Comment le Violoneux avait-il pu deviner ? Tout en se dirigeant vers l'écurie, Kounta se creusait la tête. Et pourquoi avait-il insisté pour qu'il en parle ? Rien que d'y *penser,* Kounta en était déjà gêné. Et pourtant, il n'arrêtait plus d'y penser depuis un moment — depuis que le Ghanéen lui avait conseillé de planter sa semence.

59

Bien avant de rencontrer le Ghanéen, Kounta avait souvent éprouvé une grande impression de vide en pensant que s'il était resté à Djouffouré il aurait déjà au moins trois ou quatre fils — il aurait une épouse, la mère de ses fils. Cela le prenait surtout lorsque, peut-être une fois par lune, il faisait un rêve dont il se réveillait en sursaut dans le noir, profondément honteux de sentir que son foto encore rigide avait dégorgé ce fluide chaud et visqueux. Ce n'était pas tellement à une épouse qu'il pensait alors, les yeux grands ouverts dans l'obscurité, mais au fait que, dans leurs quartiers d'esclaves, l'homme et la femme qui se plaisaient ne tardaient pas à partager la même case.

Mais Kounta avait plusieurs raisons de répugner au mariage. Il y avait déjà la façon dont cela se passait pour les esclaves : devant les leurs qui servaient de témoins, l'homme et la femme se prenaient la main et sautaient par-dessus un manche à balai — geste vraiment dérisoire en une occasion aussi solennelle. Il savait que, parfois, les domestiques favoris avaient le privilège d'une cérémonie devant un prédicateur blanc, en présence du maître et de la maîtresse, mais c'était là un rite païen pour Kounta. Et même sans s'arrêter à la façon dont le mariage était célébré, l'âge convenable pour les épousailles mandingues était respectivement de quatorze à seize pluies pour la femme, de trente pluies pour l'homme. Or, depuis qu'il vivait au pays des toubabs, Kounta n'y avait jamais rencontré une seule jeune fille noire de l'âge requis — ni même d'ailleurs une plus vieille, de vingt ou vingt-cinq pluies — qui n'eût une attitude stupide et puérile. Et pour parachever le tout, le dimanche et les jours de fête, elles se plâtraient le visage d'une poudre qui les faisait ressembler aux danseurs funèbres de Djouffouré quand ils se couvraient de cendres.

Évidemment, Kounta connaissait une vingtaine de femmes plus mûres, pour la plupart des cuisinières dans les grandes maisons où il conduisait m'sieu Waller, par exemple Liza à Enfield. Liza était d'ailleurs la seule pour qui il éprouvât de l'intérêt. Elle n'avait pas de compagnon, et elle avait fait clairement comprendre à Kounta qu'elle était disposée, et même décidée à le fréquenter de beaucoup plus près qu'il ne l'envisageait lui-même — sans toutefois se refuser à l'envisager. Mais il serait mort de honte si elle avait pu seulement soupçonner que c'était souvent en rêvant d'elle qu'il tachait son lit.

En supposant — rien qu'en supposant — qu'il se marie avec Liza, comme tant d'autres couples, ils vivraient séparés, chacun dans la plantation de son maître. Généralement l'homme recevait une passe qui lui permettait de partir voir sa femme le samedi après-midi, et il devait être rentré le dimanche avant la nuit, pour se reposer d'un voyage souvent long afin de reprendre le travail le lundi à l'aube. Mais Kounta ne voulait pas envisager de vivre loin de son épouse — s'il en prenait une. Et cela réglait la question de Liza.

Seulement, il y revenait malgré lui. D'un côté, Liza était bavarde et envahissante, de l'autre, il aimait bien être tout seul — il aurait donc tout à y gagner à ne la voir qu'en fin de semaine. Et ils n'auraient pas non plus à craindre, comme tant d'autres couples d'esclaves, d'être vendus — c'est-à-dire définitivement séparés. Car le maître semblait content de Kounta, et Liza appartenait aux parents du maître, qui paraissaient avoir de l'attachement pour leur cuisinière. Et puis les liens familiaux entre les deux plantations excluaient d'éventuels antagonismes entre les maîtres — circonstance qui poussait parfois ceux-ci à refuser leur consentement au mariage de leurs esclaves respectifs.

Pourtant, Kounta avait beau tourner et retourner les choses dans sa tête, accumuler toutes les bonnes raisons en faveur de son mariage avec Liza, il n'arrivait pas à s'y décider. Et puis, une nuit où il ne parvenait pas à trouver le sommeil, une idée s'imposa brusquement à lui : il y avait une autre femme tout près de lui.

Bell.

Mais c'était une idée insensée ! Elle était au moins trois fois trop vieille — probablement avait-elle même dépassé quarante pluies. Il était absurde d'y songer.

Bell.

Kounta essayait de l'écarter de son esprit. Il songeait à elle parce qu'ils se connaissaient depuis si longtemps. Mais il n'avait seulement jamais rêvé d'elle. Et que de vexations ne lui avait-elle pas infligées ! Toutes les fois où elle lui claquait au nez la porte de la cuisine, quand il lui portait son panier de légumes ! Et, en allant plus au fond des choses, il se souvenait de l'indignation avec laquelle elle avait accueilli le compliment qu'il lui avait fait en la comparant à une Mandingue ; d'ailleurs, c'était une mécréante. Et puis elle était autoritaire, discutailleuse — et bavarde, de surcroît.

Mais comment oublier, d'un autre côté, les soins qu'elle lui avait prodigués quand il gisait mutilé, ligoté, souhaitant la mort. Elle était venue cinq ou six fois par jour ; elle l'avait pansé, fait manger, elle avait même nettoyé ses déjections ; et c'était elle qui l'avait guéri de la fièvre, avec son cataplasme de plantes. Et puis elle était solide, pleine de santé. Et quel nombre infini de bonnes choses elle cuisinait !

Plus il lui trouvait de qualités, et plus il se montrait désagréable avec elle quand il avait à paraître à la cuisine, s'enfuyant dès sa mission remplie comme s'il avait le feu aux trousses.

Un jour où il discutait avec le vieux jardinier et le Violoneux, Kounta amena lentement et, lui sembla-t-il, adroitement la conversation sur Bell, et demanda de son ton le plus neutre :

— Où elle était, avant d' venir ici ?

A son grand émoi, les deux hommes dressèrent instantanément l'oreille en le regardant d'un air intéressé.

— J' me souviens qu'elle est arrivée ici quèq' deux ans avant toi, répondit le jardinier au bout d'une minute. Mais pour c' qui la r'garde, l'est pas très bavarde. Alors, j'en sais pas plus que toi.

Le Violoneux dit qu'à lui non plus elle n'avait jamais rien confié de son passé. Kounta n'arrivait pas à définir l'expression qu'arboraient les deux hommes, mais il la trouvait agaçante. Suffisance — voilà, c'était de la suffisance !

Le Violoneux se gratta l'oreille droite.

— C'est drôle que tu d'mandes ça pour Bell, pasque y a pas longtemps, on discutait d' vous deux, nous aut'.

— On disait qu' des fois vous seriez juste c' que l'aut' il a besoin, compléta le jardinier.

Stupéfait et indigné, Kounta n'arrivait pas à articuler un son. Sans cesser de se gratter l'oreille, le Violoneux le regarda d'un œil malin.

— Oui, c' gros derrière qu'elle a, y a pas tant d'hommes qui pourraient l' manier.

Furieux, Kounta voulut répondre, mais le jardinier s'interposa brusquement :

— Dis donc, y a combien d' temps qu' t'as pas touché une femme ?

Kounta le fusilla du regard.

— En tout cas, y a au moins vingt ans ! s'écria le Violoneux.

— Seigneur Dieu ! dit le jardinier. Dépêche-toi avant d' tarir !

— S'il y est déjà pas ! lança le Violoneux.

Toujours muet de fureur mais incapable de se contenir plus longtemps, Kounta bondit sur ses pieds et partit en claudiquant rageusement.

— T'en fais pas ! lui cria de loin le Violoneux. Avec *elle,* tu rest'ras pas tari longtemps !

60

Pendant les jours qui suivirent, Kounta passa toutes les heures où il n'était pas en route avec le maître à graisser et à nettoyer le buggy. Il s'installait devant l'écurie, donc au vu des autres — comme cela, on ne pouvait l'accuser de se tenir à l'écart, et, en même temps, le Violoneux et le jardinier constataient qu'il était trop occupé pour bavarder avec eux. En réalité, il leur en voulait encore de ce qu'ils avaient dit sur Bell et lui.

Son travail machinal lui permettait de réfléchir tout à loisir aux sentiments qu'il portait à Bell. Pensait-il à elle avec animosité, son chiffon s'activait furieusement sur le cuir ; mais, s'il lui venait une plus douce idée en tête, alors le chiffon s'attardait sensuellement sur la banquette — cette Bell avait tout de même bien des qualités ! Et, quels que soient ses défauts, Kounta devait reconnaître qu'elle avait maintes fois agi dans son intérêt au cours de toutes ces années. Il était même sûr qu'elle avait discrètement contribué à lui faire obtenir les fonctions de cocher. Sans rien en laisser paraître, Bell avait beaucoup d'influence sur le maître. En outre, une foule de menus services qu'elle lui avait rendus revenaient à l'esprit de Kounta. Ainsi cette fois où il avait eu les yeux tellement irrités qu'il n'arrêtait plus de les frotter — à l'époque, il travaillait encore au jardin. Elle n'avait rien dit, mais un matin elle était arrivée avec de grandes feuilles humides de rosée, et elle lui avait fait couler la rosée dans les yeux — ce qui avait très vite calmé les démangeaisons.

Seulement, il y avait aussi beaucoup de choses qui lui déplaisaient en Bell — et le chiffon de Kounta s'activait furieusement. D'abord, elle fumait la pipe ; mais, surtout, il fallait la voir danser lorsqu'il y avait des réjouissances au quartier des esclaves. Il estimait que les femmes ne devaient pas danser, ou, en tout cas, pas danser d'une façon aussi débridée. Et le pire, c'était de la voir s'évertuer à tortiller du postérieur — c'était sans doute à ça que faisaient allusion le Violoneux et le jardinier. Certes, Kounta n'était pas chargé de s'occuper du postérieur de Bell ; mais enfin, elle aurait dû se respecter un peu plus — et, par la même occasion, respecter un peu plus Kounta et les autres hommes. Elle avait une langue plus acérée encore que celle de Nyo Boto. Kounta n'y aurait rien trouvé à redire si elle avait gardé ses critiques pour elle ou si elle s'était contentée d'en parler uniquement avec les autres femmes, comme cela se passait à Djouffouré.

Une fois le buggy rutilant, Kounta se mit à graisser et à nettoyer le cuir des harnais, et, sans savoir pourquoi, il se remémora les vieillards de Djouffouré qui sculptaient des objets dans une bille de bois — comme la bille de hickory sur laquelle il était assis. Ils en examinaient d'abord longuement la texture et les veines avant de l'attaquer avec leurs outils.

Kounta se leva et fit basculer le bloc sur le côté. Il en étudia soigneusement les deux sections, le fit rouler en le tapotant de place en place avec un morceau de fer : le bois était bien sec et serré, car il rendait le même son partout. Voilà donc une bille d'excellent bois qui ne servait à rien, sauf de siège occasionnel. Quelqu'un avait dû la laisser traîner là, et on n'avait plus jamais songé à la déplacer. S'assurant qu'il n'y avait personne en vue, il se hâta de la rouler jusqu'à sa case, ferma la porte et retourna à son travail.

Ce soir-là, après avoir ramené le maître d'une visite au chef-lieu du comté, qui lui avait paru interminable, Kounta prit son dîner au passage et l'emporta dans sa case : il ne pouvait attendre plus longtemps de retrouver la bille de hickory. Il n'aurait pu dire ce qu'il y avait dans son écuelle, car il mangea sans détacher les yeux du bloc. Et puis, il s'assit sur le sol et l'examina à la lueur dansante de la bougie fichée sur la table. Il revoyait le mortier et le pilon qu'Omoro avait taillés pour Binta, tout patinés par l'usage. Au fond, il n'avait rien à faire lorsque le maître ne sortait pas — cela l'occuperait. Il allait en faire un mortier pour écraser le maïs.

Il commença par dégrossir le pourtour à la hachette afin d'obtenir un cylindre bien régulier. Au bout du troisième jour, il attaqua l'intérieur au ciseau à bois et le creusa en cuvette. Puis il retravailla les surfaces au couteau pour les rendre lisses et décora l'extérieur de motifs gravés. Il s'étonnait lui-même de retrouver les gestes des sculpteurs de son village, après tout ce temps passé loin d'eux.

Le mortier terminé, il choisit une branche de hickory de la grosseur du bras, bien sèche et sans un nœud, et façonna dedans le pilon en polissant le manche avec un éclat de verre.

Et puis mortier et pilon restèrent dans un coin de sa case pendant deux semaines. Kounta les contemplait de temps en temps — ils n'auraient pas été déplacés dans la cuisine de sa mère, songeait-il. Mais il ne voyait pas très bien ce que lui-même allait en faire ; c'était en tout cas la raison qu'il se donnait pour les garder. Mais un matin, sans trop réfléchir à son geste, il les emporta en allant demander à Bell si le maître avait besoin du buggy. Sans ouvrir la contre-porte grillagée, Bell l'informa sèchement que le maître ne sortirait pas et se détourna aussitôt. Avant de songer à ce qu'il faisait, Kounta avait déposé mortier et pilon sur la marche et filait aussi vite que le lui permettait son pied mutilé.

Au bruit, Bell regarda dehors et remarqua que Kounta semblait plus pressé que de coutume ; et puis elle aperçut le mortier hérissé du pilon. Elle attendit que Kounta soit hors de vue, ouvrit la contre-porte, et resta ébahie devant ces objets inattendus. Elle les ramassa et rentra dans sa cuisine ; puis elle examina le mortier, admira les motifs sculptés — et fondit en larmes.

Depuis vingt-deux ans qu'elle était dans la plantation Waller, jamais encore un homme n'avait confectionné de ses mains quoi que ce soit pour elle — elle qui, justement, n'avait cessé de se montrer désagréable envers Kounta.

Bell se demandait quel accueil elle devait lui réserver, quand il viendrait s'enquérir des ordres du maître, après le déjeuner. Enfin, elle avait toute la fin de la matinée pour prendre un parti. Pendant ce temps, Kounta, rentré dans sa case, avait l'impression de s'être dédoublé : il y avait un Kounta humilié jusqu'au tréfonds par le geste ridicule de l'autre — et un Kounta fou de joie parce qu'il avait fait ce geste. Mais qu'est-ce qui l'y avait poussé ? Et qu'allait penser Bell ? Il redoutait déjà ce moment où il lui faudrait la revoir, après le déjeuner.

Il retourna à la maison du pas d'un condamné à mort. En voyant que le mortier et son pilon n'étaient plus sur la marche, son cœur bondit de joie et se serra en même temps. A travers la contre-porte grillagée, il les aperçut : elle les avait simplement rentrés et laissés sur le sol. Il frappa, et Bell se retourna — comme si elle ne l'avait pas entendu venir — pour lui ouvrir la porte, en s'efforçant de paraître naturelle. Mauvais signe, pensa Kounta : cela faisait des mois qu'elle ne l'avait pas invité à entrer. Et, en plus, il lui semblait être figé sur place. Alors, incapable de mettre un pied devant l'autre, il lui demanda d'un ton neutre si le maître voulait sortir. En s'efforçant de dissimuler sa gêne, elle lui répondit d'un ton non moins neutre que le maître n'avait pas prévu de sortir. Comme Kounta esquissait une retraite, elle ajouta :

— D'puis c' matin, l'a pas arrêté d'écrire des lettres. (Pas une seule des choses qu'elle avait envisagé de dire à Kounta ne lui revenait à l'esprit. Alors, elle lança tout à trac :) Quoi qu' c'est ? (en désignant le mortier).

Kounta aurait donné n'importe quoi pour être ailleurs. Enfin il réussit à lâcher, d'un ton presque furieux :

— C'est pour toi, pour piler l' maïs.

Cette fois, le visage de Bell trahit son émotion. Kounta en profita pour décamper, comme s'ils n'avaient plus rien à se dire — et Bell resta toute bête dans sa cuisine.

Pendant deux semaines, à part leurs saluts habituels, ils n'échangèrent pas un mot. Et puis, un jour, Bell glissa à Kounta une galette de maïs. Il marmonna un remerciement et se réfugia dans sa case pour manger la galette toute chaude et onctueuse de beurre fondu. Il se sentait profondément touché. Elle avait fait cette galette avec le maïs qu'elle avait pilé dans le mortier — il en était à peu près sûr. Mais, même avant ça, il avait déjà décidé de parler à Bell. Aussi, en venant prendre ses ordres pour l'après-midi, il se força à sortir une phrase qu'il s'était bien mise dans la tête :

— Faudra qu'on cause, après l' dîner.

La réponse de Bell fusa :

— Ça m' dérange pas — et elle regretta aussitôt sa précipitation.

Kounta s'était tellement échauffé qu'au moment du dîner il n'en pouvait plus d'énervement. Pourquoi lui avait-elle répondu de la sorte ? Était-elle vraiment aussi indifférente qu'elle affectait de l'être ? Et alors, pourquoi lui avait-elle donné la galette ? Il allait en avoir le cœur net. Mais où devraient-ils se retrouver ? Cela, ils n'en avaient pas parlé. Bon, Bell devait attendre Kounta chez elle. Et il souhaitait désespérément que m'sieu Waller fût appelé par un patient. Mais tout était calme — il fallait y aller. Il respira bien fort, ouvrit sa porte et se dirigea d'un air détaché vers la grange. Il en sortit en balançant un harnais : si, par hasard, quelqu'un le voyait déambuler en pleine nuit, le harnais fournirait un prétexte à sa sortie. Et il marcha vers la case de Bell — en prenant soin d'inspecter les alentours, avant de frapper à la porte.

Bell ouvrit précipitamment et jaillit de sa case. Elle

vit bien le harnais dans les mains de Kounta, mais elle ne demanda pas d'explications — et, comme il ne semblait pas disposé à en fournir, elle partit lentement vers la clôture, au fond du quartier des esclaves; Kounta lui emboîta le pas. Ils avançaient sans un mot, sous la pâle clarté du second quartier de lune. S'étant pris la jambe dans une tige rampante, Kounta trébucha; il frôla Bell de l'épaule et dut se retenir pour ne pas prendre la fuite. Il se torturait l'esprit pour trouver quelque chose à dire à Bell — n'importe quoi. Avec le Violoneux, avec le jardinier, avec quiconque, il aurait trouvé ses mots — mais avec elle ?

Ce fut Bell qui rompit enfin le silence en lançant brusquement :

— Les Blancs, z'ont pris comme président c' général Washington. (Kounta aurait voulu lui demander ce qu'était un « président », mais il préférait qu'elle continuât à parler.) Et l'a un vice-président, m'sieu John Adams, précisa Bell.

Kounta sentait qu'il devait trouver quelque chose à dire pour soutenir la conversation. Alors, il se lança :

— Hier, j'ai conduit l' maître pour aller voir la p'tite de son frère.

Mais il se tut aussitôt, conscient de sa balourdise : Bell savait sûrement mieux que lui ce qu'il en était.

— Tu dois pas savoir grand-chose du frère du maître, dit alors Bell. L'est secrétaire du comté de Spotsylvanie, mais il va pas à la ch'ville du maître. Moi, j'écoute, et y a pas beaucoup d' choses qui m' tombent pas dans l'oreille. J'en sais autrement plus qu'on croit. (Elle regarda Kounta.) Ce m'sieu John, j' l'ai jamais estimé, mais, quand même, l'est pour rien dans ton pied coupé. Même qu'il a piqué une rogne terrib' contre ces p'tits Blancs qui t'avaient 'stropié. Il leur z'avait fait t' chercher avec leurs chiens, et z'ont prétendu qu'ils t'avaient fait ça pasque tu voulais les tuer avec une pierre. (Bell fit une pause.) Tiens, je r'vois ça comme d'hier. L' shérif Brock s'est ram'né en vitesse pour voir le maître. (A la lueur de la lune, elle regarda Kounta.) T'étais comme mort, que l' maître il disait. Et l'était hors de lui pasque m'sieu John il trouvait qu' t'étais plus bon à rien avec ton pied coupé. C'est pour ça que l' maître t'a ach'té — j'ai vu d' mes yeux l'acte d' vente. Comme m'sieu John il y d'vait d' l'argent, l' maître il a pris à la place une grande ferme, et toi avec. C'est c'te grande ferme avec la mare, juste là où la route elle tourne, t'arrêtes pas d' passer d'vant. (Kounta sut aussitôt de quelle ferme il s'agissait. Il voyait la mare et les champs qui l'entouraient.) Mais les affaires entre eux, ça change rien, poursuivit Bell, pasque tous ces Waller ils s' tiennent les coudes. Sont une des plus vieilles familles de Virginie. Z'étaient même déjà une vieille famille en Angleterre avant d' passer l'eau. Tous des « sirs » et des embarras comme ça, et z'étaient d' l'Église d'Angleterre. Y en a un qu'a écrit des pouazies, m'sieu Edmund Waller, qu'il s'app'lait. L' premier qu'est v'nu ici, c'était son cadet, m'sieu John Waller. L'avait dix-huit ans. J'ai entendu dire au maître qu'un roi Charles II y a donné une grande concession d' terres, là où qu'est l' comté d' Kent à c't' heure. (Tout en discourant, Bell avait ralenti l'allure, et Kounta marchait à petits pas à côté d'elle, ravi qu'elle fasse la conversation. Il connaissait d'ailleurs une bonne partie de ce qu'elle lui racontait, grâce aux cuisinières des différents Waller, mais il préférait garder ce détail pour lui.) Alors ce John Waller, l'a épousé une mam'zelle Mary Key, et z'ont bâti la grande maison d'Enfield, où y a maint'nant les parents du maître. Sur leurs trois garçons, y a surtout eu « John le jeune » qu'a compté, le cadet qu' c'était. L'a appris l' droit quand il était shérif, et puis l'a été à la Chambre des Bourgeois d' la Virginie ; ce John-là, il a aidé à fonder Fredericksburg et à faire l' comté de Spotsylvanie. C'est lui et ma'me Dorothy qu'ont bâti

Newport, et z'ont eu six enfants. Et, d' ces six-là, l'est né toute une flopée d' Waller et z'ont eu des p'tits eux aussi. Y a tell'ment d' Waller que l' maîtrc ct les autres où tu l' mènes, c'est juste qu'un p'tit morceau d' la famille. C'est tous des gens considérab', des shérifs, des prédicateurs, des secrétaires du comté, des memb' de c'te Chambre des Bourgeois, des méd'cins comme le maître ; y en a tout un tas qu'a combattu dans la guerre d'Indépendance et j' sais pas quoi encore. (Kounta était si captivé par le récit de Bell qu'il sursauta quand elle fit halte.) On f'rait mieux d' rentrer, dit-elle. A s' balader comme ça pendant des heures, on arriv'ra pas à s' réveiller d'main matin.

Ils rebroussèrent chemin dans les herbes folles, et Bell demeura un instant silencieuse ; mais, comme ce que Kounta avait à dire lui restait apparemment dans la gorge, elle se remit à bavarder de tout et de rien. Arrivée à sa case, elle se tut et resta plantée devant Kounta. Lui-même la regardait sans pouvoir sortir un mot, et, quand il retrouva sa langue, ce fut pour proférer :

— Comme t'as dit, y s' fait tard. A d'main.

Eh bien, pensa Bell en le voyant s'éloigner, le harnais à la main, s'il avait voulu « causer » ce n'était pas pour ce soir-là. S'il s'agissait de ce qu'elle pensait — sans oser se l'avouer — il y viendrait bien un jour ou l'autre.

Pendant deux semaines ils n'échangèrent que des banalités, et puis, un jour, Bell invita négligemment Kounta à dîner chez elle le soir même. Il en fut si éberlué qu'il ne savait que répondre. Il ne s'était jamais trouvé seul à seul dans une case avec une femme, sauf avec sa mère et sa grand-mère. La chose ne serait pas correcte. Mais, comme il n'arrivait pas à articuler un mot, Bell régla la question en lui indiquant à quelle heure il devait venir.

Il se lava de la tête aux pieds dans une grande bassine avec un pain de savon marron et un linge rêche, en s'étrillant vigoureusement à trois reprises. Pendant qu'il s'habillait, il se surprit à chantonner un air de son village, *O Mandoumbé, comme il est gracieux ton long cou.* On ne pouvait dire de Bell qu'elle avait un long cou ni qu'elle était gracieuse, mais il devait reconnaître qu'il se trouvait bien avec elle. Et il savait qu'elle aussi se trouvait bien avec lui.

La case de Bell — la plus grande de la plantation — était située à proximité de la maison du maître et précédée d'un petit parterre de fleurs. Connaissant la façon dont Bell tenait la cuisine, Kounta ne fut pas surpris de l'ordre et de la propreté qui régnaient dans sa case. La pièce dans laquelle elle le fit entrer avait un aspect douillet, avec ses murs de rondins colmatés de boue séchée, sa cheminée d'adobes descendant du plafond pour s'élargir en un foyer à côté duquel étaient suspendus des ustensiles de cuisine rutilants. En plus, la case de Bell comportait deux pièces et deux fenêtres munies de volets qu'il suffisait de tirer pour se garantir de la pluie ou du froid. L'autre pièce était isolée par un rideau, vers lequel Kounta évitait de diriger ses regards, car c'était évidemment là qu'elle couchait. Au centre de la grande pièce se dressait une table rectangulaire portant deux cruches, l'une qui contenait les couverts, l'autre des fleurs cueillies dans le parterre, et deux bougies allumées dans des coupelles d'argile. Aux deux extrémités de la table étaient installées des chaises cannées à haut dossier.

Bell l'invita à s'asseoir dans le rocking-chair devant l'âtre. Kounta s'y laissa tomber avec précaution, car il en usait pour la première fois, mais il s'efforça de prendre un air détaché, puisque Bell semblait elle-même trouver sa réception toute naturelle.

— J'ai tant eu à faire qu' j'ai pas allumé l' feu, dit-elle, et aussitôt Kounta s'empressa, heureux de se donner une contenance en faisant quelque chose.

Comme Bell avait préparé le feu, il n'eut qu'à battre

le briquet pour enflammer les touffes de coton qui firent bientôt flamber le petit bois, sous les bûches de chêne judicieusement équilibrées.

— J' me demande à quoi j' pense de t'inviter quand tout est sens d'ssus d'ssous et qu' j'ai rien d' prêt, dit-elle en s'affairant autour de ses marmites.

— J'ai rien qui m' presse, répondit Kounta.

Mais, en réalité, Bell eut tôt fait de réchauffer le poulet déjà cuit, dans sa sauce épaissie de boulettes de pâte — le plat préféré de Kounta. Une fois à table, elle fit semblant de lui reprocher sa goinfrerie tout en lui remplissant trois fois de suite son assiette.

— Non, j' suis plein comme un œuf, répondit Kounta lorsqu'elle lui proposa de « finir la marmite ».

Ils parlèrent pendant quelques minutes de choses et d'autres, et puis Kounta se leva en disant qu'il devait retourner chez lui. Arrivé sur le pas de la porte, il s'arrêta, et ils restèrent un moment à s'entre-regarder en silence; puis Kounta regagna sa case de son pas clopinant.

Le lendemain il se réveilla d'un cœur léger — sentiment que, depuis l'Afrique, il n'avait plus jamais éprouvé. Il ne confia à personne la raison de son évidente allégresse, mais cela n'était nullement nécessaire. Le quartier des esclaves bruissait d'une nouvelle : on avait vu Kounta sourire et même rire dans la cuisine de Bell. Et Bell prit l'habitude d'inviter Kounta à dîner, d'abord une fois et, par la suite, deux fois par semaine. Il se disait de temps en temps qu'il ne devrait pas accepter *toutes* les invitations, mais il n'arrivait jamais à en refuser une. Et cette Bell qui lui cuisinait des choses dont il lui avait dit qu'on les connaissait en Gambie, haricots rouges, gombos, ragoût d'arachides, ignames au four toutes crémeuses de beurre.

Parfois, Bell lui donnait à emporter pour le Violoneux et le jardinier des portions d'un plat particulièrement réussi. Il les voyait moins souvent que par le passé, mais les deux hommes ne semblaient pas lui en tenir rigueur, et ils n'en prenaient au fond que plus de plaisir aux conversations qui les réunissaient encore à l'occasion. Kounta ne leur parlait jamais de Bell — et ils observaient la même discrétion — mais il ne pouvait se tromper à leur expression : ils étaient aussi au courant de ses rencontres avec Bell que s'ils en avaient été les témoins directs.

Cela le gênait finalement assez peu. Ce qui, en revanche, lui pesait, c'était que des questions sérieuses restaient à mettre au point entre lui et Bell et qu'il n'arrivait pas à prendre sur lui de les évoquer. Qu'est-ce que c'était notamment que ce « Jésus » blond et rose dont l'image encadrée ornait un mur de sa case, et qui semblait être un parent de l'autre mécréant, le « Seigneur » ? Il finit tout de même par interroger Bell, et la réponse fusa :

— Y a qu' deux endroits où on finira tous, c'est l'enfer ou l' ciel, et çui où t'iras, ça t'regarde !

Chaque fois qu'il repensait à cette réponse, il en éprouvait du dépit, mais il finit par admettre qu'elle avait autant le droit que lui d'avoir sa croyance — fausse, en ce qui la concernait. Pour lui, il était né avec Allah et il mourrait avec Allah. Mais, au fait, n'avait-il pas cessé de Le prier régulièrement depuis qu'il fréquentait Bell ? Il résolut de s'amender en espérant qu'Allah lui accorderait Son pardon.

Et puis, le moyen de tenir rigueur à cette mécréante chrétienne quand elle se montrait si bonne envers lui — lui qui, aussi digne soit-il, était tout de même d'une autre foi ? Pour la remercier, il allait lui confectionner quelque chose qu'elle serait la seule à avoir, quelque chose d'aussi spécial que le mortier. Comme Kounta devait aller chez m'sieu John, pour en ramener la petite mam'zelle Anne qui venait passer la fin de la semaine à la plantation Waller, il en profita pour cueillir en chemin une belle brassée de joncs. Il en fendit les tiges en minces lames et les tressa avec de fines et blanches feuilles de maïs pour faire une natte décorée en son centre d'un motif mandingue. Il lui fallut plusieurs jours pour en venir à bout, mais le résultat dépassa ses espérances et il l'offrit fièrement à Bell en venant dîner.

— Plus souvent que j'laisserais du monde mettre leurs pieds d'ssus ! s'écria-t-elle en disparaissant derrière le rideau de sa chambre.

Elle ressortit en tenant quelque chose derrière son dos :

— Ça d'vait être pour ton Noël, mais j' te f'rai autre chose.

Elle lui tendit le cadeau. C'étaient des chaussettes de laine tricotées dont l'une n'avait qu'un demi-pied, le reste étant garni d'un moelleux coussinet. Et ils restèrent à se regarder, trop interdits pour trouver leurs mots.

De bonnes odeurs de cuisine s'échappaient des marmites, mais Kounta se sentait envahi par quelque chose d'étrange tandis que lui et Bell demeuraient plantés l'un devant l'autre. Soudain, Bell lui saisit la main, éteignit d'un geste les bougies et il eut l'impression d'être une feuille emportée par un torrent fougueux tandis qu'ils franchissaient le seuil de la chambre et s'étendaient sur le lit. Bell s'accrocha à lui, il referma ses bras sur elle. Kounta avait vécu trente-neuf pluies — c'était la première fois qu'il étreignait une femme.

61

— Voulait pas m' croire, le maître, quand j'y ai dit, raconta Bell à Kounta. L'a fini par dire qu' fallait d'abord qu'il y pense un moment, pasque les gens qui s' marient, c'est sacré d'vant Jésus.

M'sieu Waller n'en toucha pas le moindre mot à Kounta pendant les semaines qui suivirent. Et puis, un soir, Bell accourut chez Kounta pour lui apprendre d'une voix haletante :

— J'y ai dit qu'on voulait toujours s' marier, alors il a répondu qu' ça pouvait s' faire.

La nouvelle se répandit aussitôt dans le quartier des esclaves. A la grande confusion de Kounta, tout le monde s'empressa de le féliciter. Et cette Bell qui était allée raconter ça à la p'tite mam'zelle Anne qui rendait visite à son oncle, si bien qu'elle s'était répandue partout en criant :

— Bell va s' marier ! Bell va s' marier !

Mais au fond, il avait tort d'être mécontent de ce remue-ménage — les Mandingues ne considéraient-ils pas le mariage comme l'événement le plus important après la naissance ? Bell avait réussi à obtenir du maître la promesse de se passer du buggy — donc de Kounta — pendant toute la journée du dimanche avant Noël ; comme les autres avaient alors congé, tout le quartier des esclaves pourrait assister aux épousailles.

— J'sais qu' tu veux pas qu'on s' marie dans la grande maison, dit Bell à Kounta, sans ça, j'aurais eu qu'à d'mander au maître, et ça se s'rait fait. Mais j'sais aussi qu'il y tient pas plus qu'toi, alors comme ça tout l' monde est content.

La cérémonie se tint dans la première cour du quartier des esclaves, près du parterre de fleurs. Il y avait là tous les Noirs endimanchés et, en face d'eux, m'sieu Waller avec la p'tite mam'zelle Anne et ses parents. Mais, pour Kounta, l'invité d'honneur — et le véritable responsable de toute l'affaire — était son ami le Ghanéen, qui avait réussi à venir d'Enfield pour la circonstance. En s'avançant au milieu de la cour avec Bell, Kounta tourna la tête vers le joueur de qua-qua et ils échangèrent un long regard. Tante Sukey, la blanchisseuse de la plantation, qui mêlait toujours sa voix à celle de Bell dans les prières et les chants, se détacha des autres : c'était elle qui allait officier. Après avoir demandé à l'assistance de resserrer son rang, elle déclara :

— Et maintenant, je d'mande à tout l' monde ici d' prier pour ces deux-là qu' Dieu va unir. Faut prier pour qu' ce couple il reste bien ensemble — elle hésita — et qu' rien y arrive pour l' défaire en étant vendus chacun d' leur côté. Et d' prier aussi pour qu'y leur vienne des beaux p'tits bien vivaces.

Puis Tante Sukey déposa un manche à balai sur l'herbe rase et fit signe à Kounta et à Bell de se tenir par le bras.

Kounta était au bord de la suffocation. Des souvenirs d'épousailles à Djouffouré tournoyaient dans sa tête : les danseurs, les chanteurs de louanges, et les prières, et les messages tambourinés transmettant la nouvelle de l'heureux événement aux autres villages. Il espérait que ce qu'il était en train de faire lui serait pardonné, qu'en dépit de cette invocation au Dieu païen, Allah comprendrait que Kounta ne croyait qu'en lui, et en lui seul. Il entendit la voix de Tante Sukey, qui lui parut très lointaine :

— Sûr que vous voulez vous marier tous les deux ?

Tout contre Kounta, Bell répondit d'une voix douce :

— Oui.

Tante Sukey se tourna vers Kounta, et il se sentit transpercé par son regard. Bell lui pressait le bras. Il réussit à proférer le mot attendu :

— Oui.

Et Tante Sukey dit :

— Alors, d'vant Jésus, sautez tous les deux dans la terre bénie du mariage.

Kounta et Bell sautèrent bien haut par-dessus le manche à balai — la veille, Bell avait fatigué Kounta à force de le faire « répéter ». Il trouvait une telle répétition ridicule, mais elle l'avait averti : leur mariage connaîtrait les pires déboires si l'un d'eux effleurait le manche, et c'était celui-là qui mourrait le premier. Mais les applaudissements et les acclamations montèrent : le saut était réussi. Quand le tumulte se fut calmé, Tante Sukey reprit la parole.

— Personne il doit séparer c' que Dieu a uni. Allez, et d'meurez-vous fidèles. (Et, s'adressant directement à Kounta :) Vivez en bons chrétiens. (Puis Tante Sukey se tourna vers m'sieu Waller.) Maître, y aurait quèq' chose que vous t'niez à dire pour c't' occasion ?

Le maître avait nettement l'air de ne pas y tenir, mais il s'avança et dit d'un ton amène :

— Avec Bell, il aura une bonne épouse. Et elle aura un bon garçon. Ma famille et moi-même leur souhaitons bonne chance pour toute leur vie.

Les acclamations reprirent de plus belle, ponctuées par les cris de joie de la p'tite mam'zelle Anne qui gambadait en tous sens ; mais sa maman la rattrapa et les Waller regagnèrent la grande maison pour laisser les Noirs célébrer la fête à leur façon.

La longue table disparaissait sous les plats que Bell avait préparés avec l'aide de Tante Sukey et d'autres amies. Au milieu de la joyeuse ambiance du festin, seuls Kounta et le Ghanéen s'abstinrent de toucher au brandy et au vin que le maître avait prélevés sur sa propre cave, en guise de cadeau. Dès le début des réjouissances, le Violoneux s'était déchaîné sur son crincrin, mais il avait manifestement — et libéralement — fait honneur à l'alcool, à en juger par la façon dont il tanguait en faisant voler son archet sur les cordes. Kounta se résignait à le voir dans cet état, qui ne lui était que trop familier, mais l'inquiétude le gagna quand il s'aperçut que Bell elle-même vidait verre sur verre. Il tressaillit de honte en l'entendant lancer à Sœur Mandy :

— Ça f'sait dix ans que j' le guignais !

Et voilà que Bell enlaçait Kounta, l'embrassait sur la bouche devant tout le monde, tandis que fusaient les propos épicés, que les invités se poussaient du coude, que montait une tempête de rires. Kounta resta crispé jusqu'au départ des derniers invités. Quand ils ne furent plus que tous les deux dans la cour, Bell vint vers lui d'un pas incertain et lui dit d'une langue pâteuse :

— Maintenant qu' t'as ach'té la vache, t'auras du lait autant qu' t'en veux !

Il fut horrifié de l'entendre s'exprimer de la sorte.

Mais Kounta surmonta rapidement cette première contrariété. Et il ne lui fallut pas longtemps pour apprécier dans toute sa plénitude ce qu'était un ample et vigoureux corps de femme. Dans le noir, il passait ses mains sur les formes rebondies : Bell n'avait certes pas à porter de tournure sous sa jupe, pour se faire un postérieur avantageux — Kounta avait entendu dire que beaucoup d'autres femmes en étaient réduites là. Il ne l'avait jamais vue dans sa nudité — elle soufflait les bougies avant de se dévêtir — mais elle l'avait laissé une fois regarder ses seins, et il avait noté avec plaisir qu'ils seraient de taille à gorger leur fils de lait. Seulement, il découvrit avec horreur que le dos de Bell était zébré des profonds sillons du fouet.

— J' les emporterai dans la tombe, tout comme ma mammy, dit Bell, mais mon dos est bien moins amoché qu' le tien.

Kounta sursauta en l'entendant. Évidemment, il n'avait jamais vu son dos — et il avait presque oublié les abominables morsures du fouet, depuis vingt ans qu'il était à la plantation Waller.

Kounta aimait dormir contre le corps chaud de Bell, dans le grand lit au moelleux matelas bourré de coton et non, comme les paillasses, de paille ou de feuilles de maïs. Il faisait tiède sous les couettes qu'elle avait confectionnées elle-même, et il ne se lassait pas du plaisir tout nouveau pour lui de se glisser entre les draps. Une chose peut-être aussi agréable, c'était d'enfiler chaque jour une chemise propre, fraîchement empesée, et juste à ses mesures, car c'était Bell qui les lui taillait. Et encore autre chose : elle avait assoupli avec du suif le cuir de ses hautes bottines, et il possédait maintenant une quantité de paires de chaussettes tricotées et garnies du coussinet qui protégeait son pied droit.

Lui qui avait dû se contenter jusque-là, en rentrant de conduire le maître, d'un repas froid avant de regagner, solitaire, sa triste paillasse, il trouvait en rentrant des marmites où mijotait le même dîner que celui du maître — sauf lorsque c'était du porc, bien entendu. Et comme c'était agréable de manger dans de la faïence blanche, avec des couverts que Bell s'était appropriés sur ceux de la grande maison. Bell avait même blanchi les murs de sa case — non, de *leur* case — au lait de chaux, à l'extérieur et à l'intérieur. Finalement, il aimait pratiquement tout en Bell. Il n'arrivait même plus à se ressouvenir de la vie qu'il menait encore quelques mois auparavant, à quelques mètres seulement de son nouveau foyer.

62

Aussi proche que Kounta se sentît de Bell depuis leur union, il lui semblait parfois qu'elle ne lui faisait pas totalement confiance. Ainsi, au cours de leurs conversations, il lui arrivait de changer brusquement de sujet après avoir paru sur le point de dire quelque chose — seule sa fierté retenait Kounta de montrer à quel point cette attitude le faisait enrager. Et, à diverses reprises, il avait appris du Violoneux ou du jardinier des choses qui ne pouvaient avoir été recueillies qu'en écoutant à la porte du maître. Kounta ne s'arrêtait pas à la teneur même des informations, mais au fait qu'elle ne *lui* en avait rien dit, qu'elle avait des secrets pour son mari. Et cela le blessait d'autant plus que lui-même ne manquait jamais de rapporter à Bell et aux autres ce qu'il avait glané au-dehors — des choses qui n'auraient jamais filtré jusqu'à eux, ou beaucoup plus tardivement. Alors, Kounta s'abstint pendant quelques semaines d'informer Bell de ce qu'il avait pu entendre en ville. Quand elle finit par lui en faire la remarque, il répondit qu'il ne se passait pas grand-chose depuis un moment, ce qui n'était pas plus mal, car, quand il y avait des nouvelles, elles n'étaient jamais bonnes. Mais, la fois suivante, estimant qu'elle devait avoir compris la leçon, il lui confia au retour de la ville ce qu'il avait entendu le maître raconter à un ami : un médecin blanc de La Nouvelle-Orléans, nommé Benjamin Rush, avait écrit que son assistant noir, un esclave nommé James Derham, en était arrivé, avec le temps, à posséder un savoir médical égal au sien — alors, il l'avait affranchi.

— C'est pas çui qu'est dev'nu un médecin plus connu qu' son ancien maître ? demanda Bell.

— Comment qu' tu l' sais ? L' maître il a dit qu'il v'nait juste de lire ça, et comme y a pas eu d' visites, t'as rien pu entendre raconter, rétorqua Kounta, aussi furieux qu'intrigué.

— C'est que j' sais y faire, répondit Bell d'un air mystérieux.

Ainsi, Bell savait y faire ! Eh bien, maintenant, elle pourrait toujours attendre que Kounta lui rapporte des nouvelles. Et, pendant une bonne semaine, il se montra taciturne au possible. Alors, Bell finit par céder. Un dimanche soir, après lui avoir servi un bon dîner, elle dit doucement à Kounta :

— Y a quèq' chose que j' veux t' raconter d'puis longtemps.

Elle passa dans la chambre et en rapporta un des numéros de la *Gazette de Virginie* dont elle gardait une pile sous le lit. Kounta ne l'ignorait pas, mais il pensait que c'était pour le plaisir de tourner les pages — plaisir partagé par beaucoup de Noirs mais aussi par des petits Blancs que l'on voyait, le samedi, déambuler dans les rues du chef-lieu du comté le nez plongé dans un journal, alors que tout le monde — et même Kounta — savait qu'ils étaient incapables d'en lire un seul mot. Mais les manières furtives de Bell laissaient présager quelque chose qu'il commençait à deviner.

— J' sais un peu lire, lui confia-t-elle, mais que l' maître l'apprenne et il m' vend aussitôt. (Kounta ne réagit pas, car il savait que Bell en dirait plus d'elle-même que s'il lui posait des questions.) Ça r'monte à quand j'étais p'tite. Les enfants du maître que j'avais, ils m'ont appris en jouant au 'stituteur, pasqu'ils allaient à l'école. L' maître et la maîtresse f'saient même pas attention, pasque les Blancs ils s' disent que les négros c'est trop bête pour apprendre quèq' chose.

Cela fit se remémorer à Kounta un vieux Noir qu'il voyait régulièrement au tribunal du comté de Spotsylvanie. L'homme était tout le temps occupé à épousseter ou à laver le sol, et jamais les Blancs n'auraient pu imaginer qu'à force de recopier les bouts de papier qu'ils laissaient traîner il était devenu capable de rédiger et de signer de fausses passes, pour les revendre aux Noirs.

Bell scruta longuement la première page du journal en suivant les lignes du doigt, puis elle dit :

— Là, c'est la Chambre des Bourgeois d' la Virginie qu'a t'nu une sèyance. (Elle étudia attentivement le texte.) Z'ont passé une nouvelle loi sur les taxes. (Kounta était tout simplement ébahi. Bell descendit plus bas dans la page.) Là, c'est sur c't' Angleterre qu'a renvoyé des négros d'ici en Afrique. (Bell releva la tête vers Kounta.) Tu veux que j' continue pour savoir c' que c'est que c't' affairc ? (Kounta fit un signe affirmatif. Bell passa plusieurs minutes à suivre lentement les lignes avec son index, en remuant les lèvres pour former les lettres et les mots. Enfin, elle put dire à Kounta :) Écoute, j' crois qu' ça raconte qu'on aurait envoyé quatre cents négros dans un endroit qui s'appellerait quèq' chose comme Sierra Leone ; c'est l'Angleterre qu'aurait ach'té d' la terre au roi qu'est là-bas, et les négros, on leur donne un lopin par tête et un peu d'argent.

L'effort de la lecture avait fatigué Bell, et elle se contenta ensuite de tourner les pages du journal en montrant à Kounta des images qui représentaient toutes une petite silhouette de Noir, portant un baluchon au bout d'un bâton. Elles étaient accompagnées de textes qui étaient tous du même genre, lui dit-elle :

— Ça dit comment qu' sont faits des négros ensauvés : d' quelle couleur ils sont, quelles marques ils ont sur la figure, les bras, les jambes, le dos, d'avoir été fouettés et marqués au fer rouge. Et puis comment z'étaient habillés et tout ça. Et puis ça dit à qui ils sont, et la récompense que c' maître-là il offre à çui qui les ramèn'ra. J'en ai vu qu'allaient jusqu'à des cinq cents dollars, mais une aut'fois y avait un maître qu'était si colère qu' son négro l'arrêtait pas d' s'ensauver qu'il disait dix dollars pour l' négro vivant et quinze dollars rien qu' pour sa tête.

Bell alla replacer le journal sous le lit et demeura étrangement silencieuse. Kounta savait qu'elle devait avoir encore quelque chose à avouer. Au moment où ils allaient passer dans la chambre, elle se rassit brusquement devant la table, comme si elle venait de prendre une décision, et, d'un air à la fois furtif et fier, elle sortit de sa poche de tablier un crayon et un morceau de papier plié. Elle aplatit bien la cassure du papier et se mit, avec application, à tracer de grandes lettres.

— Tu sais c' que c'est ? demanda-t-elle (et, sans laisser à Kounta le temps de parler, elle fit elle-même la réponse :) c'est mon nom, B-e-l-l. (Kounta ouvrait de grands yeux : pendant des années, il avait évité tout contact même lointain avec l'écriture des toubabs parce qu'il redoutait les maléfices dont elle pouvait être chargée. Bell continua à écrire.) Ça, c'est ton nom ! (Bell rayonnait. Kounta se pencha malgré lui, pour voir d'un peu plus près ces bizarres signes. Mais Bell se leva, froissa le papier et le jeta dans les braises de l'âtre.) Faudrait surtout pas qu'on m'attrape à écrire.

Il fallut à Kounta plusieurs semaines pour se décider à faire la seule chose qui le débarrasserait de l'irritation tenace qu'il ressentait depuis ce moment où Bell avait déployé son savoir. A l'exemple de leurs maîtres blancs, ces Noirs nés dans les plantations tenaient pour assuré que ceux qui arrivaient d'Afrique avaient été pratiquement cueillis dans les arbres.

Un soir, après dîner, il s'agenouilla devant l'âtre d'un air très naturel, en tira quelques poignées de cendres qu'il étala sur le sol en une couche fine et lisse. Et, sous l'œil curieux de Bell, il tira de sa poche un bâtonnet pointu et traça son nom en lettres arabes.

Bell l'interrompit avant qu'il ait terminé :

— Quoi c'est ?

Kounta donna l'explication requise. Puis, satisfait de l'effet produit, il rejeta les cendres dans le foyer, s'assit dans le rocking-chair et attendit que Bell lui demandât comment il se faisait qu'il savait écrire. Les questions ne tardèrent pas et, pendant tout le reste de la soirée, il parla tandis que Bell écoutait — une fois n'est pas coutume. Il lui raconta, en butant souvent sur les mots, comment les enfants de son village apprenaient à écrire en employant une tige d'herbe séchée, trempée dans un mélange de suie et d'eau. Il lui parla de l'arafang, lui décrivit les classes du matin et de la fin d'après-midi. Se laissant gagner par son sujet, et réjoui de voir que, pour une fois, il clouait le bec à Bell, il lui dit que tous les écolicrs de Djouffouré apprenaient à lire le Coran, et il se laissa même aller à en réciter quelques versets. Il voyait bien qu'il piquait la curiosité de Bell, mais il était tout de même confondant de penser que, depuis le temps qu'ils se connaissaient, elle n'avait jamais manifesté, ne fût-ce qu'une seule fois, le moindre intérêt au sujet de l'Afrique.

En face de lui, Bell tapota la table en demandant :

— Comment ça s' dit, « table », chez les Africains ? (Bien que Kounta n'ait plus jamais parlé sa langue depuis son départ d'Afrique, le mot mandingue *méso* lui sortit presque involontairement de la bouche, et il en ressentit de la fierté.) Et ça ? dit Bell en montrant sa chaise.

— *Sirango,* répondit Kounta.

Il était si content de lui qu'il se mit à faire le tour de la case en désignant les objets. La marmite, c'était *kaléro ;* la bougie, *kandio.* Bell en était si étonnée qu'elle s'était levée pour le suivre dans sa revue. Kounta dit *boto* en montrant sur le sol un sac de toile, il effleura une gourde séchée : *mirango,* il souleva un panier tressé par le vieux jardinier : *sinsingo.* Puis il passa dans la chambre et annonça, en désignant le lit : *larango,* puis un oreiller : *kunglarang. Djanérango,* poursuivit-il, en tendant le bras vers la fenêtre, et quant au plafond, c'était *kankarango.*

— Seigneur miséricordieux ! s'écria Bell.

Ce respect nouveau pour son pays natal dépassait de loin les espérances de Kounta.

— L' moment est v'nu d' poser not' tête sur le *kunglarang,* dit Kounta en s'asseyant au bord du lit pour se déshabiller.

Après un instant de perplexité, Bell éclata de rire et l'enlaça. Cela faisait longtemps que Kounta n'avait pas éprouvé une telle félicité.

63

Depuis quelque temps, Kounta trouvait à Bell un comportement bizarre. D'abord, elle parlait à peine — et pourtant elle n'était pas de mauvaise humeur. Et il la surprenait à lui jeter des regards en coin, quitte à pousser de gros soupirs quand elle avait attiré son attention. Autre chose encore : ce sourire mystérieux qu'elle arborait en se balançant dans son fauteuil, ces airs qu'il lui arrivait de fredonner en sourdine. Mais une nuit, comme ils venaient juste de se coucher après avoir soufflé la bougie, elle saisit la main de Kounta et la plaqua tendrement sur son ventre. En sentant un léger mouvement sous sa paume, Kounta s'abandonna à une joie délirante.

Pendant quelques jours, ce fut à peine s'il s'aperçut qu'il conduisait le maître. M'sieu Waller aurait aussi bien pu tirer l'attelage et les chevaux se prélasser sur la banquette, que rien ne l'aurait distrait des images qu'il se faisait : Bell pagayant sur le bolong pour aller cultiver sa rizière, et leur fils, leur premier-né, bien ficelé sur son dos. Kounta n'arrivait plus à penser à autre chose — n'était-il pas, lui aussi, le premier-né de Binta et d'Omoro ? Il se jura de faire pour son enfant ce que ses parents et d'autres à Djouffouré avaient fait pour lui : il lui apprendrait à être vraiment un homme, même si au pays des toubabs ceux de sa race ne risquaient, dans une telle quête, que déboires et malheurs. Pour ce garçon, pour ce premier-né, le père avait le devoir de rester aussi fermement planté qu'un arbre géant. Avec les filles, c'était différent : elles mangeaient, elles grandissaient, et puis, en se mariant, elles quittaient leur famille. Mais le garçon était investi du nom et de la renommée de sa lignée — et, s'il avait reçu l'éducation convenable, il prenait avant toute chose soin de ses parents lorsque l'âge les réduisait à l'état de pauvres choses chancelantes.

La grossesse de Bell ramenait Kounta vers son Afrique infiniment plus que ne l'avait fait sa rencontre avec le Ghanéen. Un soir même, il en oublia totalement la présence de Bell dans la case tandis qu'il recomptait patiemment les cailloux enfermés dans sa gourde-calendrier : quel ne fut pas son étonnement de découvrir que cela faisait exactement vingt-deux pluies et demie qu'il était loin de son pays. Mais leurs soirées se passaient généralement de la même façon : Bell n'arrêtait pas de parler tandis que Kounta restait les yeux perdus, saisissant à peine, de temps en temps, une bribe de mots.

— C'est ses afrik-à-nism' qui l' reprennent, devait confier Bell à Tante Sukey.

Pour sa part, quand elle en avait assez, Bell s'extrayait de son fauteuil et allait se coucher en marmonnant — laissant Kounta à ses rêveries.

Une nuit, peut-être une heure après qu'elle se fut retirée dans la chambre, Kounta revint à la réalité en l'entendant gémir. Avait-elle déjà les douleurs ? Bondissant à son chevet, il la trouva endormie, mais terriblement agitée. Comme il se penchait dans le noir pour lui caresser la joue, elle se dressa sur son séant, inondée de sueur et haletante.

— Seigneur, c' bébé dans mon ventre, j'ai effroyab-'ment peur pour lui ! dit-elle en s'accrochant à Kounta.

S'étant un peu calmée, elle lui raconta le rêve qu'elle venait de faire : au cours d'un jeu de salon chez des Blancs, on avait annoncé que le premier prix serait le prochain bébé noir à naître dans la plantation du maître. Kounta tenta de la rasséréner en lui assurant que jamais m'sieu Waller ne ferait une chose pareille, et elle finit par en convenir. Puis il se coucha et Bell ne tarda pas à se rendormir.

Mais Kounta ne trouvait pas le sommeil. Il repensait à tout ce qu'il avait entendu là-dessus : des bébés noirs encore dans le sein de leur mère étaient offerts en cadeau, proposés comme enjeux de parties de cartes ou de combats de coqs. Le Violoneux lui avait rapporté l'histoire de ce maître qui, en mourant, avait légué par testament à chacune de ses cinq filles un des bébés à naître de son esclave Mary, âgée de quinze ans — et déjà grosse. Des enfants noirs étaient donnés en garantie sur des emprunts, des bébés encore dans le ventre maternel étaient revendiqués par des créanciers, monnayés par des débiteurs pour se dégager d'une créance. Il savait qu'au cours des adjudications d'esclaves, au chef-lieu du comté, un robuste nourrisson noir de six mois — âge permettant de présumer qu'il survivrait — atteignait deux cents dollars.

Tout cela affleurait encore à son esprit quelque trois mois plus tard, lorsque Bell lui raconta en riant que cette petite curieuse de mam'zelle Anne avait demandé pourquoi Bell avait un si gros ventre.

— Alors j'y ai dit : « Mon trésor, c'est pasque j'ai un p'tit biscuit dans l' four. »

Kounta eut du mal à lui dissimuler la colère qu'il éprouvait en la voyant combler de soins et d'affection cette espèce de petite poupée gâtée qui, pour lui, n'était qu'un visage parmi les innombrables « p'tites mam'zelles » et « p'tits m'sieux » qu'il voyait défiler dans les grandes maisons. Il enrageait à l'idée que le premier-né de Kounta et Bell Kinté allait « jouer » avec les enfants toubabs — ces enfants qui, en grandissant, devenaient les maîtres de leurs anciens camarades de jeux, et parfois aussi, pour les filles, les géniteurs de leurs enfants. Dans combien de plantations Kounta n'avait-il pas vu des enfants d'esclaves qui étaient presque de la même couleur que ceux du maître — au point que certains pouvaient être pris pour leurs jumeaux !

Kounta pensait à ces jeunes filles à la peau pratiquement blanche, qui atteignaient de très hauts cours lors des adjudications d'esclaves. Il savait très bien à quelle intention les maîtres achetaient ces esclaves. Mais il avait entendu d'étranges histoires à propos des garçons au teint pareillement clair — souventes fois, ils disparaissaient dans leur toute petite enfance. En effet, les Blancs redoutaient qu'en grandissant la couleur de leur peau leur permît — s'ils réussissaient à s'enfuir dans une autre région — de se faire passer pour l'un d'entre eux, et de mêler leur sang noir à celui d'une femme blanche. Chaque fois qu'il pensait à ces métis, Kounta remerciait Allah : quelque destin que Sa volonté leur réservât, à lui et à Bell, le bonheur leur était donné d'attendre un enfant noir.

Une nuit de septembre 1790, Bell fut prise des premières douleurs. Mais elle ne voulut pas que Kounta aille aussitôt chercher le maître, qui avait promis de la délivrer lui-même, avec Sœur Mandy en guise d'assistante. A chaque contraction Bell se rejetait en arrière sur le lit, dents serrées pour ne pas crier, et sa main se crispait sur celle de Kounta.

Pendant un court répit entre deux contractions, elle tourna vers Kounta son visage baigné de sueur.

— Y a quèq' chose que j'aurais dû t' dire bien avant. J'ai déjà eu deux p'tits; mais c'était y a longtemps, dans l'aut' plantation, j'avais même pas seize ans.

Kounta était frappé de stupeur. S'il avait su — non, s'il avait su, il aurait quand même épousé Bell. Mais c'était déloyal de sa part de l'avoir tenu dans l'ignorance. Bell poursuivit son récit, haché par le retour régulier des douleurs, en haletant les mots plus qu'elle ne les proférait. Elle avait eu deux petites filles, et puis elle avait été vendue, arrachée à ses enfants.

— C'était encore que des bébés, sanglota Bell, y en a une qui commençait juste à marcher, et l'aut' avait même pas un an. (Une contraction plus forte lui fit serrer les dents, et sa main broya celle de Kounta. Quand ce fut passé, elle ne relâcha pas son étreinte et regarda Kounta à travers ses larmes — devinant ce qui lui tournoyait dans la tête.) Si tu t' demandes qui c'était l' père, c'était pas l' maître ni l' régisseur. C'était un négro des champs, comme moi ; et pas plus malin.

Les douleurs étaient de plus en plus rapprochées. Bell enfonçait ses ongles dans la paume de Kounta en retenant le long hurlement qui lui montait à la gorge. Alors, Kounta se précipita chez Sœur Mandy et tambourina à sa porte en l'appelant d'une voix rauque, puis il repartit en flèche vers la grande maison. Là il frappa et appela pareillement pour faire lever le maître. M'sieu Waller passa enfin la tête à une fenêtre et, reconnaissant Kounta, répondit :

— J'arrive !

Quand il regagna sa case, les gémissements de Bell s'étaient transformés en cris perçants, qui déchiraient le calme de la nuit. Il aurait voulu rester auprès d'elle, mais Sœur Mandy le mit à la porte, et, au fond, il aimait autant ça. Accroupi devant la case, il essayait d'imaginer ce qui se passait à l'intérieur. En Afrique, il n'avait pas eu l'occasion d'apprendre grand-chose sur les accouchements — c'était là le strict domaine des femmes, où les hommes n'avaient pas accès. Mais il savait que, là-bas, la mère mettait son enfant au monde agenouillée sur des linges couvrant le sol, puis s'asseyait dans une bassine d'eau pour faire disparaître le sang dont elle était souillée, et il se demandait si cela se passait de la même façon derrière le mur qui le séparait de Bell.

Et puis une idée traversa Kounta et l'emplit de tristesse : en ce moment même, à Djouffouré, Binta et Omoro étaient en train de devenir grands-parents, mais ils ne verraient jamais leur petit-fils et, même, ils ignoreraient toujours son existence.

Mais soudain il bondit, car un vagissement venait de

frapper son oreille. Quelques minutes plus tard, le maître émergea de la case, le visage creusé de fatiguc.

— Elle a beaucoup souffert, dit-il à Kounta. C'est qu'elle a tout de même quarante-trois ans. Mais elle sera remise sous deux jours. Quand Mandy aura mis un peu d'ordre, tu pourras entrer voir ta fille.

Une *fille !* Kounta n'avait pas encore réussi à se ressaisir que Sœur Mandy apparaissait toute joyeuse sur le seuil de la case, et lui faisait signe d'entrer. Kounta traversa la pièce, souleva le rideau, s'approcha du lit. Bell ouvrit les yeux et esquissa un pauvre sourire. Il lui prit la main et la serra doucement, mais il n'avait d'yeux que pour le petit être couché à côté d'elle. Un minuscule visage presque aussi noir que le sien, et des traits indéniablement mandingues. Une fille, certes — telle avait été la volonté d'Allah — mais *son* enfant. Et il éprouva une profonde et sereine fierté, car voici que le sang des Kinté, qui avait coulé comme un puissant fleuve tout au long des siècles, allait encore irriguer une nouvelle génération.

Quel nom allait-il trouver pour son enfant ? Debout à côté du lit, il commença aussitôt à y réfléchir. Il n'était évidemment pas question de demander au maître un congé de huit jours pour y penser tout à loisir, comme les pères le faisaient en Afrique. Pourtant, le nom que recevait un enfant était déterminant pour sa personnalité. Et brusquement il se souvint avec rage que, de toute façon, elle devrait porter le nom de famille du maître ; alors, il se jura devant Allah d'apprendre à sa fille son vrai nom, le nom de *sa* famille.

Sans un mot d'explication, Kounta quitta la chambre et sortit sous le ciel qui commençait à peine à se teinter des premières lueurs de l'aube. Il se mit à arpenter l'herbe, le long de la clôture où lui et Bell s'étaient retrouvés, la première fois. Il avait besoin de réfléchir. Puisque Bell avait eu cette immense douleur d'être séparée de ses fillettes, il devait trouver pour leur fille un nom — d'origine mandingue — qui exprimerait le plus ardent souhait de sa mère : ne jamais la perdre, un nom qui la protégerait de cette horrible éventualité. Et soudain il trouva ! Il tournait et retournait le mot dans son esprit, en résistant à la tentation de le proférer, même rien que pour lui. Oui, c'était exactement ce qu'il fallait ! Kounta se hâta de regagner la case, ravi que la chance lui ait dicté si vite ce qu'il cherchait.

Mais, quand il apprit à Bell qu'il était prêt à donner à leur fille le nom qu'il avait choisi, elle se répandit en protestations beaucoup plus vigoureuses que son état ne l'aurait laissé prévoir.

— Te v'là bien pressé, dis donc ! Lui donner quel nom, d'abord ? On en a même pas discuté, de c' nom !

Kounta savait de quel entêtement pouvait faire preuve Bell quand elle était montée. Alors, d'un ton où l'angoisse le disputait à la colère, il s'efforça de lui expliquer, en cherchant souvent ses mots, qu'il y avait certaines traditions à respecter, certain rituel à observer pour dénommer un enfant ; et, avant tout, que le choix du nom procédait du père, et de lui seul, mais que nul ne devait l'entendre avant l'enfant lui-même. Et, s'ils tardaient, ils risquaient que le maître décide lui-même du nom que porterait le bébé — et le prononce.

— Ah ! c'est donc ça ! dit Bell. T'as qu' tes afrik-à-nism' en tête, et j' peux t' dire qu' ça nous vaudra rien d' bon. Des noms et des manières de païens, j' veux pas d' ça pour c't' enfant !

Kounta se précipita dehors en tempêtant — et faillit renverser Tante Sukey et Sœur Mandy qui arrivaient chargées de serviettes et de pots d'eau bouillante.

— Félicitation, Frère Toby, on vient s'occuper d' Bell.

Mais Kounta poussa un vague grognement et poursuivit son chemin. Il aperçut Caton, un des esclaves travaillant aux champs, qui allait sonner la cloche du matin — d'une minute à l'autre, les Noirs émergeraient de leur case et iraient tirer des seaux d'eau au puits pour se laver avant le premier déjeuner. Kounta obliqua aussitôt dans le sentier qui contournait le quartier des esclaves et aboutissait à l'écurie. Il ne tenait surtout pas à côtoyer ces Noirs païens, à qui les toubabs avaient appris à redouter tout ce qui avait le moindre relent d'Afrique — de cette Afrique dont ils tiraient pourtant leur origine.

Dans le sanctuaire de l'écurie, Kounta nourrit, abreuva et pansa les chevaux, sans décolérer pour autant. Quand vint l'heure où le maître prenait son petit déjeuner, il alla se présenter à la porte de la cuisine et demanda à Tante Sukey, qui remplaçait momentanément Bell, si le maître voulait le buggy. Tante Sukey ne se retourna pas, ne lui répondit même pas à haute voix ; elle se contenta de hocher négativement la tête et quitta la pièce, sans rien lui donner pour se restaurer. De son pas boitillant, Kounta retourna à l'écurie en se demandant ce que Bell avait bien pu raconter à Tante Sukey et à Sœur Mandy pour alimenter les ragots du quartier des esclaves. Et puis, après tout, il s'en moquait bien.

Que pourrait-il faire pour s'occuper ? Il s'installa devant l'écurie et se mit à graisser et à nettoyer les harnais — sans nécessité aucune, car il avait déjà procédé à cette besogne à peine deux semaines plus tôt, mais c'était une façon de tuer le temps. Il avait envie de retourner à la case, pour voir le bébé — et Bell aussi. Mais, aussitôt, sa colère se ranimait. O honte ! La femme d'un Kinté souhaitait donner à son enfant un nom toubab : le mépris de soi-même, voilà sous quel signe elle voulait placer à jamais cette jeune vie.

A midi, Kounta vit Tante Sukey porter à Bell une petite marmite — de la soupe, probablement. Rien que d'y penser, cela lui donnait faim. Alors il passa derrière la grange, et fourragea sous la paille qui protégeait un tas de patates douces fraîchement ramassées ; il en choisit quatre petites et les mangea telles quelles, en s'apitoyant sur lui-même.

Pourtant, lorsque tomba le crépuscule, il lui fallut bien rentrer chez lui. Quand il pénétra dans la pièce principale, pas un appel ne vint de la chambre. Il pensa que Bell dormait et se pencha sur la table pour allumer une bougie.

— C'est toi ?

L'intonation de Bell n'était pas spécialement acerbe. Il répondit par un grognement et prit la bougie pour pénétrer dans leur chambre. La vive lueur de la flamme lui permit de voir l'expression déterminée de Bell.

— Écoute, lui dit-elle, j' connais sûr'ment mieux l' maître que toi. Si tu l' fâches avec tes machins africains, aussi vrai que j' suis d'vant toi, il nous vend tous les trois à la prochaine 'djudication d'esclaves !

Kounta se contenait de son mieux, en cherchant désespérément les mots qui pourraient faire comprendre à Bell qu'il avait pris une décision sans appel — quels qu'en soient les risques, son enfant ne porterait pas un nom toubab, et, de plus, le rite de sa dénomination serait observé.

Ces risques, Bell les redoutait, mais ce que ferait Kounta si elle s'opposait à sa volonté l'effrayait encore plus. Alors, bourrelée d'appréhension, elle finit par céder. Kounta lui ayant expliqué qu'il allait simplement emmener l'enfant dehors pendant quelques instants, elle le pressa d'attendre que la petite se soit réveillée et ait pris sa tétée — pour qu'elle ne se mette pas à hurler de faim. Kounta accepta sans discussion. Bell calculait que le bébé ne se réveillerait pas avant deux heures ; à ce moment-là, tout le quartier des esclaves dormirait — et nul ne risquait d'assister au moumbo djoumbo de Kounta. Bell continuait à lui tenir rigueur de ne pas l'avoir laissée participer au choix du nom de cette enfant qu'elle avait mise au monde dans tant de souffrances. Quel nom africain — et donc interdit — n'allait-il pas lui donner ? Enfin, elle interviendrait plus tard, s'il y avait lieu.

Il était presque minuit lorsque Kounta sortit de la case, serrant bien fort contre lui le bébé emmitouflé dans une couverture. Il marcha tout droit, pour sortir de l'ombre même que pouvait jeter sur eux le quartier des esclaves.

Et enfin, sous la lune et les étoiles, Kounta éleva le petit être vers la voûte du ciel en murmurant à trois reprises en mandingue, tout contre son oreille :

— Tu t'appelles Kizzy.

Et voilà, il avait procédé au rite, comme tous les ancêtres Kinté y avaient procédé — il en avait été de même pour lui, et il en aurait été de même si sa fille était née chez lui, dans la terre ancestrale. Elle était la première à avoir entendu son nom.

Kounta s'éloigna encore un peu — il sentait le sang battre dans ses veines, ce sang qui coulait dans l'enfant, sa chair et la chair de Bell. Et puis il s'arrêta, écarta un coin de la couverture, et tourna le petit visage noir vers le ciel pour lui dire en mandingue, et cette fois à voix haute :

— Regarde, cela seul est plus grand que toi !

Lorsque Kounta rentra dans la case, Bell lui arracha presque le bébé des mains. Elle déroula la couverture d'un air anxieux et vindicatif, et examina le petit corps de la tête aux pieds, sans trop savoir ce qu'elle cherchait ni souhaiter trouver quoi que ce soit. S'étant enfin assurée que Kounta ne lui avait rien fait subir — en tout cas, rien de visible — elle recoucha le poupon. Et puis elle revint dans la pièce principale, prit un siège en face de Kounta, croisa les mains sur ses genoux et demanda à Kounta :

— Allez, dis-le-moi !

— Quoi qu' tu veux que j' te dise ?

— Son nom, l'Africain. Comment qu' tu l'as appelée ?

— Kizzy.

— Kizzy ! Mais personne a jamais entendu parler de c' nom-là !

Alors, Kounta lui expliqua qu'en mandingue « Kizzy » signifiait « tu t'assieds » ou « tu ne bouges pas d'ici » — alors, leur fille ne serait pas vendue comme les autres, les premières filles de Bell.

Mais Bell répétait d'un air buté :

— Ça nous vaudra rien qu' des ennuis.

Elle dut cependant sentir que la colère empoignait de nouveau Kounta, car elle finit par temporiser. Il lui revenait, dit-elle, que sa mère lui avait parlé d'une grand-mère nommée « Kibby », ce qui n'était pas très différent de « Kizzy » ; ce serait en tout cas ce qu'ils pourraient répondre au maître, s'il paraissait se douter de quelque chose.

Le lendemain, Bell s'efforça de dissimuler sa nervosité lorsque le maître vint voir comment se portait son accouchée, et elle réussit à lui apprendre le nom de la petite avec un rire bonasse. Le maître remarqua que c'était un nom bizarre, mais il ne fit pas d'objection et, dès qu'il fut parti, Bell laissa échapper un soupir de soulagement. Dans la grande maison, m'sieu Waller ouvrit la grande bible noire qu'il conservait sous clé dans le salon, trempa sa plume dans l'encrier et traça d'une belle écriture moulée, sur la page consacrée aux actes de la plantation : *Kizzy Waller, née le 12 septembre 1790.*

Trois jours plus tard en découvrant Kizzy dans la cuisine de Bell, mam'zelle Anne se mit à gambader en battant des mains.

— On dirait un vrai petit poupard noir ! s'écria-t-elle ; est-ce que je peux l'avoir ?

Bell rayonnait de joie.

— Mon trésor, elle est à son papa et à moi, mais, dès qu'elle s'ra assez grande, vous pourrez jouer tant qu' vous voudrez avec elle !

Et c'est ce qui se passa. Kounta ne pouvait plus se montrer dans la cuisine pour demander si le maître voulait le buggy, ou simplement pour voir Bell, sans y trouver la nièce du maître — l'enfant avait déjà quatre ans — sa tête blonde penchée au-dessus du panier de Kizzy, à lui roucouler des douceurs.

— Oh ! tu es trop mignonne ! Tu verras comme on s'amusera toutes les deux. Allez ! Dépêche-toi de grandir !

Kounta n'en laissait rien voir, mais cela l'exaspérait de penser que, aux yeux de cette enfant toubab, Kizzy n'était venue au monde que pour lui servir de jouet, de poupée vivante. Et il notait avec amertume que Bell ne respectait apparemment pas plus sa virilité que sa paternité, puisqu'elle ne s'était même pas enquise de ce qu'il pouvait éprouver en voyant la fille de l'homme qui l'avait acheté jouer avec sa propre fille.

Il lui semblait parfois que Bell se préoccupait moins de ses sentiments à lui que de ceux du maître. Le bonheur d'avoir cette p'tite mam'zelle Anne, qui remplaçait auprès du maître la fille qu'il avait perdue à sa naissance, voilà ce dont Bell rebattait les oreilles de Kounta à longueur de soirée.

— Seigneur, Quelle pitié, quand j'y r'pense, lui dit-elle un soir en écrasant une larme. Jolie comme un cœur et pas plus grosse qu'un oiseau qu'elle était, cette ma'me Priscilla. L'arrêtait pas d' chanter toute seule et de m' faire des sourires en s' flattant l' ventre, à cause du bébé qu'arrivait. Et puis, un matin, ces cris qu'elle pousse et tout d'un coup, la v'là passée, et la mignonne aussi ! L'a fallu la p'tite mam'zelle Anne pour que j'y r'voie l' sourire, au pauv' maître.

Kounta n'avait pas l'intention de s'apitoyer sur la solitude du maître, mais il estimait que, s'il se remariait, il ne pourrait plus s'occuper autant de mam'zelle Anne ; ainsi verrait-on moins la petite personne à la plantation — et autour de Kizzy.

— Et l' maître, faut voir comment il la prend sur ses g'noux, il la serre fort, il lui parle dans l'oreille, et puis elle s'endort dans ses bras et il reste sans bouger plutôt que d' la mettre au lit. Tant qu'elle est là, tant qu'y faut qu'il soye avec elle. Et moi, j' sais bien qu' pour lui c'est comme si c'était sa prop' fille.

Bell expliquait à Kounta que si mam'zelle Anne avait, dans Kizzy, une raison de venir le plus souvent possible chez le maître, celui-ci n'en serait que plus favorablement disposé à leur égard. Et en plus, raisonnait-elle astucieusement, m'sieu John et sa chétive femme devaient sûrement se trouver très bien de l'attachement de leur fille à son oncle, « pasque ça les rapproche de l'argent du maître ». M'sieu John prenait de grands airs, disait-elle, mais elle savait très bien qu'il empruntait de l'argent au maître ; sur ce point, Kounta la croyait volontiers — mais il se moquait éperdument de savoir quel toubab était plus riche que l'autre, car, pour lui, ils étaient tous pareils.

Les mois passaient, mam'zelle Anne rendait visite à son oncle deux fois par semaine et elle restait des heures à jouer avec Kizzy. Comme Kounta ne pouvait s'y opposer, il essayait au moins de ne pas les voir ensemble, mais, comme par un fait exprès, il ne pouvait pas faire un mouvement sans tomber sur la nièce du maître en train de caresser, d'embrasser, de bercer Kizzy. C'était un spectacle qui l'écœurait, et qui lui remémorait en même temps un proverbe africain remontant aux ancêtres : « Le chat joue avec la souris, mais il finit toujours par la manger. »

65

A peu près au moment de la naissance de Kizzy, Kounta et le Violoneux avaient rapporté à la plantation des nouvelles de ce qui se passait dans une île appelée « Haïti » et située quelque part dans la grande eau. Les événements tournaient autour du fait qu'il s'y trouvait environ trente-six mille Blancs, surtout des Français, contre environ un demi-million de Noirs, esclaves amenés d'Afrique pour peiner dans d'immenses plantations où l'on cultivait la canne à sucre, le café, l'indigo et le cacao. Un soir, Bell raconta que le maître avait parlé à ses invités d'une opulente classe de Blancs qui y vivaient comme des rois, en méprisant les petits Blancs — le plus grand nombre — qui n'avaient pas les moyens d'acheter des esclaves.

— C'est-y possible, une chose pareille ! dit le Violoneux d'un ton sarcastique.

Bell lui intima silence en riant et continua. Devant ses hôtes horrifiés, m'sieur Waller avait expliqué qu'à Haïti les maîtres blancs avaient fécondé leurs esclaves noires en si grand nombre, et pendant tant de générations, que l'on comptait maintenant près de vingt-huit mille mulâtres et métis à peine teintés. Ceux-ci, les « gens de couleur », comme on les appelait, avaient presque tous été affranchis par leurs maîtres et pères français. Selon un des invités, disait Bell, ces « gens de couleur » choisissaient invariablement des conjoints à la peau encore plus claire que la leur, afin d'avoir des enfants pratiquement blancs. Et les mulâtres à la peau trop foncée pour faire illusion soudoyaient les fonctionnaires pour se faire établir des papiers leur attribuant pour ancêtres des Indiens ou des Espagnols ou n'importe quoi, mais surtout pas des Africains. M'sieu Waller avait dit qu'aussi étonnant et déplorable que cela paraisse, les Blancs avaient à tant de reprises donné en cadeau ou légué à des « gens de couleur » des titres de propriété, qu'une forte fraction de ces derniers possédaient maintenant au moins un cinquième de la terre haïtienne — et de ses esclaves. A l'instar des Blancs riches, ces gens allaient faire des séjours en France, envoyaient leurs enfants dans des écoles — et méprisaient les petits Blancs. Autour de Bell, l'assistance s'en montra aussi ravie que le maître en avait été scandalisé.

Le Violoneux intervint :

— S' pourrait qu' vous chantiez une autre chanson si vous entendiez c' que j'ai entendu dans un d' ces cottiyons du beau monde où qu' j'ai joué, y a pas longtemps.

A Haïti, avaient raconté certains maîtres avec des hochements de tête satisfaits, les petits Blancs étaient tellement montés contre les mulâtres et les métis à peau blanche qu'ils avaient signé des pétitions, et la France avait finalement passé des décrets interdisant aux « gens de couleur » de sortir le soir, de s'asseoir à côté des Blancs dans les églises, et même de porter des vêtements du même tissu qu'eux. En attendant, disait le Violoneux, Blancs et gens de couleur passaient leur rage sur le demi-million d'esclaves noirs de Haïti. En ville, des Blancs hilares racontaient là-dessus des choses épouvantables. Des Noirs battus à mort ou enterrés vivants — c'était là-bas un châtiment banal.

Des esclaves tellement exténuées de travail qu'elles perdaient leur fruit avant terme. Et encore taisait-il des actes d'une bestiale inhumanité, pour ne pas les terrifier davantage : un Noir, les mains clouées à un mur jusqu'à ce qu'il mange ses oreilles coupées ; une femme toubab avait fait trancher la langue à tous ses esclaves ; une autre qui avait bâillonné un bébé noir pour le faire mourir de faim.

Comme, depuis neuf ou dix mois, d'aussi atroces histoires n'arrêtaient pas de filtrer, Kounta ne fut pas étonné, au cours de cet été 1791, de la rumeur qui courait en ville d'une sanglante révolte des esclaves noirs de Haïti. Ils s'étaient répandus par milliers dans l'île, égorgeant, assommant, décapitant les Blancs, étripant les enfants, violant les femmes, incendiant les plantations : tout le nord de Haïti n'était plus que décombres fumants ; les Blancs qui en avaient réchappé défendaient chèrement leur vie et frappaient partout où ils le pouvaient — torturant, tuant, écorchant vivant tout Noir qui leur tombait entre les mains. Mais l'insurrection noire n'avait pas cessé de s'étendre et il ne restait plus, à la fin août, que quelques milliers de Blancs retranchés ou tentant de fuir l'île.

Kounta raconta aux autres qu'il n'avait jamais vu les toubabs du comté de Spotsylvanie animés d'une telle colère et d'une telle crainte.

— Z'ont l'air d'avoir encore plus peur qu'au dernier soulèv'ment, commenta le Violoneux. Y avait deux ou trois ans qu' t'étais là, mais, comme tu parlais à personne, t'as rien dû en savoir. C'était vers Noël, là-bas dans les Nouvelles-Galles, au comté de Hanover. V'là qu'un régisseur il tape sur un négro et il te l' flanque par terre. L' négro s' relève, il y balance sa hache à la tête, mais il le rate. Alors, les autres négros ils sautent sur le régisseur et ils y vont si fort que l' premier négro s' ramène et leur arrache des mains.

Alors l' régisseur, tout en sang, il court chercher d' l'aide, et pendant c' temps-là les négros furibards ils attrapent deux aut' Blancs et ils s' mettent à taper d'ssus. Mais v'là que s' ramène tout un tas d' Blancs avec des fusils. Les négros, ils s' réfugient dans la grange, et les Blancs, z'essaient d' les amadouer pour les faire sortir. Mais les négros s' lancent dehors avec des douves de tonneaux et des gourdins. Ça s'est fini avec deux négros tués par balles et une tripotée d' négros et d' Blancs amochés. Alors, z'ont fait circuler des patterouilles et z'ont passé encore quèqu' lois en attendant qu' ça s' tasse. Alors, c' qu'arrive à Haïti, les Blancs ça leur met la puce à l'oreille, pasqu'ils savent aussi bien qu' moi qu' les négros qu'ils ont sous l' nez, leur faut qu'une bonne étincelle pour flamber et une fois qu' le feu il aura bien pris, eh bien, en Virginie, ça s' pass'ra pareil qu'à Haïti, oui, m'sieu.

L'idée semblait enchanter le Violoneux.

Kounta ne fut pas long à remarquer l'effroi qui agitait les Blancs lorsqu'il passait à proximité d'eux en ville. Le maître lui-même, qui pourtant ne lui adressait guère la parole que pour lui dire où le conduire, arrivait à proférer ces quelques mots d'un ton inusité, froid et tranchant. La milice du comté de Spotsylvanie se mit à patrouiller sur les routes et à contrôler les permis de circulation des Noirs. Qu'ils conçoivent le moindre soupçon, fondé ou non, et le Noir subissait le fouet et la geôle. Les maîtres de la région, s'étant assemblés, décidèrent que cette année-là les Noirs se passeraient de réjouissances : assemblée de fidèles ou bal des moissons ; dans les quartiers des esclaves même, les réunions de prières ou les danses ne seraient autorisées qu'en présence du régisseur ou d'un autre Blanc.

Pendant plusieurs soirées de suite, seule avec Kounta et Kizzy, Bell s'exténua à déchiffrer des vieux journaux. Elle s'acharna pendant près d'une heure sur un grand article pour arriver à en tirer qu'il y avait eu une sorte de « Déclaration des Droits », qui aurait été « ra-ti-fiée ou quèq' chose comme ça ». Mais il y avait aussi beaucoup de relations des événements de Haïti — déjà venus à leurs oreilles, pour la plupart. Les textes insistaient surtout, disait-elle, sur le fait que la révolte des esclaves haïtiens pourrait facilement faire naître l'idée d'actions folles chez certaines mauvaises têtes de Noirs de ce pays, d'où la nécessité de tenir les esclaves beaucoup plus serrés et de leur infliger des châtiments exemplaires. En repliant les journaux pour les ranger, Bell conclut :

— J' vois pas trop c' qu'ils pourraient encore nous faire de plus, à moins d' nous enchaîner.

En deux mois, les nouvelles de Haïti s'apaisèrent notablement, et, dans tout le Sud, les tensions — et les rigueurs envers les esclaves — s'atténuèrent. La cueillette du coton avait commencé, et les Blancs se réjouissaient entre eux : la récolte était plus belle que jamais et les cours avaient monté en flèche. Le Violoneux passait pratiquement toutes ses nuits à jouer pour des soirées dansantes et des réceptions dans les grandes maisons — et toutes ses journées à dormir.

— Les maîtres, ils s' font tell'ment d'argent avec ce coton qu'ils vont danser jusqu'à tomber raides morts, dit-il à Kounta.

Et puis voilà que de nouveaux sujets de mécontentement surgirent de nouveau pour les Blancs. Au chef-lieu du comté, Kounta entendit les maîtres hausser le ton en parlant du nombre croissant de « sociétés contre l'esclavage » que fondaient des « traîtres à la race blanche », non seulement dans le Nord, mais aussi dans le Sud. Sans trop y croire, il raconta la chose à Bell, et justement elle venait de lire la même chose dans les journaux du maître, lesquels attribuaient ces créations récentes et rapides à la révolte des Noirs à Haïti.

— Quand j' te dis qu' chez ces Blancs y a des bonnes gens ! s'écria-t-elle. Paraît même que quand les premiers bateaux vous ont déversés ici, vous aut' les Africains, y avait déjà des masses de Blancs à qui ça plaisait pas !

Kounta se demandait d'où Bell pouvait bien s'imaginer qu'étaient venus ses propres grands-parents, mais elle était tellement exaltée qu'il garda sa réflexion pour lui.

— Les journaux, ils ont qu'à parler d' ça, poursuivit-elle, et v'là les maîtres dans tous leurs états, à bramer et faire un foin terrib', que c'est des ennemis du pays et tout l' reste, mais c' qui compte, c'est qu' plus y a d' Blancs qui parlent contre l'esclavage et plus les maîtres ils vont se d'mander si c'est bien ou mal c' qu'ils font. Et spécial'ment ceux qui s' disent chrétiens. (Bell regarda Kounta d'un air malin.) De quoi tu crois qu'on discute, Tante Sukey et Sœur Mandy et moi, l' dimanche, quand l' maître il croit qu'on prie et qu'on chante des cantiques ? Moi, les Blancs, j' les ai à l'œil. Tiens, les Quakers. Z'étaient déjà contre l'esclavage avant c'te Révolution. Déjà ici, en Virginie, appuya-t-elle. Et y en avait beaucoup qu'étaient des maîtres, avec des tripotées d' négros. Et puis v'là qu' les prédicateurs ils disent qu' les négros c'est des êt' humains, qui z'ont l' droit d'êt' libres comme tout l' monde, alors, y a des maîtres quakers qui laissent partir leurs négros, y en a même qui les aident à aller dans l' Nord. A c't' heure, l' Quaker qu'a encore des négros, l'est mal vu par les autres, et paraît que çui qui les laisse pas partir, l'est r'poussé par leur Église. V'là c' qui s' passe à c't' heure, s'écria Bell. Et les Méthodistes, ils viennent juste après. Y a une dizaine d'années d' ça, j'ai lu qu' les Méthodistes, z'avaient fait une grande assemblée à Baltimore. Et z'ont fini par décider qu' l'esclavage allait cont' la loi du Seigneur — et qu'un chrétien peut pas faire ça à un aut' chrétien.

Alors, ces Quakers et ces Méthodistes, c'est eux qu'ont poussé leurs Églises à déclarer qu'y fallait 'manciper les négros. Pour moi, ces Baptistes et ces Presbytériens blancs — ça, c'est l'Église du maître et d' tous les Waller — c'est du monde qui sait pas sur quel pied danser. Ça veut garder une bonne conscience, et puis aussi garder ses négros.

Il existait donc, d'après Bell — qui trouvait notamment ça dans le propre journal du maître — des Blancs ennemis de l'esclavage. Seulement, pour sa part, Kounta n'avait jamais entendu, ne serait-ce qu'une fois, un toubab partager cette opinion. Au cours du printemps et de l'été 1792 justement, le maître accompagna souvent, avec le buggy, de très grands planteurs, des politiciens, des juristes, des négociants. Sauf exception, ils n'avaient qu'un unique sujet de conversation : les Noirs.

Il s'en trouvait toujours un pour dire que la première chose, avec les esclaves, était de bien comprendre ce que leur passé africain, cette vie dans la jungle au milieu des bêtes, leur avait légué : stupidité, paresse, saleté. Le devoir du chrétien, à qui Dieu avait donné la supériorité, était d'inculquer à ces créatures le sens de la discipline, la morale et le respect du travail — en leur montrant l'exemple, bien entendu, mais aussi au moyen de lois et de châtiments adéquats, sans négliger pour autant d'encourager et de récompenser les méritants.

La conversation se poursuivait toujours de la même façon : tout relâchement de la tutelle des Blancs entraînerait une recrudescence de la malhonnêteté, la fourberie, la ruse, instinctives chez une espèce inférieure. Et tous ces vagissements de sociétés anti-esclavagistes ne pouvaient venir que de gens qui, particulièrement dans le Nord, n'avaient eux-mêmes jamais possédé de Noirs ou dirigé une plantation avec une telle main-d'œuvre. Comment auraient-ils pu savoir ce qu'exigeait de patience, de compassion, de raison, d'âme même, le fardeau de posséder des esclaves — au point parfois que cela en devenait intolérable.

Cela faisait si longtemps que Kounta entendait débiter ces absurdités qu'il n'y prêtait même plus attention. Mais il se demandait tout de même, de temps en temps, pourquoi les gens de son pays ne tuaient pas purement et simplement tout toubab prenant pied en Afrique. Mais il ne trouvait jamais de réponse qui lui parût admissible.

66

Ce fut vers midi, par une étouffante journée de la fin août, que Tante Sukey fit irruption dans le jardin : elle s'inquiétait terriblement à propos du vieux jardinier, dit-elle en haletant au Violoneux. Le matin, il n'était pas venu déjeuner, mais elle n'y avait pas prêté attention ; seulement, comme il n'avait pas paru non plus à midi, elle avait commencé à se soucier. Alors, elle était allée jusqu'à sa case, elle avait frappé, appelé — en vain. Le Violoneux l'avait-il vu quelque part ? Mais non, le Violoneux n'avait vu nulle part le vieux jardinier.

— Avant d'entrer, j' m'en doutais déjà, raconta-t-il ce soir-là à Kounta.

Et Kounta dit que, pour sa part, il avait éprouvé un sentiment bizarre en ramenant le maître dans l'après-midi.

— L'était couché dans son lit, l'air bien paisib', expliqua le Violoneux. L'avait un p'tit sourire, t'aurais cru qu'il dormait. Mais Tante Sukey, elle a dit qu'il d'vait déjà s'être réveillé au ciel.

Il était allé apprendre la triste nouvelle aux travailleurs des champs, et Caton, le chef d'équipe, était revenu avec lui pour l'aider à laver le corps et à l'habiller. Puis, en signe de deuil, ils avaient accroché à la porte son vieux chapeau noirci par la sueur.

On enterra le jardinier le lendemain. M'sieur Waller, sa grosse bible noire à la main, se tenait d'un côté de la fosse, et les esclaves de l'autre. Il y eut d'abord une prière, dite par Tante Sukey. Puis une jeune fille nommée Pearl entonna un chant mélancolique : « Presse-toi de rentrer, mon âme fatiguée... Le ciel aujourd'hui m'appelle... Presse-toi, presse-toi, mon âme fatiguée..., mes péchés me sont remis, mon âme est affranchie... » Puis m'sieu Waller inclina la tête et prit la parole :

— Josephus, tu fus un bon et fidèle serviteur. Dieu bénisse ton âme et lui donne le repos. *Amen.*

Malgré son chagrin, Kounta remarqua au passage ce nom de « Josephus ». Il se demandait quel avait bien pu être le véritable nom du jardinier — celui de ses ancêtres africains — et de quelle tribu il était issu. Mais le jardinier était mort comme il avait vécu, sans savoir qui il était. Les yeux brouillés de larmes, Kounta et les autres virent disparaître le vieil homme dans cette terre où, pendant tant d'années, il avait fait pousser la vie. Lorsque les pelletées de terre commencèrent à s'amonceler sur le visage et la poitrine du mort, Kounta, la gorge serrée, essaya de retenir ses pleurs tandis qu'autour de lui les femmes éclataient en sanglots, les hommes se raclaient la gorge et se mouchaient.

La disparition du vieux jardinier avait si profondément affecté Kounta qu'un soir, après avoir couché Kizzy, Bell décida de lui en parler.

— Écoute-moi un peu ! J' sais bien qu' t'y t'nais, au vieux jardinier. Mais tu crois pas qu'il s'rait temps qu' tu r'viennes chez les vivants ? (Kounta lui jeta un regard furieux, mais elle poursuivit :) A ton aise.

Seul'ment, avec la tête que tu fais, ça va pas être joyeux l' deuxième anniversaire de Kizzy, dimanche prochain.

— J' sais c' que j'ai à faire, répondit Kounta d'un ton rogue, en souhaitant que Bell ne devine pas qu'il avait, effectivement, oublié la date en question.

Il lui restait cinq jours pour préparer un cadeau. Le jeudi après-midi, il y mit la dernière main : c'était une belle poupée mandingue, qu'il avait sculptée dans du pin, patinée avec de l'huile de lin et de la suie, et fait reluire comme des sculptures d'ébène de son pays. Bell, qui avait depuis longtemps terminé la robe de fête de Kizzy, était occupée, dans sa cuisine, à couler deux petites bougies roses — pour décorer le gâteau au chocolat que Tante Sukey et Sœur Mandy viendraient manger avec eux dimanche. Et voilà qu'arriva Roosby, le cocher de m'sieu John.

Et puis le maître appela Bell et lui apprit d'un air rayonnant que mam'zelle Anne avait obtenu de venir passer la fin de la semaine chez son oncle — elle arriverait le lendemain matin.

— Assure-toi bien qu'il y a une chambre prête, dit le maître. Et si tu faisais un gâteau, dimanche ? Ma nièce me dit que c'est l'anniversaire de votre fillette, et elle veut célébrer ça dans sa chambre — rien qu'elles deux. Et Anne a demandé aussi si la petite pourrait passer la nuit à la maison — j'ai accepté, évidemment. Alors, n'oublie pas d'installer une paillasse au pied de son lit.

Lorsque Bell informa Kounta des nouvelles dispositions — en ajoutant que le gâteau serait mangé dans la grande maison et qu'il n'y aurait pas de fête anniversaire dans leur case, puisque Kizzy serait retenue par mam'zelle Anne — il en resta muet de colère. Se précipitant dehors, il alla droit à la grange et sortit la poupée du tas de paille où il l'avait cachée.

Jamais il ne laisserait ce genre de choses arriver à Kizzy, avait-il juré devant Allah — mais quel pouvoir avait-il pour s'y opposer ? Il se sentait si profondément démuni qu'il commençait à comprendre comment ces Noirs en étaient arrivés à estimer impossible et inutile de résister aux toubabs. En regardant la poupée, il songeait à cette scène dont on lui avait parlé : une femme noire avait fracassé le crâne de son bébé contre le billot des adjudications en hurlant :

— Vous y f'rez pas c' que vous m'avez fait !

Il allait fracasser la poupée contre le mur, mais son bras retomba. Non, cela, il ne pourrait jamais le faire. Alors, il ne restait que la fuite. Bell elle-même avait évoqué cette possibilité. Mais s'y résoudrait-elle ? Et même, comment réussiraient-ils à s'en tirer — à leur âge, avec son pied mutilé et une fillette qui commençait juste à marcher ? Depuis des années, il avait abandonné toute idée de fuite. Mais à présent qu'il connaissait parfaitement la région, après tout...

Abandonnant la poupée dans la grange, il regagna leur case. Mais Bell ne lui laissa pas le temps d'ouvrir la bouche.

— Tu sais, y a pas qu' toi qu' ça turlupine, mais laisse-moi t' dire une bonne chose : j' préfère encore ça qu' la voir aller aux champs, comme ce Noé qu'a seul'ment deux ans d' plus qu'elle, et v'là déjà qu'ils le mettent à arracher les mauvaises herbes et à porter d' l'eau. Tu vas quand même pas m' dire que c'est c' que tu voudrais !

Comme à l'accoutumée, Kounta choisit de ne pas lui répondre, mais elle avait raison : il aurait préféré mourir que condamner sa fille au travail des champs, à cette vie de bête de somme qu'il connaissait trop bien pour avoir peiné lui-même, et vu peiner les autres, depuis vingt-cinq ans qu'il était esclave.

Et puis, un soir, à quelque temps de là, il trouva en rentrant Bell qui l'attendait. Il aimait, au retour, boire une tasse de lait froid — la tasse était prête sur la table. Il s'assit dans le rocking-chair pour attendre le dîner, le dos endolori d'avoir tenu les guides toute la journée — et Bell vint d'elle-même le masser. Et, quand elle déposa devant lui un de ses ragoûts africains préférés, il n'eut plus de doute : elle avait quelque chose à lui demander. Pendant tout le dîner, elle l'assaillit d'un flot inhabituel de paroles — pour ne rien dire d'intéressant. Il se demandait si elle allait arriver au but, mais, au moment de se mettre au lit, elle n'avait encore rien lâché. Et puis elle se tut, laissa passer un long moment, respira bien fort et posa la main sur le bras de Kounta. Allons, elle y arrivait.

— J' sais pas comment tourner la chose, alors j' te sors tout à trac. L' maître m'a dit qu'il avait promis à mam'zelle Anne d'y am'ner Kizzy pour passer la journée avec elle. Il va la déposer chez m'sieu John d'main matin, en commençant sa tournée.

Cette fois, c'était trop. Il avait déjà dû souffrir de voir sa fille transformée peu à peu en chien de salon, et maintenant que l'animal était dressé il devait aller le livrer à son nouveau maître. Kounta ferma les yeux, essayant de contenir sa rage, mais soudain il dégagea brutalement son bras, bondit sur ses pieds et sortit en trombe. Bell ne put dormir de la nuit, solitaire dans le grand lit, et Kounta demeura pareillement éveillé, dans le refuge de l'écurie. Et ils pleurèrent amèrement, chacun de son côté.

Le lendemain matin, Kounta arrêta le buggy devant la maison de m'sieu John, et il n'avait pas encore déposé Kizzy à terre que mam'zelle Anne accourait. Les rires cristallins des fillettes montèrent derrière lui, tandis qu'il tournait pour rejoindre la grand-route : mam'zelle Anne ne lui avait même pas dit au revoir.

L'après-midi, le maître dut aller donner ses soins dans une grande maison, distante d'une vingtaine de milles de celle de m'sieu John. Kounta l'attendit pendant plusieurs heures et, finalement, une domestique vint le prévenir que m'sieu Waller devrait passer la nuit au chevet de sa malade — qu'il rentre et revienne chercher son maître le lendemain matin. Au retour, Kounta se présenta chez m'sieu John, et voilà que cette mam'zelle Anne essayait d'obtenir de sa mère que Kizzy pût passer la nuit chez elle. Mais, au grand soulagement de Kounta, la réponse fut négative : les jeux bruyants des fillettes avaient donné mal à la tête à la maîtresse — femme de petite santé. Il reprit la route avec Kizzy cramponnée au siège à côté de lui, son petit corps tressautant à chaque cahot.

Il vint soudain à l'idée de Kounta que c'était la première fois que sa fille et lui se trouvaient vraiment seuls ensemble, depuis la nuit où il avait murmuré le nom de « Kizzy » au creux de la minuscule oreille. Dans le soir qui tombait, il se sentait envahi d'une étrange allégresse. Mais il se trouvait en même temps tout gauche. Il avait bien réfléchi à l'avenir qu'elle pourrait avoir comme à ses propres responsabilités, et pourtant, il ne savait trop quelle attitude prendre. Alors, il la souleva du siège, la mit sur ses genoux, lui palpa les bras, les jambes, le crâne, tandis qu'elle se tortillait en le regardant d'un air étonné. Et puis il la souleva encore une fois à bout de bras, pour voir combien elle pouvait peser. Enfin, il plaça les guides dans les tièdes menottes — et Kizzy éclata en cascades de rires qui le ravirent.

— T'es ma jolie p'tite fille, lui dit-il. Tu r'ssembles à mon frère Madi, l' plus jeune. (Comme Kizzy ne le quittait pas des yeux, il se désigna en disant :) Fa. (Comme la petite regardait son doigt, il se frappa la poitrine en répétant :) Fa.

Mais elle s'était déjà retournée vers les chevaux. Elle criait, en agitant les guides :

— Hue ! — n'était-ce pas comme cela qu'il les faisait avancer ?

Mais, comme Kounta ne réagissait pas, la petite se

tint très sage, et ils rentrèrent en silence à la plantation Waller.

Quelques semaines plus tard, alors que Kounta ramenait Kizzy de sa seconde visite à mam'zelle Anne, l'enfant se pencha vers lui, lui planta son index grassouillet dans les côtes et dit d'un air malin :

— Fa !

Kounta fut transporté.

— *Ihi to mou Kizzy leh !* répondit-il en saisissant le petit doigt et en le retournant contre elle. C'est Kizzy, ton nom ! (En reconnaissant son nom, la petite esquissa un sourire. Alors, en se désignant, il reprit :) Kounta Kinté.

Kizzy arborait un air perplexe. Puis, tendant son petit doigt vers lui, elle dit :

— Fa !

Et, cette fois, le père et la fille sourirent ensemble.

Vers la mi-été, Kizzy avait appris des tas de mots à une vitesse stupéfiante — et elle semblait aussi heureuse que Kounta de leurs randonnées à deux. Kounta commençait à se dire que, pour elle au moins, il existait un espoir. Et puis un jour, seule avec Bell, Kizzy répéta un ou deux mots mandingues. Alors, le soir, Bell envoya la petite dîner chez Tante Sukey, et attendit Kounta de pied ferme.

— T'es fou, ou quoi ? hurla-t-elle dès son arrivée. T'as intérêt à m'écouter, tu sais — avec tes manigances, la gosse et nous, tu vas nous coller dans un sale pétrin ! T'arriv'ras donc jamais à mettre dans ton épaisse caboche qu'elle est pas africaine ?

Jamais Kounta n'avait éprouvé une aussi furieuse envie de battre sa femme. Elle avait osé élever la voix contre lui — cela seul aurait suffi. Mais, en plus, elle osait désavouer le sang et la semence de son époux. Fallait-il renier son héritage pour ne pas encourir la colère des toubabs ? Pourtant, quelque chose lui dictait de refréner sa colère : qu'il se heurte trop violemment à Bell, et ses randonnées à deux avec Kizzy seraient compromises. Mais, songea-t-il alors, elle ne pourrait y mettre un terme sans dire pourquoi au maître. Et, cela, elle n'oserait jamais le faire. De toute façon, qu'est-ce qui lui avait pris d'épouser une femme née dans le pays des toubabs ?

Le lendemain, Kounta attendait le maître qui donnait ses soins dans une plantation voisine, quand un cocher lui confia ce qu'il venait d'apprendre sur Toussaint, un ancien esclave qui avait formé, à Haïti, une grande armée de Noirs révoltés, et qui la menait victorieusement non seulement contre les Français mais aussi contre les Espagnols et les Anglais. Le cocher raconta à Kounta que Toussaint savait conduire une guerre parce qu'il avait étudié les hauts faits de guerriers antiques : un certain « Alexandre le Grand », et un autre appelé « Jules César ». Et les livres qui parlaient d'eux, c'était son maître qui les lui avait donnés et, par la suite, il avait aidé ce maître à s'enfuir aux « États-Unités ». En quelques mois, Kounta avait fait de Toussaint son héros, le plaçant juste après le légendaire Soundiata des Mandingues. Il brûlait de rentrer pour transmettre cette passionnante nouvelle aux autres.

Et puis il oublia finalement de la leur rapporter. En effet, quand il rentra, Bell l'attendait devant l'écurie : Kizzy avait une forte fièvre. D'après le maître, c'étaient les « oreillons ». Kounta fut tout de suite inquiet, mais Bell le rassura en lui disant que presque tous les enfants attrapaient cette maladie. D'un certain côté, la chose eut même du bon pour lui, car mam'zelle Anne devait être tenue à l'écart de Kizzy pendant deux bonnes semaines. Mais, quelques jours plus tard, le cocher de m'sieu John, Roosby, apporta de la part de mam'zelle Anne une poupée toubab tout habillée. Kizzy s'en entícha aussitôt. Assise dans son lit, elle la berçait d'un air extasié en murmurant :

— Oh ! t'es trop mignonne !

Alors, Kounta courut chercher dans la grange la poupée qu'il avait sculptée pour Kizzy et qu'il ne lui avait finalement pas donnée. Il la nettoya du revers de sa manche et la mit sans douceur dans les bras de la fillette. Elle la reçut avec une joyeuse surprise, et Bell elle-même l'admira. Mais, au bout de quelques minutes, Kounta s'aperçut qu'elle préférait la poupée toubab, et, pour la première fois, il fut furieux contre Kizzy.

Et la joie que manifestèrent les fillettes en se retrouvant, au terme de leur courte séparation, fut amère à Kounta. Il recommença à conduire Kizzy chez m'sieu John, pour jouer avec mam'zelle Anne, mais, le plus souvent, c'était celle-ci qui venait chez son oncle, car sa mère ne supportait pas le bruit de leurs jeux — selon Oméga, sa cuisinière, elle ne se contentait pas toujours de prétexter des maux de tête, mais allait parfois jusqu'à l'évanouissement — tandis que chez m'sieu Waller les enfants s'en donnaient à cœur joie — Kounta ne pouvait sortir ou rentrer le buggy sans les entendre hurler à pleins poumons en se faufilant partout — et jusqu'au poulailler, à la porcherie ou à l'écurie, malgré les efforts de Bell pour les en écarter.

Mais là où Kounta éprouvait le plus intense déplaisir de cette intimité croissante entre les fillettes, c'était lorsqu'il les voyait faire la sieste ou manger ensemble. Bien sûr, Kizzy s'amusait énormément, et il devait reconnaître qu'il en était heureux ; il avait fini par partager l'opinion de Bell : mieux valait être le favori d'un toubab que s'exténuer toute sa vie aux champs. Mais il n'était pas sans pressentir parfois chez Bell un certain malaise devant l'étroite connivence des camarades de jeux. Elle devait certainement envisager et craindre les mêmes choses que lui. Certains soirs, dans leur case, Bell berçait Kizzy sur ses genoux en lui fredonnant une chanson à son « Jésus », et Kounta, en la voyant contempler le petit visage ensommeillé, avait l'impression qu'elle avait peur pour sa fille, qu'elle essayait dc la mettre en garde, de lui inculquer qu'il ne faut jamais trop tenir à un toubab, aussi profonde que puisse paraître une affection réciproque. Kizzy était évidemment trop petite pour comprendre de telles choses, mais Bell connaissait mieux que personne quels déchirements se préparait le Noir qui faisait confiance aux toubabs ; ne l'avaient-ils pas vendue, séparée de ses deux fillettes ? Nul ne pouvait dire ce que serait le destin de Kizzy, pas plus d'ailleurs que celui de Kounta ou de Bell. Mais il savait au moins une chose : qu'un toubab blesse Kizzy, et Allah ferait pleuvoir sur lui une terrible vengeance.

67

Deux fois par mois, Kounta conduisait le maître pour l'office du dimanche au temple Waller, à quelques milles de la plantation. Il savait par le Violoneux qu'il existait dans le comté plusieurs autres temples édifiés par d'éminentes familles blanches. Il avait été surpris, au début, par la présence de Blancs d'un rang très inférieur à celui du maître, et même de petits Blancs. Ces derniers venaient à pied et, quand le buggy les dépassait, Kounta pouvait voir qu'ils portaient leurs souliers à la main ou sur l'épaule, attachés l'un à l'autre par les lacets. Ni le maître ni les autres « gens d' qualité », comme les appelait Bell, ne leur auraient offert une place dans le buggy, et Kounta en était bien aise.

Il entendait, de l'extérieur, le ronron du long sermon qu'entrecoupaient des prières et des chants languissants. Et puis les gens sortaient en file et serraient à tour de rôle la main du pasteur. Kounta s'amusait de voir petits Blancs et « gens d' qualité » échanger des sourires et des coups de chapeau, comme s'il y avait entre eux le moindre rapport du simple fait qu'ils étaient blancs. Mais ensuite, quand tout le monde déballait les paniers de pique-nique sous les arbres, les deux classes s'installaient de part et d'autre du clos, sans se mêler.

Au début de l'été, Bell rappela à Kounta qu'elle voulait assister à la « grande assemblée des fidèles », qui se tiendrait fin juillet. C'était le grand événement qui avait ponctué chaque été depuis qu'il était dans la plantation, et, comme il avait toujours trouvé une bonne excuse pour ne pas y assister, il s'étonnait qu'elle eût encore l'audace de l'y convier. Tout ce qu'il savait d'ailleurs de ces immenses congrégations, c'était qu'elles avaient un rapport avec la religion de Bell — religion de mécréants. Mais Bell se fit pressante.

— J' sais bien qu' t'as toujours eu envie d'y v'nir, lui dit-elle d'un ton sarcastique. C'est pour ça que j' te préviens d' bonne heure, pour qu' t'ayes le temps de t' préparer.

Comme Kounta était incapable de lui répondre sur le même ton et qu'il ne voulait pas entamer une dispute, il se contenta de répondre :

— J' verrai.

Dans son esprit, c'était déjà tout vu. Mais la veille de l'assemblée, comme il déposait le maître devant la grande maison au retour du chef-lieu du comté, m'sieu Waller lui dit :

— Toby, demain je n'aurai pas besoin du buggy. Comme j'ai autorisé Bell et les autres femmes à aller à l'assemblée des fidèles, tu pourras les conduire dans le chariot, je suis d'accord.

Bouillonnant de colère, Kounta attacha les chevaux derrière l'écurie et, sans prendre le temps de les dételer, il clopina jusqu'à sa case. En le voyant s'encadrer dans la porte, Bell devina ce qui l'amenait et s'expliqua aussitôt :

— C'est l' seul moyen qu' j'ai trouvé pour qu' tu soyes là, au baptême de Kizzy.

— Hein ? Que j' soye où ?

— A son baptême. Elle va entrer dans l'Église.

— Quelle Église ? Celle de ton « O Seigneur » ?

— Écoute, tu vas pas r'commencer. C'est pas à cause de moi. Mais mam'zelle Anne, elle a d'mandé à ses parents d' la laisser emm'ner Kizzy dans leur temple, l' dimanche ; eux, ils s'ront d'vant, et elle rest'ra au fond. Mais il faut qu'elle soye baptisée, sans ça elle aura pas l' droit d'entrer dans un temple de Blancs.

— Personne l'oblige à entrer dans un temple de Blancs.

— Tu comprends rien, hein, l'Africain ! C't' une *faveur* qu'ils y font. T'as qu'à r'fuser, et tu verras si toi et moi on s' retrouve pas en un rien d' temps à ramasser l' coton.

Le lendemain, le chariot prit le départ : raide sur son haut siège, Kounta ne quittait pas la route des yeux ; derrière lui, Kizzy gloussait de joie sur les genoux de sa mère, à côté des femmes encombrées de paniers de pique-nique. Elles commencèrent par jacasser, puis elles se mirent à chanter quelque chose sur une « échelle de Jacob » et des « soldats de la croix ». Révolté, Kounta fit claquer les guides sur la croupe des mules ; en accélérant l'allure, les bêtes secouaient violemment le chariot — et les passagères. Mais les cahots étaient loin de suffire à les faire taire. Il entendait même la voix pointue de Kizzy au milieu de celles des femmes. Les toubabs n'auraient pas à prendre la peine de lui voler sa fille, pensa-t-il amèrement, sa propre mère était prête à la leur livrer.

De toutes les autres plantations débouchaient pareillement sur la grand-route des chariots emplis de gens qui les saluaient joyeusement au passage. Kounta ne décolérait pas et c'est à peine s'il remarqua, en faisant halte devant le pré émaillé de fleurs où allait se tenir le rassemblement, l'affluence des chariots arrivant de toutes parts. Les passagers se déversaient bruyamment et allaient grossir la foule au milieu d'un tumulte de cris, d'appels, de joyeuses retrouvailles ; on s'embrassait, on s'étreignait — et Bell n'était pas la dernière à donner de la voix pour saluer les nouveaux arrivants. Kounta en vint lentement à réaliser qu'il n'avait jamais vu un aussi vaste rassemblement de Noirs dans le pays des toubabs, et il commença à regarder autour de lui.

Tandis que les femmes allaient déposer leurs paniers à l'abri d'un bosquet voisin, les hommes rejoignaient sans hâte le tertre qui s'élevait au milieu du pré. Kounta planta un piquet dans le sol et y attacha les mules, puis il alla s'asseoir à l'arrière du chariot — d'où il était, il pouvait voir tout ce qui se passait. Au bout d'un moment, tous les hommes avaient pris place sur le tertre, assis les uns contre les autres, à l'exception de quatre d'entre eux, apparemment les plus âgés, qui restaient debout. Brusquement, celui qui paraissait leur doyen — un vieillard mince et voûté, très noir de peau, avec une barbe blanche — lança sa tête en arrière et cria en direction des femmes :

— Alors ! Enfants de JÉSUS !

Les femmes se retournèrent, répondirent en chœur :

— Oui, Seigneur ! et se précipitèrent en désordre pour prendre place derrière les hommes. Kounta contemplait la scène avec ébahissement : à Djouffouré, c'était ainsi que s'asseyaient ceux qui assistaient au Conseil des Anciens.

— Alors ! Vous êtes tous enfants de JÉSUS ? reprit le vieillard.

— Oui, Seigneur !

A ce moment, les trois autres vieillards se placèrent

en face du doyen et, l'un après l'autre, lancèrent à voix forte :

— Un temps viendra où on s'ra plus qu' les esclaves de DIEU !

— Oui, Seigneur ! répondirent hommes et femmes.

— Vous êtes prêts ? Jésus est TOUJOURS prêt !

— Oui, Seigneur !

— Savez-vous c' que vient de m' dire Notre Père ? Il a dit : « Plus PERSONNE s'ra un étranger ! »

Un grand cri ébranla l'assistance et couvrit la voix du quatrième vieillard. Kounta sentait monter en lui une bizarre exaltation. Puis le calme revint, et ce fut au tour de l'homme à la barbe blanche.

— Enfants de Dieu, y a une terre PROMISE ! Çui qui croit en Lui, c'est là qu'il ira ! Et ceux-là qui croient, ils vont vivre dans c'te terre pour toute l'é-ter-ni-té !

Le visage inondé de sueur, la voix rauque d'émotion, tout son corps tressaillant aux accents de sa mélopée incantatoire, le vieillard chantait : « On nous l' dit dans la Bible, l'agneau et le lion ils s'ront couchés ENSEMB' ! » Tournant sa face vers le ciel, il leva les bras :

— Et y aura PLUS JAMAIS ni maîtres ni esclaves ! Tous on s'ra les ENFANTS DE DIEU !

Brusquement une femme bondit sur ses pieds en hurlant :

— O Jésus ! O Jésus ! O Jésus ! O Jésus !

Autour d'elle, les autres se dressèrent, et bientôt, sur le tertre, une trentaine de femmes hurlaient en s'agitant de façon saccadée. Kounta, qui regardait de tous ses yeux, vit soudain que Bell était du nombre, titubant et s'époumonant comme ses compagnes. Alors, une femme lança dans un grand cri :

— Moi, j' suis l'enfant de DIEU ! et s'écroula brutalement sur le sol, tout le corps soulevé de soubresauts.

D'autres tombèrent à ses côtés en se tordant et en poussant des gémissements. Une femme cessa brusquement de gesticuler et se figea, raide comme un pieu, en s'exclamant :

— O Seigneur ! Toi, rien que toi, Jésus !

Kounta voyait bien que rien de tout cela n'était prémédité. Cela ressemblait beaucoup à ce qui arrivait chez lui lorsque les gens dansaient pour les esprits : gestes et cris exprimaient ce qu'ils étaient en train de ressentir au fond d'eux-mêmes. Et puis hurlements et tressautements s'apaisèrent peu à peu — à Djouffouré aussi, les danses se terminaient de la sorte, comme si les gens avaient épuisé une force. Et ces Noirs, devant lui, semblaient pareillement vidés de quelque chose et en paix avec eux-mêmes.

Les femmes se relevèrent une à une en lançant des exclamations reconnaissantes :

— J'en pouvais plus, d' ce mal de dos, avant d' parler à mon Seigneur. Alors il m'a dit : « Allez, r'dresse-toi », et j'ai plus jamais eu mal.

— V'là qu' j'ai rencontré l' Seigneur Jésus et, mon âme, il l'a sauvée, alors, c'est Lui qu' j'aime plus que tout.

Et puis l'un des vieillards dirigea la prière qui se termina par un puissant « A-MEN ! » collectif, suivi d'un chant où Kounta réussit à démêler que les « enfants de Dieu » mettraient leurs « souliers » pour se promener dans le « ciel du Seigneur ».

Tout en chantant, les Noirs s'étaient levés et partaient en procession derrière le prédicateur aux cheveux blancs. Ils traversèrent le pré et arrivèrent sur la rive d'un étang — à l'opposé de l'endroit où se tenait Kounta. Là, le vieillard se retourna face aux fidèles et dit en élevant les bras :

— Maint'nant, frères et sœurs, l' moment est v'nu pour les pécheurs de s' laver d' leurs péchés dans le JOURDAIN !

— Oui ! De s' laver d' leurs péchés ! cria une femme.

— Faut éteind' les feux d' l'ENFER dans les eaux bénies du JOURDAIN !

— Oui ! Les éteind' ! répondit une autre voix.

— Ceux-là qui sont prêts à sauver leur âme et à r'naître avec le Seigneur, ils restent debout. Et vous aut' qu'avez r'çu l' baptême ou qu'êtes pas encore prêts pour Jésus, mettez-vous assis.

Kounta contemplait la scène d'un œil éberlué. Une quinzaine de fidèles s'assirent, mais tous les autres se rangèrent au bord de l'étang. Alors le prédicateur et un des anciens, apparemment le plus vigoureux, entrèrent dans l'étang et avancèrent dans l'eau jusqu'à la taille.

Le vieillard s'adressa à l'adolescente qui venait en tête du rang :

— T'es prête, mon enfant ? (Elle fit un signe de tête affirmatif.) Alors, avance !

Les deux anciens qui étaient restés sur la rive agrippèrent la jeune fille par les bras et descendirent avec elle dans l'étang. Le vieillard aux cheveux blancs lui posa la main droite sur le front, son compagnon passa derrière elle et la saisit aux épaules, tandis que ceux qui l'encadraient resserraient leur étreinte. Le prédicateur dit :

— O Seigneur ! Que c't' enfant soye lavée d' ses péchés ! (et au même moment il lui donna une forte poussée, tandis que l'autre la tirait en arrière et la maintenait sous l'eau.)

Des bulles montèrent à la surface et la jeune fille se débattit, mais les hommes, le visage levé vers le ciel, la tenaient d'une poigne ferme. Elle se mit à battre l'eau de ses jambes, le corps arqué pour essayer de se dégager, et ils semblaient avoir peine à la contenir.

— PRESQUE ! hurla le prédicateur au-dessus du bouillonnement de l'eau, (et soudain :) MAINT'NANT !

Les hommes redressèrent la jeune fille suffocante et la portèrent, plus qu'ils ne la ramenèrent, recrachant l'eau et se tordant frénétiquement, jusqu'à la rive où sa mère l'attendait.

Puis ils passèrent au suivant — un jeune homme d'une vingtaine d'années qui semblait figé d'effroi. Ils durent plus le tirer que l'accompagner. Kounta béait d'étonnement en voyant se reproduire la même scène — un homme d'âge mûr, une fillette d'une douzaine d'années tout au plus, une femme si âgée qu'elle pouvait à peine marcher : voilà qu'ils se succédaient pour subir cette incroyable épreuve ! Mais pourquoi le faisaient-ils ? Quel « Dieu » cruel était-ce là pour exiger une telle souffrance de ceux qui voulaient croire en lui ? Comment pouvait-on se débarrasser du mal en étant à moitié noyé ? Ces questions, auxquelles il était bien incapable de répondre, continuèrent de l'assaillir jusqu'à ce que le dernier de la file ait été ramené ruisselant sur le bord de l'étang.

Enfin, c'était fini. Mais le prédicateur lui-même était toujours dans l'eau et, s'essuyant le visage de sa manche dégoulinante d'eau, voici qu'il entonnait :

— Et maint'nant, ceux-là qui voudraient consacrer leurs enfants à JÉSUS en ce saint jour, faut v'nir !

Quatre femmes se levèrent — et la première était Bell, tenant Kizzy par la main.

Kounta bondit du chariot. Non ! ils n'oseraient pas ! Mais Bell se dirigeait vers l'étang, s'en rapprochait d'un pas de plus en plus rapide. Sur un signe du vieillard aux cheveux blancs, elle souleva Kizzy et entra dans l'eau d'un pas décidé. Pour la première fois depuis vingt-cinq ans, depuis ce jour où on l'avait mutilé, Kounta se mit à courir — mais quand il atteignit le bord de l'étang, le pied droit en feu, Bell était déjà arrivée devant le prédicateur. Hors d'haleine, Kounta essaya de lancer un hurlement — mais, au même moment, le prédicateur prenait la parole :

— Bien-aimés fidèles, on est réunis là pour accueillir dans not' sein un nouvel agneau. Ma sœur, quel est l' nom de c't' enfant ?

— Kizzy, révérend.

— Seigneur..., commença le vieillard en plaçant sa main gauche sous le crâne de Kizzy et en fermant les yeux.

— Non ! croassa Kounta.

Bell tourna brusquement la tête vers lui, l'œil étincelant. Le regard du prédicateur allait de l'un à l'autre. Kizzy commençait à pleurnicher.

— Chut, bébé, murmura Bell. (Kounta se sentit le point de mire de l'assistance hostile. Un silence plana — et ce fut Bell qui le rompit :) Allez-y, révérend. C'est seul'ment mon mari africain. L'a rien compris. J'y expliqu'rai après. Allez-y donc !

Muet de stupeur, Kounta vit le prédicateur hausser les épaules, se retourner vers Kizzy et fermer les yeux.

— Seigneur ! De c't' eau sainte, bénis c't' enfant... Comment c'est déjà, son nom ?

— Kizzy.

— Bénis c'te p'tite Kizzy et conduis-la sous ton aile dans la Terre Promise ! (Et le prédicateur, plongeant sa main droite dans l'eau, en aspergea le visage de Kizzy de quelques gouttes en criant à pleins poumons :) AMEN !

Bell repartit vers la rive, sortit de l'eau et se planta devant Kounta, dans sa robe trempée, en serrant bien fort Kizzy contre elle. Tout penaud, Kounta regardait ses pieds boueux, et puis il leva la tête : Bell avait les yeux humides — de larmes ? Elle lui mit Kizzy dans les bras.

— C'est rien, juste quèq' gouttes d'eau, dit-il en passant sa main calleuse sur le visage de Kizzy.

— A gigoter comme ça, ça a dû t'donner faim, non ? Moi, oui, en tout cas. On va manger. Y a du poulet frit, des œufs durs, et c' flan d' patates douces que t'en as jamais assez.

— C' que j'en ai, c'est l'eau à la bouche, dit Kounta. Bell lui prit le bras, et ils traversèrent à petits pas la prairie, jusqu'au noyer à l'ombre duquel les attendait le panier du pique-nique.

68

Bell dit un soir à Kizzy, peu avant l'heure du coucher :

— Dis donc, tu vas sur tes sept ans ! Ceux des champs, à ton âge, ils travaillent déjà toute la journée — t'as qu'à voir c' Noé ! Alors, va falloir te mettre à m' prêter la main à la grande maison !

Connaissant le sentiment de Kounta sur cette question, Kizzy le regarda d'un air indécis.

— T'as qu'à faire c' que dit ta mammy, lui lança-t-il sans conviction.

Bell et lui en avaient déjà discuté, et il avait bien dû admettre qu'il serait prudent de donner à Kizzy une tâche où m'sieu Waller pourrait apprécier son utilité, au lieu de voir uniquement en elle la compagne de jeux de mam'zelle Anne. L'idée, d'ailleurs, plaisait à Kounta pour une autre raison : à Djouffouré, les filles de l'âge de Kizzy commençaient déjà à être formées par leurs mères à toutes les tâches des femmes. Mais il savait aussi que Bell n'était pas dupe ; il ne pouvait accueillir avec enthousiasme des occupations qui rapprocheraient encore plus Kizzy des toubabs — et, par là même, l'éloigneraient de ce qu'il était déterminé à lui instiller : le sens de sa dignité, de son héritage. Et de fait, lorsque Bell lui apprit fièrement, quelques jours plus tard, que Kizzy se mettait joliment à l'ouvrage : astiquer l'argenterie, frotter le sol, cirer les boiseries et, même, faire le lit du maître, il accueillit l'information avec des sentiments très mitigés. Mais, quand il vit de ses propres yeux sa fille vider et laver le vase émaillé blanc dans lequel le maître se soulageait la nuit, il se laissa aller à une colère froide, convaincu que ses pires craintes étaient fondées.

Et là où il renâclait également, c'était en entendant Bell faire la leçon à Kizzy sur la parfaite femme de chambre.

— Écoute, fifille, fais bien attention à c' que j' te dis ! Y a pas beaucoup d' négros qu'ont la chance de travailler pour des gens d' qualité comme m'sieu Waller. Ça t' met déjà au-d'ssus des autres. Mais l' fin du fin, tu vois, c'est d' savoir c' que l' maître il veut sans qu'il aye besoin de te l' dire. Faut déjà qu' tu t' lèves à la pointe du jour, comme moi — quand l' maître, l'est encore au lit. Alors, tu comprends, ça t' donne de l'avance. Et puis, j' te montrerai aussi comment faut brosser son pantalon et sa r'dingote quand tu les suspends au fil, pour leur donner d' l'air. Faudrait pas aller casser ou rayer un bouton — et la litanie se poursuivait pendant des heures d'affilée.

Kounta avait l'impression qu'il ne pourrait plus se passer entre eux une soirée sans péroraison de Bell — et jusqu'au plus ridicule détail.

— Tu vois, pour cirer ses souliers, disait-elle à Kizzy, eh bien, j' mélange dans un bocal d' la décoction d' plaquemine, du noir de lampe, et puis un p'tit peu d'huile de table et du sucre candi. J' laisse r'poser l' mélange pendant une nuit, et puis j' le s'coue : et alors, tu verrais ça, un vrai miroir, ses souliers !

Quand Kounta se sentait près d'exploser, il allait se calmer chez le Violoneux. Mais il avait encore la tête pleine d'inestimables conseils tels que : « ... si tu veux pas voir de mouches dans une salle, tu mélanges dans une soucoupe une p'tite cuillerée de poivre gris avec d' la cassonade et un soupçon d' crème de lait ! » Et cela n'était rien encore à côté de la façon de nettoyer le papier de tenture — à la mie de pain, tout simplement.

Mais Kizzy semblait profiter des enseignements maternels, car Bell rapporta un jour que le maître lui avait fait part de sa satisfaction : depuis que Kizzy fourbissait les chenets, ils étincelaient dans l'âtre.

Pourtant, dès que mam'zelle Anne arrivait, Kizzy était tacitement dispensée de son service. Les fillettes gambadaient, furetaient, sautaient à la corde, jouaient à cache-cache ou à d'autres jeux de leur cru. Ainsi ce jour où, pour « faire le négro », elles avaient rompu en deux une pastèque bien mûre et s'en étaient barbouillées en plongeant leur visage dans la juteuse pulpe, au point que tout le devant de leurs robes avait été gâté. Bell avait aussitôt sévi en envoyant une bonne taloche à Kizzy et en tançant sérieusement mam'zelle Anne :

— Une enfant qu'est élevée comme vous ! Une fille de dix ans, et qui va à l'école ! Attendez seul'ment de d'venir une dame de qualité, y en a plus pour longtemps !

Kounta avait cessé de se plaindre ouvertement des visites de mam'zelle Anne, mais à chaque fois il se montrait grincheux à l'égard de Bell, et souvent même pendant toute la journée du lendemain. En revanche, lorsqu'il avait à conduire Kizzy chez m'sieu John, il devait faire effort pour dissimuler sa joie, car c'était pour lui l'occasion de passer tout un grand moment seul avec sa fille. Kizzy était à présent assez grande pour comprendre que les propos échangés dans le buggy leur étaient strictement personnels — il pouvait donc lui parler de sa terre natale sans craindre que cela vînt aux oreilles de Bell.

Tout en trottant sur les routes poussiéreuses du comté de Soptsylvanie, il lui disait le nom mandingue de ce qui les entourait. Il s'efforçait de prononcer bien nettement : l'arbre : *yiro,* la route : *silo.* Montrant une vache dans un pré, il disait : *ninsémouso* et, en traversant un petit pont : *salo.* Un jour, surpris par une brusque ondée, il s'écria : *sandjio* en montrant la pluie, et, lorsque reparut le soleil, il le désigna : *tilo*. Kizzy regardait attentivement ses lèvres quand il formait un mot, et elle s'appliquait à le répéter autant de fois qu'il le fallait pour le prononcer correctement. Bientôt ce fut elle qui demanda à Kounta comment se disait telle et telle chose en mandingue. Un jour, le buggy venait à peine de s'ébranler lorsque Kizzy murmura, en dirigeant son petit doigt vers son propre crâne :

— Ma tête, comment tu l'appelles ?

— *Koungo*, répondit Kounta sans élever la voix, à cause de la proximité de la grande maison.

Elle se tortilla les cheveux :

— *Kountinyo*, dit Kounta. (Elle se pinça le nez :) *noungo ;* (elle se tira une oreille :) *toulo*. (Gloussant de joie, Kizzy tendit le pied et montra son gros orteil :) *sinkoumba*, s'écria Kounta. (Il lui saisit l'index :) *boulokonding*, (il lui effleura la bouche :) *da*.

Alors Kizzy, montrant Kounta du doigt, dit avec fierté :

— *Fa !*

Et tout son amour pour sa fille reflua au cœur de Kounta.

Un peu plus tard, comme ils arrivaient en vue d'un petit cours d'eau paresseux, Kounta dit en le montrant :

— Ça, c'est *bolongo*.

Chez lui, raconta-t-il à Kizzy, il vivait près d'une rivière appelée « Kamby Bolongo ». Le soir, au retour, Kizzy s'écria en revoyant le cours d'eau :

— Kamby Bolongo !

Il essaya, mais sans succès, de lui faire comprendre que c'était la Mattaponi, et non la Gambie. Peu importait d'ailleurs, ce qui comptait, c'était que Kizzy avait retenu le nom du Kamby Bolongo. Il lui dit que c'était un fleuve large, rapide, puissant, sans commune mesure avec ce maigre ruisseau. Il aurait voulu lui expliquer que son fleuve à lui était une source de vie, révéré par les siens comme un symbole de la fertilité, mais il n'en était pas capable. Alors il se contenta de parler des poissons qui y abondaient — et notamment le succulent koudjalo, qui sautait parfois directement dans les pirogues — de l'immense tapis d'oiseaux qui le couvrait et qui se déployait dans le ciel en faisant pleuvoir une neige de plumes lorsque, petit garçon, il s'amusait à bondir sur la berge pour effaroucher les volatiles. Kounta dit que cela lui remémorait un récit de sa grand-mère Yaïssa : Allah avait fait un jour s'abattre sur la Gambie des nuées de sauterelles si denses qu'elles masquaient le soleil, et les bêtes dévoraient toute végétation sur leur passage ; mais le vent avait enfin tourné, les chassant vers la mer où elles avaient fini par tomber et être dévorées par les poissons.

— Et moi, j'ai une grand-mère ?

— T'en as deux : ma mammy et la mammy d' ta mammy.

— Pourquoi elles sont pas avec nous ?

— Elles savent pas où qu'on est, répondit Kounta. Et toi, tu sais où qu'on est ? lui demanda-t-il au bout d'un instant.

— Dans l' buggy, dit Kizzy.

— Non, où qu'on habite.

— Chez m'sieu Waller.

— Et où qu' c'est ?

— Par là, répondit-elle en montrant le chemin devant eux. Mais, dis donc, raconte-moi encore les insek' et tout ça, là d'où tu viens.

— Eh bien, y a les grosses fourmis rouges — ces bêtes, ça sait traverser une rivière sur une feuille, ça s' bat en guerre avec des armées et, pour habiter, ça s' bâtit des mont-ricules plus hauts qu'un homme.

— C'est méchant, alors ? Mais on les écrase, non ?

— Non, sauf si on est forcé. Tout ça qui vit a l' même

droit qu' toi d'être là. Même l'herbe, elle est vivante, avec une âme comme les gens.

— Alors, j' vais plus marcher dans l'herbe. J' rest'rai dans l' buggy.

Kounta sourit.

— Là d'où j' viens, y avait pas d' voitures. Fallait marcher, pour aller quèq' part. Une fois, j'ai marché quat' jours avec mon papa, d'puis Djouffouré jusqu'au nouveau village d' mes oncles.

— Quoi qu' c'est, Djou-fa-rou-ré ?

— Je t' lai p't-êt' dit cent fois, c'est d' là que j' viens.

— T'as dit qu' tu v'nais d'Afrique. C'te Gambie, alors, ça s'rait l'Afrique ?

— La Gambie, c'est un pays en Afrique. Et Djouffouré, c'est un village en Gambie.

— Mais où c'est, ça, papa ?

— D' l'aut' côté d' la grande eau.

— Elle est grande comment, c't' eau ?

— Faut près d' quat' lunes pour la traverser, alors, tu vois !

— Quat' quoi ?

— Des lunes. C'est comme ça qu' j'appelle les mois.

— Et comment t'appelles une année, hein ?

— Une pluie.

Kizzy s'accorda un moment de réflexion.

— Comment t'as traversé c'te grande eau ?

— Dans un grand bateau.

— Plus grand que c'te barque où y avait les quat' z'hommes qui pêchaient ?

— Tu penses ! Il y t'nait p't-êt' une centaine d'hommes.

— Et il coulait pas, c' bateau ?

— Tu sais, moi, j' demandais qu' ça — d' le voir couler.

— Mais pourquoi papa ?

— Pasqu'on était malades à crever, v'là pourquoi.

— Quelle maladie vous aviez ?

— La maladie d'être couchés dans nos souillures et l'un sur l'aut', v'là c' qu'on avait.

— Fallait aller aux cabinets.

— On pouvait pas. Les toubabs, ils nous avaient mis des chaînes.

— Quoi qu' c'est, les toubabs ?

— C'est les Blancs.

— Quoi qu' t'avais fait d' mal, pour qu'ils t' mettent des chaînes ?

— Rien du tout. J'étais allé dans une forêt, pas loin d' chez moi — de Djouffouré. J' voulais m' tailler une bille de bois pour m' faire un tambour, et ils m'ont enl'vé.

— Quel âge t'avais ?

— Dix-sept pluies.

— Ils ont d'mandé à ta mammy et à ton papa si tu pouvais y aller ?

Kounta regarda Kizzy — mais qu'allait-elle chercher ?

— Z'auraient bien aimé les enl'ver, *eux aussi*. Mais tu vois, ma famille, elle sait pas où j' suis d'puis c' temps-là.

— Oh ! papa ! Moi, j' pourrai jamais t' quitter, et mammy non plus.

— Ma Kizzy ! On t' laiss'ra jamais partir non plus !

69

Un jour, le cocher des parents de m'sieu Waller arriva en fin d'après-midi, porteur d'une invitation pour le maître : ils donnaient le soir même un dîner en l'honneur d'un gros homme d'affaires de Richmond qui se rendait à Fredericksburg et s'était arrêté chez eux pour la nuit. Il faisait déjà noir lorsque Kounta déposa le maître devant la grande maison d'Enfield ; une douzaine de voitures les y avaient précédés.

Kounta avait eu maintes occasions de revenir à Enfield, depuis huit ans qu'il était marié avec Bell, mais Liza, la grosse cuisinière noire qui lui avait fait autrefois tant d'avances, n'avait recommencé à lui adresser la parole que quelques mois auparavant. Cela datait du jour où il avait amené mam'zelle Anne en visite chez ses grands-parents — ce jour-là, en effet, Kizzy avait été du voyage. Kounta se présenta à la porte de la cuisine pour saluer Liza — et manger un morceau. Liza l'invita à s'asseoir dans la cuisine tandis qu'elle mettait la dernière main au dîner, secondée par une fille de cuisine et par quatre femmes chargées du service de table.

Kounta n'avait jamais vu préparer autant de bonnes choses à la fois. Tout en goûtant ici et humant là, Liza lui demanda :

— Ton p'tit chou à la crème de fille, ça va ?

— Pour sûr, répondit Kounta. V'là qu' Bell y apprend la cuisine, à c't' heure. L'aut' soir, c'te gamine, elle m'a fait une charlotte aux pommes.

— Voyez-moi c'te p'tite vermine ! Tu vas voir que bientôt c'est moi qui mang'rai ses gâteaux, et plus l' contraire, comme avant. Pasque, si elle m'a pas mangé un d'mi-pot d' craqu'lins au gingembre, elle en a pas mangé un, la dernière fois qu'elle est v'nue. (Liza jeta un dernier coup d'œil aux trois ou quatre sortes de pain qui gonflaient leurs appétissantes formes dans son four et, se tournant vers les servantes en fraîches robes jaunes, elle dit à la doyenne :) On est prêts. Va l' dire à la maîtresse. (Puis elle avertit les trois autres :) J' vous préviens que celle qui laiss'ra tomber une seule goutte de potage sur ma nappe des grands jours, j'y frott'rai les oreilles avec c'te louche. Allez, Pearl, dit-elle à son aide, faut t'y mettre. Tu vas m' remplir les légumiers d' porcelaine avec les navets, l' maïs doux, les courgettes et les gombos. Pendant c' temps-là, j' découp'rai c'te selle d'agneau. (Quelques minutes plus tard, une servante reparut, parla assez longuement à l'oreille de Liza et ressortit précipitamment. Liza se tourna vers Kounta.) Tu sais, y a quèq' mois, quand un d' ces bateaux d' commerce l'a été arrêt-zoné sur la grande eau, près d' la France ?

— Oui, dit Kounta. L' Violoneux racontait que c' président Adams l'était si furieux qu'il leur a lancé toute la flotte des États-Unités aux trousses.

— Eh bien, il les ont eus. Louvina vient de m' répéter que c't' homme de Richmond, il a 'spliqué qu'ils avaient attrapé *quat'-vingts* bateaux de c'te France. Paraîtrait qu' les Blancs, ils s' trémoussent de joie, pasque ça donne une bonne leçon à la France.

Tout en écoutant Liza, Kounta avait attaqué l'énorme platée qu'elle lui avait servie. Mais il ne pouvait détacher ses yeux de l'abondance des viandes qu'elle empilait sur de grands plats : bœuf rôti, jambon braisé, dinde, poulet, canard. Il venait juste d'attaquer les patates douces, tout onctueuses de beurre, lorsque les quatre femmes rapportèrent les bols de soupe et les cuillères. Elles ressortirent aussitôt en ployant sous les lourds plateaux garnis de plats succulents. Alors, Liza s'appuya contre un dressoir en s'essuyant le visage du coin de son tablier.

— Z'en s'ront pas au dessert avant quarante bonnes minutes, dit-elle à Kounta. Quoi qu' t'allais dire, tout à l'heure ?

— Pour moi, *quat'-vingts* bateaux ou aut' chose, c'est tout pareil, tant qu' les Blancs ils s'asticotent entre eux au lieu qu' ce soit nous aut' qui prend. Les Blancs, faut toujours qu'ils ayent du monde à asticoter.

— Quand même, faut voir qui c'est qu'ils asticotent, dit Liza. R'garde l'année dernière, quand un mulâtre il a m'né une révolte contre Toussaint, l'aurait bien pu gagner si l' président avait pas envoyé ses bateaux pour l'aider, c' Toussaint.

— M'sieu Waller, il dit qu' Toussaint l'est même pas capab' d' faire un bon général, et encore moins d' faire marcher son pays, remarqua Kounta. Attendez seul-'ment, qu'il dit, et tous ces esclaves 'mancipés dans c't' Haïti, ils vont s' retrouver pire qu'avec leurs anciens maîtres. Bien sûr, c'est ça qu' les Blancs ils *espèrent.* Mais, pour moi, ces 'mancipés font *bien mieux* marcher les plantations tout seuls.

Une des servantes, entrée dans l'intervalle, prit la parole :

— C'est juste de ça qu'ils parlent, les maîtres — des négros z'affranchis. Ils disent qu'y en a trop, au moins treize mille en Virginie. Le juge, il dit qu'il est 'bsolument pour libérer les négros qui z'ont fait quèq' chose de r'markab' — ceux qu'ont combattu avec les maîtres, pendant c'te Révolution ou ceux qu'ont rapporté aux Blancs qu'un négro frotte-mentait un soulè-v'ment, ou c' négro qu'est si fort pour les herbes qu' les Blancs prétendent qu'il peut guérir de tout. L' maître qu'affranchit ses négros fidèles par testament, avant d' passer, l' juge il dit qu' c'est très bien. Mais ils sont tous à mort contre ces Quakers et les aut' Blancs qui veulent 'manciper les négros pour rien. (Et la femme ajouta, en se dirigeant vers la porte :) L' juge, il dit qu' ça va pas traîner — va y avoir des nouvelles lois qui vont joliment leur mettre les bâtons dans les roues.

— Quoi qu' t'en penses, toi, demanda Liza à Kounta, de ce m'sieu Alexander Hamilton, là-haut dans l' Nord ? Pour lui, faut renvoyer tous les négros 'mancipés en Afrique, pasque les Blancs et les négros, ils pourront jamais s'entendre, z'ont trop d' choses différentes.

— L'a raison ; moi, j' pense pareil, répondit Kounta. Seul'ment les Blancs, pendant qu'ils racontent ça, ils amènent toujours plus de bateaux pleins d' négros d'Afrique.

— Tu sais aussi bien qu' moi pourquoi, remarqua Liza. Leur z'en faut toujours plus pour l' coton, en Géorgie et dans les Carolines, d'puis qu'ils ont trouvé c't' égreneuse, y a quèq' années. Et par ici y a tout plein d' maîtres qui vendent leurs négros dans l' Sud, pour deux ou trois fois c' qu'ils leur z'avaient coûté.

— A c' que dit l' Violoneux, les maîtres, dans l' Sud, ils ont des p'tits Blancs comme régisseurs, et ces p'tits Blancs, ils éreintent les négros à mort pour défricher des nouvelles terres à coton.

— Et c'est pour ça qu'y a jamais eu autant d'avis de r'cherche pour des négros ensauvés, dit Liza.

70

Cela faisait des années que Kounta se levait avant l'aube — dans le quartier des esclaves, où il était toujours le premier éveillé, l'on chuchotait que « l'Africain » voyait dans le noir, comme les chats. Il se glissait dans la grange et, tourné vers les premières lueurs du jour, il se prosternait pour la prière souba à Allah. Puis il allait soigner les chevaux. Pendant ce temps-là, Bell et Kizzy se lavaient, s'habillaient et allaient prendre leur service à la grande maison. Caton, le chef d'équipe, sortait de sa case avec le jeune fils d'Ada, Noé, et ils allaient sonner la cloche qui réveillait les esclaves.

Noé faisait un signe de tête à Kounta et lui disait « B'jour » avec une si solennelle réserve qu'il lui rappelait les Djaloffs de son Afrique, dont on disait que s'ils vous avaient salué le matin, il ne fallait plus en attendre un autre mot de la journée. Mais, sans lui avoir jamais beaucoup parlé, Kounta avait de l'affection pour Noé, peut-être parce qu'il lui rappelait le petit garçon qu'il avait été au même âge — sérieux dans son travail, discret, peu bavard mais très observateur. Il avait maintes fois remarqué que, tout comme lui, Noé restait planté à regarder de loin les courses de mam'zelle Anne et de Kizzy dans la plantation. Un jour où elles jouaient au cerceau dans l'arrière-cour, en pépiant et en riant bruyamment, il avait failli se rejeter dans la grange en apercevant Noé qui contemplait les fillettes depuis la case de Caton. Mais leurs regards s'étaient croisés, et ils étaient restés à se fixer pendant un long moment avant de se détourner. Kounta s'était demandé quelles idées traversaient alors la tête de Noé, et il avait eu l'impression que Noé s'interrogeait pareillement à son sujet. Il semblait à Kounta qu'ils devaient, l'un et l'autre, avoir agité les mêmes pensées.

Noé avait dix ans, donc deux ans seulement de plus que Kizzy, et pourtant ils ne s'étaient jamais liés, n'avaient jamais joué ensemble, alors qu'ils étaient les deux seuls enfants du quartier des esclaves. Kounta avait même remarqué qu'ils faisaient semblant de ne pas se voir lorsqu'il leur arrivait de se croiser ; au fond, peut-être percevaient-ils déjà, malgré leur jeune âge, que les domestiques et les travailleurs des champs n'avaient pas coutume de se mêler — bien qu'esclaves les uns et les autres.

De toute façon, Noé passait ses journées aux champs, tandis que Kizzy les passait à la grande maison, à balayer, épousseter, astiquer les cuivres, faire la chambre du maître — et Bell menait ensuite l'inspection, badine en main. Le samedi, jour de la visite de mam'zelle Anne à son oncle, Kizzy expédiait miraculeusement ses tâches en moitié moins de temps, et elles occupaient le reste de la journée à jouer — sauf si le maître déjeunait à la maison. Dans ce cas, il s'installait avec sa nièce dans la salle à manger, et Kizzy restait plantée derrière eux en agitant un rameau feuillu pour écarter les mouches, tandis que Bell faisait son service sans perdre les gamines de l'œil, car elles étaient prévenues :

— Que j' vous prenne seul'ment à glousser d'vant l' maître, et j' vous tann'rai l' cuir à toutes les deux !

Kounta s'était résigné à partager sa fille avec m'sieu Waller, avec Bell, avec mam'zelle Anne. Quand cette dernière était là, il se trouvait toujours une occupation dans l'écurie toutes portes fermées, et quant à ce que faisait Kizzy dans la grande maison, il s'efforçait de ne pas y penser. Mais il attendait fiévreusement le dimanche après-midi. Mam'zelle Anne était chez ses parents, le maître se reposait ou recevait des visites au salon, Bell allait assister avec Tante Sukey et Sœur Mandy à ces réunions du dimanche où l'on parlait de leur « Jésus » — Kounta et Kizzy avaient alors deux précieuses heures rien qu'à eux, tous les deux.

S'il faisait beau, ils sortaient du quartier des esclaves et gagnaient en se promenant le bord d'un ruisseau. Là, ils s'asseyaient sous un arbre et, bien serrés l'un contre l'autre, ils mangeaient ce que Kizzy s'était approprié dans la cuisine — généralement des biscuits fourrés à la confiture de mûres, le régal de Kounta. Ensuite, père et fille conversaient.

Ou plutôt c'était généralement Kounta qui parlait, tandis que Kizzy le maintenait sous un feu roulant de questions, commençant pratiquement toutes par : « Comment ça s' fait que... » Mais un jour elle ne laissa même pas à Kounta le temps d'ouvrir la bouche.

— Tu veux savoir c' que mam'zelle Anne elle m'a appris, hier ?

Rien ne pouvait l'intéresser moins que les exploits de cette petite Blanche gloussante, mais, pour ne pas faire de peine à Kizzy, il l'encouragea :

— Vas-y !

— Pierre, Pierrin, Pierrot, du potiron il mangeait trop, alors sa femme voulait l' quitter, mais dans l'écorce l'a installée, et l' potiron la tient au chaud.

— T'as appris ça ? demanda Kounta.

— Oui, ça t' plaît ?

Que pouvait-on attendre d'autre de mam'zelle Anne ? Une idiotie, évidemment. Alors, il louvoya :

— T'as bien dit ça !

— J' te parie qu' tu l' diras pas si bien ! lança-t-elle d'un air malin.

— Mais y a rien qui m' force, moi !

— Allez, papa, essaie une p'tite fois, juste pour moi.

— Tu vas m' laisser, non ?

Kounta faisait la grosse voix sans trop de conviction. Alors, Kizzy le cajola, et il bredouilla ce qu'il avait retenu de ces idioties, juste pour qu'elle arrête ses simagrées, pensait-il.

Et brusquement il eut l'idée de lui réciter autre chose. Des versets du Coran, peut-être, pour qu'elle apprécie la beauté de ces sons. Et puis après ? Elle n'en saisirait pas plus le sens qu'il n'avait compris : « Pierre, Pierrin, Pierrot. »

Alors, il fut saisi d'une inspiration. Il ramassa une brindille, égalisa la terre à côté de lui et y traça des caractères arabes.

— Tu vois, ça c'est mon nom : Koun-ta Kin-té.

La petite le regardait, fascinée.

— Allez, papa, écris mon nom maint'nant. (Il écrivit : Kizzy.) C'est Kizzy qu' t'as écrit ? (Il fit un signe affirmatif.) Tu veux bien m'apprend' à écrire comme toi ? demanda Kizzy.

— Ce serait pas *conv'nable,* répondit Kounta d'un air raide.

— Et pourquoi ? demanda Kizzy, blessée.

— En Afrique, y a qu' les garçons qu'apprennent à lire et à écrire. Z'en ont pas besoin, les filles.

— Alors, pourquoi qu' ma mammy elle sait lire et écrire ?

— Tu vas t' taire, non ? rétorqua Kounta d'un ton sévère. Ça r'garde personne, t'entends ? Les Blancs, ils veulent pas d' ça !

— Comment qu' ça s' fait ?

— Ils s' disent que moins qu'on en sait, moins qu'ils ont d'ennuis !

— Mais j' f'rai pas d'ennuis, dit Kizzy avec une moue chagrine.

— Et moi, j' vais t' dire que si on s' ramène pas dare-dare, c'est ta mammy qui nous f'ra des ennuis !

Et le père et la fille rentrèrent, main dans la main.

71

A l'été 1800, vers le moment où Kizzy — désormais investie de cette précieuse mission — devait glisser un caillou dans la gourde-calendrier de Kounta, le maître prévint Bell qu'il allait passer une semaine à Fredericksburg, pour affaires. En son absence, son frère viendrait s'installer à la plantation, pour « la faire marcher ». La nouvelle contraria encore plus Kounta que les autres esclaves, car, tandis qu'il serait lui-même absent avec le maître, sa femme et sa fille seraient à la merci de l'homme qui l'avait acheté en premier. Il garda évidemment ses sombres pensées pour lui, mais, alors qu'il se préparait à atteler, Bell lui dit, comme si elle avait deviné ce qui le tourmentait :

— L'est pas du tout comme son frère, m'sieu John, mais j' sais très bien comment faut l' prendre. Alors, va pas t'en faire pour nous.

Pendant les deux premiers jours après le départ du maître, rien ne changea dans le train-train habituel de la plantation. Simplement, Bell réprouvait intérieurement tout ce que disait ou faisait m'sieu John. Ce qui lui déplaisait le plus, c'était cette façon qu'il avait de veiller jusque tard dans la nuit, installé dans le bureau de son frère, à boire son meilleur whisky au goulot, en fumant de gros cigares noirs et malodorants dont il répandait les cendres sur le tapis. Mais enfin, m'sieu John ne se mêlait pratiquement pas des occupations de Bell, ni d'ailleurs de grand-chose d'autre.

Seulement, le troisième jour, alors que Bell était en train de balayer le portique, un Blanc arriva à bride abattue sur un cheval écumant et demanda à voir le maître. Dix minutes plus tard, l'homme repartait précipitamment et m'sieu John appelait Bell d'un ton tonitruant. En entrant dans le bureau, elle le trouva bouleversé — quelque chose de terrible avait dû arriver au maître et à Kounta. D'un ton brusque, il lui ordonna de réunir les esclaves dans l'arrière-cour. Quand ils furent tous alignés, figés d'appréhension, m'sieu John rabattit brutalement la contre-porte et vint se planter devant eux, en mettant bien en évidence le pistolet glissé dans sa ceinture. Les dévisageant d'un air rogue, il prit la parole :

— Je viens d'apprendre qu'à Richmond des négros avaient comploté d'enlever le gouverneur, de massacrer les Blancs et d'incendier la ville. (Les esclaves en restaient bouche bée de stupéfaction.) Grâce à Dieu, et à quelques négros sensés qui l'ont rapporté à temps à leurs maîtres, le complot a été déjoué, et presque tous les négros qui y avaient trempé ont été pris. Des patrouilles armées recherchent les derniers, et croyez qu'ils ne trouveront pas asile ici cette nuit, car je monterai bonne garde. S'il y en a parmi vous qui songent à un soulèvement, sachez que je vais patrouiller nuit et jour. Interdiction de sortir de la plantation. Défense de se réunir. Et tout le monde dans les cases à la nuit tombée ! Moi, je n'ai pas la faiblesse et la patience de mon frère avec les négros, ajouta-t-il en caressant son pistolet. Le premier qui *pense* seulement à faire un écart, il n'y aura pas de médecine pour le retaper d'une balle entre les deux yeux. Et maintenant, *filez !*

Et m'sieu John se montra aussi vigilant qu'il l'avait promis. Pendant deux jours il insista, à la grande fureur de Bell, pour que Kizzy goûtât aux plats avant lui. Toute la journée, il parcourait les champs à cheval, et il passait ses nuits à veiller sous le portique, un fusil sur les genoux. Les esclaves étaient si terrorisés qu'ils n'osaient même plus discuter entre eux du complot. Après avoir lu la *Gazette,* m'sieu John la brûlait dans l'âtre. Et, un après-midi où un autre maître lui avait rendu visite, il ordonna à Bell de sortir de la grande maison, tandis qu'ils demeuraient à discuter dans le bureau, toutes fenêtres closes. Ainsi, personne ne put recueillir le moindre écho sur ce qui s'était passé à Richmond, et surtout sur les suites de l'affaire. Or, c'était justement à ce propos que Bell et les autres étaient malades d'inquiétude : en effet, le Violoneux était parti jouer pour un bal du grand monde à Richmond la veille du départ du maître et de Kounta — et il n'était pas rentré à la plantation. Les esclaves ne savaient que trop bien ce qu'il pouvait advenir de Noirs étrangers à Richmond s'ils tombaient aux mains de Blancs fous de rage et de terreur.

Et lorsque le maître et Kounta revinrent de leur voyage — écourté de trois jours, à cause des événements de Richmond — le Violoneux n'avait toujours pas reparu. M'sieu John s'en fut le soir même et le maître, sans supprimer totalement les consignes qu'il avait édictées, les adoucit un peu, mais il se montra extrêmement froid. Kounta dut attendre la nuit pour raconter à Bell, dans l'intimité de leur case, ce qu'il avait pu glaner à Fredericksburg. Les rebelles noirs capturés avaient été soumis à la torture : ils avaient livré aux autorités les noms de leurs autres camarades et celui de leur chef. Il s'agissait d'un forgeron, l'affranchi Gabriel Prosser. Il avait recruté deux cents Noirs à toute épreuve — majordomes, jardiniers, concierges, serveurs, ferronniers, cordiers, mineurs de charbon, calfats et même prédicateurs — et les avait préparés pendant plus d'un an. Prosser n'avait pas été retrouvé et la milice ratissait la campagne environnante ; sur les routes, des patrouilles de petits Blancs faisaient régner la terreur ; et des rumeurs couraient, que des maîtres battaient à mort leurs esclaves sur le plus mince soupçon.

Le lendemain, le maître écrivit un billet au shérif, pour l'informer de la disparition du Violoneux, et il envoya Kounta le lui porter au chef-lieu du comté. Sur le chemin du retour, Kounta laissa ses chevaux marcher au pas, préoccupé qu'il était par de sombres idées : ce Violoneux qu'il aimait bien, malgré son intempérance, ses jurons, ses « sorties », le reverrait-il jamais ? Et soudain il s'entendit héler, d'une voix imitant mal les inflexions traînantes des petits Blancs :

— Hé là, l' négro ! Halte ! (Allons bon, voilà que son imagination lui jouait encore des tours !) Quoi qu' tu fous par ici ? reprit la voix. (Cette fois, Kounta retint les chevaux et inspecta les deux côtés de la route — il n'y avait personne.) Crois-moi qu' ça va t' coûter cher de circuler sans passe (et, sur ces mots, voilà qu'émergea d'un fossé le Violoneux, le visage fendu dans un large sourire).

Il était en loques, plaqué de boue des pieds à la tête, plein d'entailles et de meurtrissures. Kounta lança un cri de joie, dégringola de son siège et tomba dans les bras du Violoneux, qui l'entraîna dans une ronde exubérante.

— Tu r'ssembles comme deux gouttes d'eau à un Africain que j' connais, dit le Violoneux, mais j' dois m' tromper, pasqu'il irait jamais montrer qu'il est content.

— Faudrait savoir si j' suis content, répondit Kounta.

— Jolie façon de m' recevoir, dis donc, quand je m' ramène de Richmond à quat' pattes rien qu' pour r'voir ton vilain museau.

— T'as eu des sales moments, Violoneux ? questionna aussitôt Kounta en retrouvant son sérieux.

— Des *sales* moments ? T'es loin du compte. J'ai bien cru qu' j'allais finir par jouer du crincrin chez les anges !

Kounta ramassa l'étui à violon tout maculé de boue, ils s'installèrent tous les deux sur le siège et le chariot repartit, tandis que le Violoneux lui relatait ses aventures sur un flot de paroles.

— Les Blancs, à Richmond, ils sont fous d' peur. Ça grouille de miliciens, et pour l' négro qu'a pas d' passe en règle, c'est direction la prison, avec quèq' p'tites bosses sur la tête. Mais ceux-là, z'ont encore d' la chance. Pasque y a des bandes de p'tits Blancs qui courent les rues comme des chiens enragés, et l' négro qui leur tombe sous la main, ses prop' parents pourraient pas l' reconnaître.

» Alors, v'là qu'en plein milieu du bal où que j' violonais, c'te nouvelle du soulèv'ment arrive. Les maîtresses, elles se prennent à hurler en tournant comme des toupies, et les maîtres, ils braquent leurs pistolets contre les négros d' l'orchestre. Moi, j' profite du chahut pour m' glisser dans la cuisine, et je m' cache dans un grand fût à ordures. Une fois tout l' monde parti, j' sors par une fenêtre et j' m'en vais pour quitter la ville en passant par les p'tites rues et en restant bien dans l' noir. Mais v'là-t-y pas qu' j'entends beugler derrière moi, et puis des gens qui galopent dans mon sens. Quèqu' chose me dit qu' c'est pas des Noirs, mais j'ai pas l' temps d'attendre pour voir. Alors j' prends l' prochain tournant dare-dare, mais ils sont si près que j' vas pour dire ma dernière prière quand j' vise un perron avec une p'tite niche d'ssous et vlan ! me v'là terré.

» J' suis plutôt à l'étroit, mais j'arrive encore à m' reculer un peu au moment où ces p'tits Blancs passent à toutes jambes avec des torches, en criant : « Sus au négro ! » Et je m' cogne dans quèq' chose de mou, j' sens une main qui m' clôt la bouche et une voix d' négro m' glisse dans l'oreille : « T'aurais pu frapper, non ? » C'était l' gardien d' nuit d'un entrepôt, et son camarade v'nait d'être mis en pièces par une bande de p'tits Blancs, et il avait plus l'intention d' bouger d' là avant qu' ça s' tasse, même si ça l' menait jusqu'au printemps.

» Alors, j'y ai souhaité bonne chance et j' suis parti tout droit vers les bois. Y a cinq jours de ça. J'ai pas pu aller plus vite, à cause des tripotées d' patterouilleurs sur les routes. J'ai fait mon ch'min par la forêt en mangeant des baies et en dormant dans les fourrés. J' m'en étais tiré jusqu'à hier, et v'là qu'à quèq' milles d'ici des p'tits Blancs m' tombent d'ssus, juste comme j'étais à découvert.

» Ils grillaient d' fouetter un négro, p't-êt' même de s' régaler d'une p'tite pendaison — z'avaient une corde. Les v'là qui s' mettent à m' bourrer d' coups tout en m'abreuvant d' questions : et j' suis l' négro d' qui, et où que j' vas ? Mais ils écoutent rien de c' que j' dis — sauf quand j' parle d' violoner. Alors ils m' traitent de menteur, et puis ils m' commandent de jouer.

» Eh bien, l'Africain, tu peux m'en croire, z'ont jamais entendu un concert comme çui que j' leur ai donné en plein milieu de c'te route ! J'ai joué tous les airs qu'ils aiment, les p'tits Blancs, et en un rien d' temps, ça claquait des mains, ça tapait des pieds, ça braillait. Z'étaient plus fatigués qu' moi quand je m' suis arrêté, et ils m'ont dit d' ram'ner mes fesses en vitesse à la plantation. Et ça a pas traîné, tiens ! Je m' jetais dans l' fossé quand j' voyais d' loin un ch'val ou une voiture — et puis t'es passé !

A peine étaient-ils entrés dans l'allée conduisant à la grande maison qu'ils aperçurent une effervescence dans le quartier des esclaves, tandis que leur parvenaient des cris de joie.

— S' pourrait bien qu'on leur aye manqué, dit le Violoneux en souriant pour dissimuler son émotion.

— Va falloir r'commencer toute ton histoire, plaisanta Kounta.

— C'est sûr'ment pas l' genre de chose qui m' dérange, répondit le Violoneux. L' principal, c'est que j' soye là pour la raconter !

72

Dans les mois qui suivirent le soulèvement de Richmond, les conspirateurs furent l'un après l'autre capturés, jugés, exécutés — et, finalement, Gabriel Prosser lui-même fut pris et pendu. Avec le recul graduel des nouvelles alarmistes — et des tensions qu'elles engendraient — les questions politiques revinrent à l'honneur dans les conversations de la grande maison et, par voie de conséquence, dans celles du quartier des esclaves. En totalisant ce que Bell, Kounta et le Violoneux avaient respectivement recueilli à propos de l'élection du prochain président, il apparaissait qu'il y avait eu compétition entre un certain m'sieu Aaron Burr et le célèbre m'sieu Thomas Jefferson — lequel avait finalement décroché le poste, grâce au soutien du puissant m'sieu Alexander Hamilton ; et ce m'sieu Burr, ennemi juré de m'sieu Hamilton, avait la place de vice-président.

Sur m'sieu Burr personne ne savait grand-chose, mais sur m'sieu Jefferson Kounta apprit d'un cocher qui était né en Virginie, tout près de sa plantation de Monticello, que ses esclaves ne pouvaient pas souhaiter un meilleur maître.

— C' cocher, il a dit que m'sieu Jefferson il avait jamais laissé ses régisseurs fouetter les gens, apprit Kounta aux autres esclaves. Z'ont tout c' qu'y faut à manger, il permet aux femmes d' filer et d' coudre des bons habits pour tout l' monde, et ses esclaves, il les laisse apprend' des métiers.

Kounta s'était même laissé dire qu'un jour où m'sieu Jefferson revenait d'un long voyage, tous ses esclaves s'étaient portés au-devant de lui à plus de deux milles de la plantation, qu'ils avaient dételé les chevaux et avaient tiré eux-mêmes sa voiture jusqu'à la grande maison de Monticello, où ils l'avaient porté jusqu'à son seuil sur leurs épaules.

— Tout l' monde sait qu' dans ces esclaves de m'sieu Jefferson y en a une tripotée qu'il a s'més lui-même, pasque c'te Sally Hemings qu'il a, l'est p't-êt' café-au-lait, mais c'est une sacrée pondeuse, ricana le Violoneux.

Kounta reprit, sans paraître remarquer l'interruption :

— M'sieu Jefferson, il aurait dit que le 'sclavage c'est aussi mauvais pour les Blancs que pour nous aut'. Et il pens'rait comme m'sieu Hamilton, que les Blancs et les Noirs ils sont trop différents pour arriver à vivre ensemb' sans bisbille. Paraîtrait qu'il veut nous 'manciper, mais, comme il faudrait pas qu'on conque-rance les p'tits Blancs dans leurs emplois, il s'rait pour nous renvoyer en Afrique — mais tout doux, pour pas faire de grabuge.

— M'sieu Jefferson f'rait mieux d' raconter ça aux marchands d'esclaves, pasque, pour eux, l' sens des bateaux c'est par ici, dit le Violoneux.

— D'puis un moment, dit Kounta, quand on va dans des plantations avec le maître, on entend plus parler que d' gens qui z'ont été vendus. Y a des maîtres qu'ont vendu dans l' Sud des familles qu'avaient été chez eux toute leur vie. Hier, on a même croisé un d' ces marchands d'esclaves sur la route. Et ça salue, et ça lève son chapeau — mais l' maître a fait celui qui l'avait pas vu.

— Ces marchands d'esclaves, dans les villes, c'est pire que des mouches, dit le Violoneux. La dernière fois que j' suis été à Fredericksburg, ils bourdonnaient même autour d'un vieux sarment comme moi. Heureus'ment que j' pouvais montrer ma passe. Mais les choses que j'ai vues ! T'nez ! Un vieux Noir tout gris, six cents dollars qu'il a fait — l' prix d'un beau p'tit jeune, y a seul'ment encore quèq' temps. Et alors c' vieux négro, ils l'ont un peu entendu ! V'là qu'il s' met à brailler : « Vous aut', les Blancs, vous avez fait d' la terre du Seigneur un ENFER pour nous aut'. Mais, aussi vrai que l' JOUR DU JUG'MENT il viendra, c't enfer il vous R'TOMBERA d'ssus ! Et vous s'rez 'NÉANTIS ! Et RIEN vous sauv'ra..., ni vos R'MÈDES..., ni vos PRIÈRES..., ni vos FUSILS... Vous y PASS'REZ TOUS ! » Pour moi, ça d'vait être un prédicateur, c' vieux négro-là.

— Il était pas tout maigre et cassé, avec la barbe blanche et la peau bien noire, et une grosse cicatrice au cou ? demanda Bell d'un air anxieux.

— Oui, l'était absolument comme tu dis. Ça s'rait-y qu' tu l' connais ? répondit le Violoneux, surpris.

— C'est çui qu'a baptisé Kizzy, dit Bell en regardant Kounta.

Le lendemain, alors que Kounta était en visite chez le Violoneux, Caton s'encadra dans la porte ouverte. Le Violoneux l'invita à entrer, et Caton prit la parole d'un air gêné :

— J' voulais seul'ment vous dire qu' vaudrait mieux

pas trop raconter c' que vous savez sur tous ces gens qu'on vend dans l' Sud. Pasque les aut', ils arrêtent plus de s' demander s'ils vont être vendus, et ça les r'tourne tell'ment qu'ils font plus rien aux champs. Enfin, quand j' dis les aut', j' compte pas Noé — c't' un gamin qu'a peur de rien. Pour moi, j' sais qu' si ça doit m'arriver, ça m'arriv'ra, et j' pourrai rien y faire, alors ça servirait à rien de m' chagriner.

Les trois hommes débattirent alors de cette question et tombèrent d'accord : ils garderaient pour eux les nouvelles les plus alarmantes, afin de ne pas effrayer inutilement les autres.

Mais un soir, à quelques jours de là, Bell leva brusquement les yeux de son tricot et dit à Kounta :

— Y en a qu'ont perdu leur langue par ici — à moins qu' les Blancs ils vendent plus leurs négros, et c'est pas *à moi* qu'on f'ra avaler ça !

Kounta grogna d'un air gêné, à la fois étonné et heureux que Bell — et sans doute tout le quartier des esclaves — n'ait pas été dupe de sa nouvelle discrétion. Alors, il recommença à rapporter les ventes d'esclaves qui lui venaient aux oreilles, en taisant simplement les détails les plus affreux. En revanche, il répétait scrupuleusement toutes les histoires qui circulaient parmi les esclaves, à propos de ceux qui avaient réussi à s'enfuir, le plus souvent en dupant les patrouilleurs, petits Blancs ignorants qui n'y avaient vu que du feu. Ainsi un majordome à la peau très claire s'était allié avec un palefrenier du plus beau noir : le premier s'était approprié un habit et un chapeau du maître, le second le buggy attelé, et ils étaient partis sur les routes, en contrefaisant le riche maître qui gourmande son cocher chaque fois qu'ils passaient à portée d'une patrouille. Ces deux-là avaient réussi à arriver dans le Nord, ce qui leur conférait automatiquement l'affranchissement. Un autre esclave s'en était tiré en s'enfuyant sur un cheval et en arrivant au galop sur les patrouilles mêmes : alors, il leur déroulait sous le nez une grande feuille couverte d'écriture et prétendait qu'il était en mission urgente pour son maître. Les petits Blancs illettrés l'avaient à chaque fois laissé passer, incapables qu'ils étaient de déchiffrer le document mais soucieux de dissimuler leur ignorance. Les rires fusaient parmi les esclaves lorsque Kounta énumérait les innombrables astuces des fugitifs. Il y avait ceux qui bégayaient de façon si convaincante que les patrouilleurs renonçaient à les arrêter pour ne pas perdre des heures à les interroger. Il y avait les Noirs interceptés en chemin et qui avouaient, après de longs détours, que leur riche et puissant maître prisait si peu les petits Blancs qu'il en cuirait à ceux qui tourmenteraient son personnel. Mais l'histoire qui les rendit malades de rire fut celle de ce domestique qui avait réussi à passer dans le Nord juste sous le nez de son maître, lancé à ses trousses. Aussitôt, le maître avait appelé un sergent de police et la foule s'était rassemblée.

— Enfin, *tu sais bien* que tu es mon négro ! hurlait le maître.

Mais le domestique s'était contenté de le regarder d'un air pénétré en s'écriant :

— Dieu m'est témoin qu' j'ai jamais vu c't homme blanc d' ma vie ! — emportant la conviction de la foule et du sergent de police, qui avait intimé silence au maître sous peine d'arrestation.

Depuis des années, Kounta avait réussi à passer au large des adjudications d'esclaves — depuis ce jour où une malheureuse jeune fille avait imploré en vain son aide. Pourtant, quelques mois après sa conversation avec Caton et le Violoneux, il arriva avec le maître sur la place du chef-lieu du comté juste au moment où s'ouvrait une criée aux enchères.

— Oyez, oyez ! Gentlemen de Spotsylvanie. C'est des

négros de première qualité que j' vous offre aujourd'hui !

Tandis que le crieur haranguait l'assistance, son adjoint avait poussé une vieille femme noire sur l'estrade.

— Une fine cuisinière ! commença l'homme — mais la malheureuse se mit à interpeller frénétiquement un Blanc dans la foule :

— M'sieu Philip ! M'sieu Philip ! Allez pas faire ça, m'sieu Philip ! C'est-y qu' vous auriez oublié c' que j'ai peiné pour vot' papa, et puis après pour vous ? J' suis plus aussi vaillante, mais j' peux encore travailler dur. Oh ! mon Dieu ! M'sieu Philip, les laissez pas m' vendre dans l' Sud, que là-bas ils m' fouett'ront à mort !

— Toby, arrête-toi, dit le maître.

Le sang de Kounta se figea dans ses veines, tandis qu'il retenait les chevaux. Pourquoi m'sieu Waller voulait-il assister aux adjudications d'esclaves, lui qui ne s'y intéressait jamais d'habitude ? Songeait-il à acheter quelqu'un ? Ou était-ce à cause des déchirantes plaintes de la femme ? Justement, elle venait d'être adjugée pour sept cents dollars.

— Aide-moi, mon Dieu ! Jésus, aide-moi ! implorait-elle tandis que l'aide du crieur l'entraînait brutalement.

Mais elle se rebiffa en criant :

— Hé là, négro, tire tes sales pattes ! provoquant rires et quolibets parmi la foule.

Kounta se mordait les lèvres pour ne pas éclater en sanglots.

— Et maintenant, gentlemen, l' plus beau sujet de tout l' tas !

Il y avait à présent sur l'estrade un jeune Noir enchaîné, aux yeux brûlants de haine. Tout son corps, puissamment musclé, était zébré de sanglantes traînées de fouet.

— Il a juste eu besoin d'une petite frottée ! En un

rien d' temps, ça s' connaîtra plus. Et la besogne qu'il peut vous abattre ! C' garçon-là vous ramasse ses quatre cents livres de coton par jour. Y a qu'à l' voir ! Et un étalon, j' vous dis qu' ça — vos luronnes vous f'ront d' jolies portées avec lui !

Le jeune homme fut adjugé quatorze cents dollars.

Brusquement, les larmes montèrent aux yeux de Kounta : on poussait sur l'estrade une mulâtresse — et la femme était grosse.

— Là, vous en avez deux pour le prix d'une, ou un gratis si vous préférez ! aboya l'homme. D' nos jours, vous avez pas à moins d' cent dollars un négrillon qui vient juste de naître !

La femme fut vendue mille dollars.

Kounta sentait qu'il n'allait plus pouvoir se maîtriser, quand soudain la vente atteignit pour lui le comble de l'horreur, car celle qu'on amenait à présent, enchaînée, tremblant de tous ses membres, c'était Kizzy — une Kizzy juste un peu plus âgée, mais absolument semblable : la stature, la couleur de la peau, les traits ! Comme assommé, Kounta entendit le crieur dévider son annonce :

— Une domestique parfaitement dressée — ou une poulinière, si c'est c' que vous cherchez !

Et, invitant l'assistance à se rapprocher, il défit d'un geste la grossière robe de la jeune fille et la dénuda. La malheureuse poussait des cris déchirants en essayant vainement de cacher sa nudité de ses mains, tandis que les hommes, le regard allumé, se pressaient pour la palper sous toutes les coutures.

— Ça suffit ! Partons ! ordonna le maître.

Eût-il tardé encore un instant, Kounta aurait lancé les chevaux de sa propre initiative.

Tout en ramenant le maître à la plantation, Kounta était en proie à un tumulte d'idées. Et si la jeune fille avait été sa Kizzy ? Si la cuisinière avait été Bell ?

Qu'adviendrait-il si elles étaient vendues, si leur famille était séparée ?

73

En ramenant le maître et un de ses cousins préférés qui venait dîner à la grande maison, Kounta tendait l'oreille pour ne rien perdre de leur conversation.

— L'autre jour, j'ai assisté à une adjudication au chef-lieu du comté, disait le maître, et j'ai constaté avec surprise que de simples esclaves des champs atteignaient des prix deux et trois fois supérieurs à ce qu'ils valaient il y a seulement quelques années. Et quant à ceux qui ont un vrai métier : menuisier, maçon, forgeron, bourrelier, musicien, n'importe quoi, ils vont facilement chercher dans les deux mille cinq cents dollars.

— Depuis l'introduction de cette égreneuse de coton, c'est partout la même chose, s'écria le cousin du maître. Il y a déjà plus d'un million d'esclaves dans le pays, et l'on n'arrête pas d'en amener de pleines cargaisons, mais les plantations de coton du Sud profond en réclament toujours plus, pour arriver à alimenter les filatures du Nord.

— Ce qui m'inquiète, c'est de voir tant de nos planteurs de Virginie se laisser appâter par le bénéfice immédiat qu'ils peuvent retirer de la vente de leurs esclaves, sans songer qu'ils se privent ainsi de leurs meilleurs sujets, et même de leurs meilleurs reproducteurs.

— Bah ! la Virginie a déjà plus d'esclaves qu'il ne lui en faut. Ils coûtent plus cher à entretenir qu'ils ne rapportent.

— Cela est peut-être vrai aujourd'hui, répondit le

maître, mais sait-on quels seront nos besoins dans cinq ou dix ans ? Qui aurait pu prévoir l'énorme essor du coton, il y a seulement dix ans ? Et je n'ai jamais tellement souscrit à cette idée si répandue que les esclaves occasionnent une trop grande dépense. Dans une plantation même moyennement organisée, tout ce qu'ils mangent, ce sont eux qui le font pousser ou qui l'élèvent. Et, en plus, ils sont généralement prolifiques — or, dès l'instant de sa naissance, un négrillon a une réelle valeur marchande. En plus, beaucoup d'entre eux sont capables d'apprendre des métiers — ce qui accroît encore leur rapport. Pour moi, je soutiens que les plus sûrs investissements, aujourd'hui, ce sont les esclaves et les terres — dans cet ordre. Et c'est pour cela que je ne vendrai jamais les miens — ils sont la pierre angulaire de notre système.

— Mais le système pourrait bien être en train de se transformer à l'insu de bien des gens, rétorqua le cousin du maître. Il n'y a qu'à voir se pavaner ces rustres qui achètent un ou deux esclaves fourbus, les tuent à la tâche pour produire une poignée de coton ou de tabac, et se prétendent planteurs. Les mépriser serait leur faire trop d'honneur, seulement, il se trouve qu'ils sont encore plus prolifiques que les nègres, si bien que, par leur simple nombre, ils pourraient finir par prospérer à nos dépens.

— Là, le péril ne me semble pas imminent, dit le maître, tant que les petits Blancs renchériront sur les Noirs affranchis pour acheter les esclaves invendables.

— Il est vrai que c'est proprement incroyable. Il paraît que la moitié des nègres affranchis des villes travaillent jour et nuit pour arriver à racheter les leurs.

— Mais il nous vient des villes un problème social plus grave que celui que posent les Noirs libres — je veux parler de ces marchands d'esclaves improvisés qui écument le pays. Il y en a de tous bords : taverniers, spéculateurs, avocats véreux, prédicateurs — et j'en oublie. A trois ou quatre reprises, on m'a abordé au chef-lieu du comté pour me proposer d'acheter mes esclaves à des prix inouïs, et l'un d'entre eux a même eu l'audace de déposer sa carte chez moi ! Jamais je ne songerais à traiter avec de tels vautours !

Kounta déposa le maître et le cousin devant la grande maison et s'empressa de faire passer à Bell et à tous les autres la nouvelle capitale : le maître ne songeait pas à les vendre. Et le soir, à la veillée, il leur répéta de son mieux ce qu'il avait saisi de la conversation dans le buggy. Et puis Sœur Mandy demanda :

— L' maître et son cousin, z'ont dit qu' des négros libres ils mettaient d' l'argent d' côté pour rach'ter ceux d' leur famille. Mais comment z'ont fait, eux aut', pour avoir *leur* liberté ?

— C'est pasque dans les villes y a beaucoup d' maîtres qu'on fait apprend' des métiers à leurs négros, expliqua le Violoneux, et après ils les placent en location, comme le maître il fait avec moi, et les négros, ils touchent une partie d' l'argent qu'ils rapportent. Alors, l' négro qu'a été loué pendant dix ou quinze ans, et puis qu'a fait sa p'lote, il peut arriver à s' rach'ter à son maître.

— C'est pour ça qu' t'arrêtes pas d' violoner ? demanda Caton.

— C'est sûr'ment pas pour le plaisir d' voir gigoter les Blancs, répondit le Violoneux.

— Mais t'en as pas encore assez ?

— Si j'en avais assez, j' s'rais pas là à écouter tes niaiseries !

— Mais quand t'en auras assez, insista Caton, quoi qu' tu f'ras ?

— J' fendrai l' vent, Frère Caton ! A moi l' Nord ! Paraît qu' là-haut y a des négros qu'ont la belle vie. Alors moi, j' m'installe dans un coin où qu'y a des mulâtres élégants, et me v'là comme eux : distingué, en habit d' soie, j' te pinc'rai d' la harpe, et on discut'ra d' nos lectures ou d' nos fleurs.

Quand les rires se furent calmés, Tante Sukey demanda :

— Les Blancs, ils disent que les mulâtres et les métis s'raient plus malins qu' nous, à cause qu'ils ont du sang blanc. Quoi qu' vous en pensez ?

— Si on m' prend, *moi*, avec ma peau claire, j' suis bien *forcé* d'être malin ! Ou c' Benjamin Banneker — un génie mat-mat-tik, que les Blancs ils l'appellent, et puis les étoiles et la lune, il connaît qu' ça, c' mulâtre. Mais les malins, c'est pas ça qui manque chez les négros *noirs*.

— Une fois, l' maître il a parlé d'un méd'cin nègre de La Nouvelle-Orléans, James Derham qu'il s'appelle.

— Y a pas qu' lui, dit le Violoneux. T'as qu'à voir Prince Hall, qu'a fondé c't ordre de francs-maçons noirs, ou ces célèb' pasteurs qu'ont ouvert des temples, et puis Phyllis Wheatley qu'elle écrit des pouazies, et Gustavus Vassa, çui qui fait des livres, c'est tous des Noirs pur sang. (Le Violoneux coula un regard malicieux vers Kounta :) Y en a même qu'arrivent tout droit d' l'Afrique, z'ont jamais su c' que c'était qu'une goutte de sang blanc, mais j' les trouve pas si abrutis qu' ça !

Environ un mois après cette soirée, le Violoneux rapporta au quartier des esclaves une triste nouvelle : le chef de cette France, un nommé Napoléon, avait fait traverser l'eau à une grande armée. Et, après de terribles combats et des bains de sang, cette armée avait repris Haïti aux Noirs et à leur libérateur, le général Toussaint. En plus, celui-ci avait commis l'erreur d'accepter l'invitation à dîner du général français victorieux, et, au cours du repas, les serviteurs l'avaient maîtrisé, ligoté et jeté dans un bateau qui l'avait amené en France, où ce félon de Napoléon le gardait dans les chaînes.

Ce fut Kounta qui accusa le plus durement le coup, car Toussaint était son héros.

— J' comprends c' que ça t' fait, que c' Toussaint l'a été pris, lui dit le Violoneux lorsque les autres furent partis, mais j'ai quèq' chose à t' dire qui peut pas attendre. (Le ton joyeux du Violoneux choqua Kounta. Quelle nouvelle pouvait contrebalancer la douleur et l'humiliation infligées au plus grand chef noir de tous les temps ?) Ça y est, j' les ai ! lança le Violoneux d'un air surexcité. Il me manquait plus que quèq' dollars quand on en a parlé l'aut' fois avec Caton. J' me les suis faits avec c'te dernière tournée. J' me d'mandais si j'en verrais jamais l' bout : plus d' neuf cents fois qu' j'ai dû jouer pour faire danser les Blancs ! Mais ça y est, l'Africain, les sept cents dollars, j' les ai — et l' maître, il m'avait dit que quand j' les aurais, j' pourrais m' rach'ter !

Kounta était si médusé qu'il ne trouvait rien à dire. Le Violoneux attrapa sa paillasse et en fit dégorger des centaines de billets d'un dollar. Puis il amena au jour un sac de jute et le retourna : des centaines de pièces et de piécettes s'en échappèrent.

— Alors, l'Africain, tu vas rester là longtemps la bouche ouverte ? Dis quèq' chose, au moins !

— J' sais pas quoi dire, répondit Kounta.

— Par exemp' « félicitations » !

— J'arrive pas à y croire !

— Mais, c'est vrai, l'Africain ! J' les ai p't-êt r'comptés un millier d' fois. Et j'ai même de quoi m'ach'ter un sac pour emm'ner mes affaires. (Ainsi, c'était vrai. Le Violoneux allait être *libre !* Kounta avait tout à la fois envie de rire et de pleurer.) Et si tu t'ennuies trop d' moi, ajouta le Violoneux en devinant son émotion, j' te rachèt'rai toi aussi. Seul'ment, comme ça m'a pris trente-cinq ans rien qu' pour moi, faudra qu' t'attendes un peu !

Kounta rentra tout triste chez lui. Bell, croyant qu'il

se désolait à cause de Toussaint, ne lui posa pas de questions, et il put donc penser tout à son aise au vide qu'allait laisser le départ du Violoneux.

Le lendemain matin, il se précipita chez le Violoneux dès qu'il eut terminé de soigner les chevaux. Trouvant sa case déserte, il alla demander à Bell s'il n'était pas chez le maître.

— L'en est sorti v'là une heure. L'avait l'air complèt'ment tourneboulé. Quoi qu'y arrive, hein ? Et quoi qu'il y voulait, au maître ?

Sans lui répondre, Kounta partit aussi vite qu'il le pouvait vers le quartier des esclaves. Il alla de case en case, et même jusqu'à la cahute des cabinets, il inspecta la grange, mais le Violoneux n'était nulle part. Alors, Kounta se dirigea vers le fond de la propriété en longeant la clôture. Et, au bout d'un bon moment, un air vint frapper ses oreilles, celui d'une de ces chansons des Noirs au « Seigneur » — mais le crincrin du Violoneux, toujours si joyeux, semblait sangloter.

Hâtant le pas, Kounta arriva devant un grand chêne dont le feuillage ombrageait en partie un ruisseau qui marquait presque la limite de la propriété. Il aperçut les pieds du Violoneux, de l'autre côté du tronc. Brusquement, la musique cessa, et Kounta s'immobilisa, soudain gêné de son intrusion. Il attendit assez longtemps, mais le violon demeurait muet — seuls le bourdonnement des abeilles et le murmure du ruisseau emplissaient l'air tranquille. Kounta finit par se résoudre à faire le tour de l'arbre : un si profond désarroi, une telle détresse se lisaient sur ce visage habituellement pétillant de vie, qu'il comprit aussitôt ce qui était arrivé à son ami.

— Si tu veux rembourrer ta paillasse... (La voix du Violoneux se brisa. Kounta ne répondit pas. Les larmes commencèrent à rouler sur les joues du Violoneux ; il les essuya d'un brutal revers de manche, et brusquement les mots jaillirent de sa bouche) : J'y ai dit qu' j'avais enfin réussi à réunir l'argent pour ach'ter ma liberté, qu' j'avais l' compte exact. Alors, il s' racle la gorge et puis il r'garde au plafond. Après ça, il m' félicite d'avoir mis tout ça d' côté. Et si j' veux, qu'il dit, ces sept cents dollars ça s'ra un acompte, pasque les esclaves, à c't' heure, ils vont chercher la grosse somme, d'puis qu'il y a ces égreneuses. Il dit qu'il peut pas aigue-ziger moins d' quinze cents dollars, et encore, pasque c'est moi qui m'achèt'rais. Un bon violoneux d' rapport comme moi, il dit, il le lâch'rait pas à moins de deux mille cinq cents dollars si c'était de l' vendre au-dehors. Il regrette, qu'il dit, mais les affaires c'est les affaires, et il a investissé, faut qu' ça lui rapporte. (Le Violoneux se mit à sangloter.) En plus d' ça, qu'il dit, on a pas mal fait mousser c' que c'était qu' d'être libre, mais faut encore voir. Enfin, si j'y tiens, il m' souhaite bonne chance... J'ai qu'à continuer comme ça... Et en sortant que j' dise à Bell d'y apporter du café. (Il se tut. Kounta semblait rivé au sol.) C't' enfant d' pute ! hurla brusquement le Violoneux, et il jeta de toutes ses forces le crincrin dans le ruisseau.

74

A quelques mois de là, toute la région fut frappée par une épidémie dont le principal symptôme était une forte fièvre. Le maître et Kounta partaient chaque jour un peu plus tôt, et rentraient de plus en plus en tard dans la nuit. Un soir même, ils revinrent si recrus de fatigue qu'ils boudèrent l'un et l'autre, chacun de son côté, le bon dîner que Bell leur avait préparé.

Kounta restait tassé dans le rocking-chair, à regarder le feu d'un air hébété. Il ne s'aperçut même pas que Bell lui tâtait le front et lui enlevait ses souliers. Pourtant, au bout d'une demi-heure, il eut conscience d'un vide inhabituel : Kizzy n'était pas là.

— J' l'ai mise au lit y a une heure, lui dit Bell. L'était rompue d'avoir joué toute la journée avec mam'zelle Anne. Et tiens, justement, quand Roosby est v'nu la r'chercher, l'a dit qu'il avait entendu l' Violoneux jouer pour un bal à Fredericksburg, où qu'il avait conduit m'sieu John. Il violone plus pareil du tout, qu'il dit.

— Y a plus *rien* qui lui plaît, au Violoneux, répondit Kounta.

— Pour sûr ! Il s'occupe plus d' personne, il dit même plus bonjour. Y a qu'à Kizzy qu'il dégoise deux trois mots, quand elle y porte son dîner. Y a qu'avec elle que ça va encore. Mais *toi,* tu l' vois jamais, hein ?

— Avec c'te fièvre qu'y a dans tous les coins, répondit Kounta d'un air las, j' sais pas quand j'aurais l' temps de m' traîner jusqu'à sa case.

— Tu crois que je l' vois pas ? Va donc te coucher, tu tiens plus d'bout.

Empoignant Kounta d'autorité, Bell le poussa dans la chambre. Elle le fit asseoir au bord du lit et l'aida à se déshabiller. Mais, quand elle voulut lui masser le dos, il ne put réprimer un tressaillement.

— Quoi qu' t'as ? J'y suis pas allée fort, quand même !

— J'ai rien.

— C'est là qu' ça t' fait mal ? dit-elle en lui appuyant au creux des reins.

Kounta poussa un cri de douleur, mais il s'empressa de la rassurer :

— J' suis moulu, mais d'main matin ça s' connaîtra plus.

Seulement, le lendemain matin, Bell dut avertir le maître : Kounta était incapable de se lever.

— C'est sûrement la fièvre, dit le maître en essayant de dissimuler sa contrariété. Tu sais comment le soigner. Mais j'ai absolument besoin d'un cocher, avec cette épidémie qui se propage.

— Maître, dit Bell après avoir réfléchi un moment, c' Noé qui travaille aux champs, il f'rait-y votre affaire ? L'est déjà grand comme un homme, et très capab' avec les mules. Y saurait bien conduire les ch'vaux.

— Quel âge a-t-il ?

— L'a deux ans d' plus que ma Kizzy, alors — et elle s'interrompit pour compter sur ses doigts — ça doit lui faire treize ou quatorze ans.

— Non, il est trop jeune, décida le maître. Dis au Violoneux de venir remplacer Toby. Depuis un moment, il ne se fatigue plus beaucoup au jardin, pas plus qu'au violon, d'ailleurs. Qu'il attelle et qu'il m'attende devant la maison.

En allant transmettre l'ordre au Violoneux, Bell se demandait comment il allait réagir : indifférence ou contrariété ? Le Violoneux manifesta l'une et l'autre. Il accueillit froidement l'idée de conduire le maître, mais la maladie de son vieil ami l'inquiéta à tel point que Bell dut user de toute son éloquence pour le dissuader de courir aussitôt à son chevet.

Dès lors, le Violoneux fut un autre homme. Certes, il n'avait pas retrouvé sa jovialité, mais il témoignait d'un inlassable dévouement. Et, après avoir mené le maître aux quatre coins du comté, il aidait encore Bell à administrer ses soins dans le quartier des esclaves, car l'épidémie n'avait pas épargné la plantation Waller.

Mais il y eut finalement tant de malades que le maître enrôla Bell comme adjointe. Tandis qu'il s'occupait des Blancs, Bell faisait la tournée des Noirs — Noé la conduisait dans la carriole tirée par les mules.

— L' maître, il a ses remèdes, et moi j'ai les miens, confia-t-elle au Violoneux.

Aussi, après avoir administré à ses patients le traitement prescrit par m'sieu Waller, leur faisait-elle absorber en plus une décoction d'écorce de plaqueminier — bien plus efficace que toutes ces médecines des Blancs, soutenait-elle. Mais, par-dessus tout, elle s'agenouillait au chevet du malade et priait pour lui, car, comme elle le disait à Sœur Mandy et à Tante Sukey :

— C' qu'*Il* fait tomber sur un homme, Il peut le r'tirer si Il veut.

Elle ne réussit pourtant pas à sauver tous ses patients — mais, d'un autre côté, m'sieu Waller non plus.

Et, malgré leurs soins à tous deux, malgré les ferventes invocations de Bell, l'état de Kounta ne cessait d'empirer. Trop fatiguée pour dormir, Bell passait toutes les nuits assise à son chevet. Baigné de sueur sous la pile de couettes dont Bell l'avait couvert, Kounta s'agitait, geignait, délirait par moments. Alors, en proie à une folle angoisse, Bell étreignait sa main sèche et brûlante : pourrait-elle jamais lui dire ce qu'elle ressentait seulement à présent, après tant d'années — qu'il était un homme fort, courageux, sans égal, et qu'elle lui vouait un profond amour ?

Il était depuis trois jours dans le coma lorsque mam'zelle Anne, qui rendait visite à son oncle, trouva dans la case Kizzy, Bell, Sœur Mandy et Tante Sukey en train de sangloter et de prier. Aussitôt, les larmes la gagnèrent elle aussi, et elle retourna demander à son oncle de lui prêter la grande Bible, afin qu'elle en lise un passage pour le papa de Kizzy — et pouvait-il aussi lui indiquer quel passage conviendrait le mieux ? Bouleversé par le chagrin de sa nièce chérie, le maître lui confia le gros livre noir en lui indiquant les versets qu'elle devrait lire.

La rumeur s'étant aussitôt répandue dans le quartier

des esclaves, tous s'attroupèrent devant la case pour écouter la lecture de mam'zelle Anne :

— L'Éternel est mon berger, je ne manquerai de rien. Il me fait reposer dans de verts pâturages ; Il me mène le long des eaux tranquilles. Il restaure mon âme ; Il me conduit dans les sentiers de la justice pour l'amour de son nom. Quand je marcherai dans la vallée de l'ombre de la mort, je ne craindrai aucun mal, car Tu es avec moi. Ta houlette et ton bâton me consolent.

Mam'zelle Anne s'arrêta, reprit sa respiration et regarda autour d'elle d'un air indécis.

Profondément émue, Sœur Mandy s'écria :

— Seigneur ! C't'enfant, comme elle a vous a lu ça !

Un concert de louanges s'éleva et la mère de Noé, Ada, dit d'une voix pénétrée :

— Quand je r'vois c'te p'tite mignonne dans ses langes, c'est pourtant pas si vieux ! Quel âge qu'elle a donc ?

— L'a eu ses quatorze ans y a pas longtemps, répondit Bell aussi fièrement que si ç'avait été sa propre fille. Mon trésor, lisez-nous-en encore un peu ! dit-elle en se tournant vers mam'zelle Anne.

Et mam'zelle Anne, toute rose de fierté, termina la lecture du psaume XXIII

Que le mérite en revînt aux médications ou aux prières, Kounta commença à se rétablir. Bell sut qu'il s'en tirerait le jour où, lui lançant un regard furibond, il arracha la patte de lapin et le sachet d'assafœtida qu'elle lui avait attachés au cou pour chasser les mauvais sorts et la maladie.

Et Kounta sut à son tour que le Violoneux s'en tirerait lorsque, un matin, il se réveilla aux accents du crincrin, et, ouvrant les yeux, il vit le mulâtre à son chevet.

— J' suis-t-y en train d' rêver ? dit Kounta.

— Non, tu rêves pas, répondit le Violoneux. J'en suis

r'buté de m'ner ton maître par les trente-six ch'mins d' l'enfer et les autres. Alors, si tu prends pas la r'lève, faudra m' faire une place dans ton lit, pasque l' malade, ça va être moi !

75

Le lendemain, Kounta entendit Kizzy et mam'zelle Anne — qui était en vacances — entrer dans la case et s'asseoir à la table.

— Kizzy, as-tu appris tes leçons ? demanda mam'zelle Anne d'un ton sévère.

— Oui, ma'me, répondit Kizzy, entrant dans le jeu.

— Bien alors, celle-là, qu'est-ce que c'est ? (Kounta tendit l'oreille : Kizzy balbutia qu'elle avait oublié.) C'est un *C*, dit mam'zelle Anne. Et celle-là ?

— L' tout rond, là, c'est un *O*, s'écria fièrement Kizzy.

— Bien ! Et cette autre là ?

— Heu !... un *Q !* exulta Kizzy.

— Alors, regarde, *C-O-Q*, qu'est-ce que ça fait ? Tu ne vois pas ? Un *coq !* Il faut que tu saches bien tes lettres, et je te montrerai comment faire d'autres mots.

Quand les fillettes furent reparties, Kounta resta un long moment à réfléchir. Il était à la fois fier de voir que Kizzy était capable de s'instruire, et révolté qu'elle apprenne des choses de toubabs. Et si m'sieu Waller découvrait qu'elle savait lire ! Cela mettrait assurément un terme au jeu de la « maîtresse d'école », sinon même un terme à l'amitié entre les fillettes. Mais Kounta se demandait si le maître ne risquerait pas de sévir plus gravement.

Jusqu'à la fin de ses vacances, mam'zelle Anne « fit l'école » à Kizzy trois fois par semaine et, après son départ, Kizzy persévéra toute seule. Le soir, à côté de Bell qui cousait ou tricotait, tandis que Kounta se balançait dans son fauteuil devant l'âtre, la fillette s'appliquait à recopier les mots d'un livre dont mam'zelle Anne lui avait fait cadeau. Kizzy n'ignorait pas que sa mère savait un peu lire et écrire, mais elle s'amusait à lui faire la leçon.

— R'garde, mammy, disait-elle, ça c'est un *A*. Et tu vois l' tout rond, là, c'est un *O*. (Puis, à l'exemple de mam'zelle Anne, elle lui montrait comment former les mots :) Tu vois : c-o-q, b-l-é, K-i-z-z-y, et ça c'est ton nom : B-e-l-l. Vas-y, essaye d' l'écrire. (Alors Bell feignait la gaucherie et, de temps en temps, se trompait volontairement, pour donner à Kizzy le plaisir de la reprendre.) R'garde bien comme je fais, mammy, et après t'écriras aussi bien qu' moi, disait Kizzy, ravie d'être pour une fois la plus experte des deux.

Au fil des mois, Kizzy et mam'zelle Anne continuèrent à se voir, généralement en fin de semaine, mais avec moins de régularité, et Kounta crut percevoir dans leurs relations sinon un refroidissement, du moins une sorte de lent et subtil relâchement de leurs liens, à mesure que mam'zelle Anne, plus âgée que Kizzy de quatre ans, se faisait femme.

Trois jours avant l'anniversaire de ses seize ans, mam'zelle Anne fit irruption à la plantation et, au milieu d'un déluge de larmes, confia à m'sieu Waller que sa mère feignait une de ses interminables migraines pour décommander la fête prévue. Accepterait-il qu'elle donne sa réception chez lui, demandait la nièce de son air le plus enjôleur. L'oncle y consentit bien volontiers — il était prêt à tout pour la rendre heureuse. Et, tandis que Roosby était dépêché chez les invités pour les informer du changement de programme, Bell et Kizzy aidèrent avec fièvre mam'zelle Anne à tout préparer. Elles terminaient à peine que déjà le moment était venu, pour mam'zelle Anne, de passer sa belle robe et de descendre accueillir ses invités.

Mais alors, comme Bell le raconta plus tard à Kounta, dès l'arrivée des premières voitures, mam'zelle Anne sembla brusquement ignorer la pauvre Kizzy qui circulait parmi les invités avec des plateaux de rafraîchissements, bien nette dans son tablier amidonné.

— C'te pauv' gamine en a pleuré toutes les larmes de son corps dans ma cuisine, ajouta Bell.

Et, le soir, Kizzy en avait encore un tel chagrin que Bell dut s'employer à la consoler.

— Tu comprends, mam'zelle Anne, elle a grandi, et c' qui l'occupe maint'nant, c'est des choses de d'moiselle blanche. C'est toujours c' qu'arrive aux négros qu'ont été él'vés avec les p'tits des Blancs : y a un moment où faut qu'ils restent dans leur coin, et puis c'est tout.

Mam'zelle Anne continua à rendre visite à son oncle, mais moins fréquemment — Roosby confia à Bell que les jeunes gens commençaient à l'accaparer. A chaque fois, elle venait voir Kizzy, lui apportant souvent les robes qu'elle ne mettait plus ; elles passaient une demi-heure ensemble, et puis mam'zelle Anne regagnait la grande maison.

Kizzy la regardait s'éloigner et, une fois rentrée dans la case, elle s'absorbait à lire et à écrire, parfois pendant des heures. Kounta répugnait toujours autant à la voir s'occuper ainsi, mais au moins cela l'empêchait-il de trop penser à son amitié perdue. D'ailleurs, Kizzy était au seuil de l'adolescence, et des ennuis d'une autre nature n'allaient pas tarder à surgir pour la fille comme pour le père.

L'hiver fut particulièrement rigoureux, cette année-là — 1803 — et, après Noël, le buggy ne put même plus circuler, tant les congères étaient hautes sur les routes. Le maître ne sortait plus qu'à cheval, et seulement pour des cas de grande urgence. Kounta et le Violoneux, qui étaient bloqués dans la plantation, aidaient Caton et Noé à pelleter la neige et à fendre des montagnes de bois à brûler.

Ainsi privés de tout contact avec le monde extérieur — et même de la *Gazette* du maître, qui avait cessé d'arriver près d'un mois avant la grande neige — les esclaves ressassaient entre eux les dernières nouvelles dont ils avaient eu connaissance. Ils évoquaient notamment la satisfaction des maîtres devant la façon dont m'sieu Jefferson « m'nait c' gouvern'ment », en dépit de leurs réserves initiales sur ses opinions à propos des esclaves. Le président Jefferson avait réduit les effectifs de l'armée et de la marine, comprimé la dette publique et même supprimé l'impôt sur les biens meubles — mesure dont les Blancs de la classe du maître faisaient grand cas, selon le Violoneux.

Mais Kounta raconta que, lors de sa dernière tournée au chef-lieu du comté, les Blancs lui avaient surtout paru louer m'sieu Jefferson de son acquisition de l'immense territoire de la Louisiane, aux conditions les plus avantageuses.

— Paraîtrait que c' Napoléon il l'a vendu pour une misère, pasqu'en France on l' gourmandait de c' qu'il y perdait trop d'argent, et déjà qu'il avait perdu cinquante mille soldats avant d' battre ce Toussaint à Haïti.

Mais voici que, peu après, la première nouvelle qui leur parvint, grâce à un Noir venu quérir le maître pour une urgence — en pleine tempête de neige — fut celle du trépas du général Toussaint, mort de froid et d'inanition, au fin fond de la France.

Trois jours plus tard, comme Kounta rentrait chez lui dans l'après-midi pour boire un bouillon chaud, toujours aussi chagrin et abattu, il fut surpris de trouver Kizzy couchée, le visage défait.

— L'est mal fichue, expliqua laconiquement Bell qui préparait une tisane pour Kizzy.

Kounta sentit qu'elle ne lui disait pas tout ; mais, au bout de quelques minutes dans la case surchauffée, ses narines lui apprirent que Kizzy venait d'avoir son premier écoulement de sang.

Cela faisait près de treize ans qu'il voyait, au fil des jours, son enfant grandir et se développer, et il savait bien, depuis quelque temps, qu'elle ne tarderait pas à devenir femme — et pourtant, cette odeur révélatrice le prenait entièrement au dépourvu. Mais Kizzy fut sur pied dès le lendemain et Kounta, qui ne la contemplait plus avec les mêmes yeux, fut étonné de voir combien ce mince corps s'était épanoui. Il éprouvait une sorte de gêne devant les petits seins ronds comme des mangues, la croupe déjà rebondie. Sa démarche, même, n'était plus celle d'une petite fille. A présent, quand il lui arrivait, en sortant au matin de la chambre, de trouver Kizzy encore demi-vêtue, il détournait la tête — et la petite elle-même paraissait gênée.

S'ils avaient été en Afrique — cette Afrique devenue si lointaine pour lui — Bell aurait appris à Kizzy à se frotter de beurre de Galam pour avoir la peau luisante, et à se noircir la bouche, les paumes et les plantes des pieds avec la suie des marmites. Et Kizzy attirerait déjà les hommes cherchant à prendre pour épouse une jeune vierge formée à tous les travaux des femmes et nantie de bonnes manières. Mais l'émoi le saisissait dès qu'il songeait qu'un homme plongerait un jour son foto entre les cuisses de Kizzy ; et puis, il se rassurait : cela ne se passerait qu'après un mariage en règle. Et c'était à lui, le *Fa* de Kizzy, que reviendrait la responsabilité de juger des qualités personnelles et des origines familiales des soupirants — pour choisir celui qui conviendrait le mieux à sa fille ; et ce serait encore lui qui fixerait le « prix de la fiancée ».

Alors, Kounta se reprenait : pourquoi songer ainsi aux coutumes et traditions de son Afrique ? Non seulement ne pouvait-il être question de les observer ici, mais même d'y faire allusion, sous peine de s'attirer de graves ennuis. Quant à trouver pour Kizzy un prétendant de trente à trente-cinq ans — l'âge idéal — il n'y fallait pas songer ! Non, il devait raisonner selon les coutumes du pays des toubabs, où les filles épousaient — enfin, « sautaient le balai », comme ils disaient — quelqu'un de leur âge.

Et Kounta pensa aussitôt à Noé. Ce garçon lui avait toujours plu. A quinze ans — deux ans de plus que Kizzy — Noé paraissait aussi mûr, sérieux et responsable qu'il était grand et fort. L'idée séduisait de plus en plus Kounta, à un détail près, mais un détail majeur : Noé ne semblait jamais accorder le moindre intérêt à Kizzy, et celle-ci, de son côté, ignorait totalement Noé. *Pourquoi* observaient-ils une telle distance ? Après tout, Noé ressemblait assez à ce qu'était Kounta jeune homme, et cela seul suffisait à le rendre digne de l'attention de Kizzy, sinon de son admiration. Il se demandait s'il était en son pouvoir de faire quelque chose pour les rapprocher. Mais non, agir ainsi serait le plus sûr moyen de prévenir tout rapprochement éventuel. Il décida que, comme d'habitude, il ferait bien de ne se mêler de rien et de laisser faire la nature — en demandant toutefois à Allah d'y aider quelque peu.

76

— Écoute-moi, Kizzy, que j'entende encore une fois dire que tu t' pavanes d'vant Noé, et tu verras si ma badine elle est fatiguée ! (Kounta, qui allait pousser la porte, s'arrêta net et écouta la suite de la semonce de

Bell :) T'as même pas encore tes seize ans ! Et quoi qu'il dirait, ton papa, si ça y v'naît aux oreilles ?

Kounta fit demi-tour et alla se réfugier dans l'écurie, pour réfléchir tranquillement à ce qu'il venait d'entendre. « Se pavaner » devant Noé — sa Kizzy ! Bell n'en avait pas été elle-même témoin. Quelqu'un le lui avait rapporté. Ce ne pouvait être que Tante Sukey ou Sœur Mandy — et ces vieilles chouettes pouvaient avoir mal interprété une attitude tout à fait innocente, pour le seul plaisir d'en faire des ragots. Mais qu'avaient-elles vu, au juste ? D'après la dernière phrase de Bell, celle-ci n'irait sûrement pas le répéter à Kounta. Et jamais il n'oserait évoquer de lui-même la question — un homme ne pouvait tomber dans des commérages de femmes.

Mais, par ailleurs, tout cela avait-il été vraiment innocent ? Ou bien se pouvait-il que Kizzy eût fait la roue devant Noé ? Et lui, l'y avait-il encouragée ? Il semblait pourtant être un garçon convenable, mais sait-on jamais ?

Kounta ne savait vraiment que penser. De toute façon, comme l'avait dit Bell, Kizzy n'avait encore que quinze ans — chez les toubabs, une fille de cet âge-là ne songeait pas encore au mariage. Certes, ce n'était pas une attitude très africaine qu'il adoptait là, mais il répugnait à envisager qu'elle pourrait bientôt se promener avec un gros ventre, comme il se souvenait avoir vu, chez lui, des filles de l'âge de Kizzy et même plus jeunes.

En tout cas, si elle épousait Noé, elle donnerait le jour à un enfant noir, et non à un de ces bébés café-au-lait qui étaient la preuve vivante de ce que des maîtres ou des régisseurs dépravés avaient fait subir aux mères. Kounta remerciait Allah de ce qu'aucune des femmes du quartier des esclaves, et surtout pas sa précieuse Kizzy, n'avait été mise dans une situation aussi horrible — en effet, m'sieu Waller désapprouvait ce mélange de sangs blanc et noir, et il ne manquait jamais une occasion de le condamner lorsque des amis évoquaient devant lui la question.

Pendant plusieurs semaines, Kounta tint discrètement Kizzy à l'œil. Il ne la surprit jamais à tortiller du postérieur, mais, en revanche, il lui arriva à deux reprises, en rentrant inopinément, de la trouver en train de tournoyer sur elle-même en fredonnant une chanson, les yeux mi-clos. Et, parallèlement, Kounta surveillait Noé. Il remarqua ainsi qu'à présent Noé et Kizzy se saluaient en souriant lorsqu'il leur arrivait de se croiser. Plus il y réfléchissait, et plus il se persuadait qu'il y avait quelque chose entre eux.

Et puis Kounta s'aperçut que Noé ne l'observait pas moins que lui-même n'observait le jeune homme. Allons, il allait sûrement lui demander Kizzy en mariage. Enfin, au début avril — c'était un dimanche après-midi — alors que Kounta astiquait le buggy des invités du maître, il vit venir du quartier des esclaves la silhouette élancée de Noé.

Arrivé devant Kounta, le jeune homme lui lança tout d'un trait :

— L'ancien, y a qu'en vous qu' j'ai confiance. Faut que j' me confie à quelqu'un. J' peux plus vivre comme ça. J' vas m'ensauver.

Kounta fut d'abord tellement surpris qu'il ne trouva rien à répondre. Enfin, les mots lui vinrent :

— Tu t'ensauv'ras nulle part avec Kizzy !

Ce n'était pas une question mais un avertissement.

— Oh ! non, m'sieu ! J' voudrais pas lui attirer des ennuis ! répondit aussitôt Noé.

Embarrassé, Kounta dit, après un court silence :

— La fuite, y en pas un qu' ça travaille pas un jour ou l'autre.

— Kizzy m' dit qu'elle sait par sa mammy qu' vous avez marronné quat' fois, reprit Noé en le regardant bien en face.

Kounta confirma la chose d'un signe de tête, sans rien laisser paraître de ce qui lui tournoyait dans l'esprit. Il se revoyait au même âge, à peine sorti des entrailles du grand bateau, et si obsédé par ses idées de fuite que chaque jour passé à attendre une occasion, aussi médiocre fût-elle, était un véritable supplice. Il songea fugacement à Kizzy : si elle ignorait le dessein de Noé, comme la phrase de ce dernier le laissait entendre, combien elle allait souffrir de la disparition de cet être cher — si peu de temps après avoir perdu l'amitié de la fille toubab. Et nul n'y pourrait rien. Il lui fallait cependant bien peser ce qu'il allait dire à Noé.

— C'est pas moi qu'irai t' pousser à t'ensauver ou à pas t'ensauver. Mais faut qu' tu soyes prêt à y laisser ta peau si on t' rattrape, ou sans ça t'es pas prêt.

— J' s'rai pas rattrapé, répondit Noé. A c' que j' sais, l' principal c'est de s' guider sur l'étoile polaire, et puis l' jour y a des Quakers blancs et des nègres affranchis qui vous cachent. Et dès qu'on arrive dans c't Ohio, on est libre.

Il ne sait rien de rien, pensait Kounta. Aller s'imaginer qu'on pouvait s'enfuir aussi facilement ! Mais, bien sûr, Noé était jeune ; et en plus, comme la plupart des esclaves, il n'était pratiquement jamais sorti de la plantation. Et c'est pour cela qu'ils étaient rattrapés si vite, et surtout les travailleurs des champs : déchirés par les ronces, affamés, égarés dans des forêts et des marais pleins de serpents venimeux. En un éclair, Kounta revoyait ses courses éperdues, les chiens, les fusils, les fouets — la hachette !

— Tu sais pas d' quoi tu parles, mon garçon ! grinca-t-il. (Mais, regrettant aussitôt ses paroles, il ajouta :) C' que j' veux dire, quoi, c'est qu' c'est pas si facile ! Tu sais qu'ils te lancent les chiens au derrière ?

— Les chiens morts, ils peuvent plus manger personne, rétorqua Noé en sortant vivement un couteau de sa poche. Y a rien qui m'arrêt'ra.

Caton l'avait bien dit, ce garçon n'avait peur de rien.

— Eh bien, si tu dois t'ensauver, tu t'ensauv'ras.

— J' sais pas quand ça s'ra, poursuivit Noé, mais faut que j' parte.

— Méfie-toi d' mêler Kizzy à rien, t'entends ? insista gauchement Kounta.

— Oui, m'sieu ! Mais quand j' s'rai dans l' Nord, j' travaill'rai dur pour la rach'ter. Vous y direz pas, hein ?

Kounta hésita, mais il finit pas répondre :

— Non. Faudra en parler vous deux.

— J'y dirai que quand ça s'ra l' moment, conclut Noé.

Brusquement, Kounta étreignit la main de Noé dans les siennes.

— J' te souhaite de t'en tirer.

77

Une semaine après le seizième anniversaire de Kizzy, à l'aube du premier lundi d'octobre, les esclaves se rassemblaient comme d'habitude pour partir aux champs, lorsque l'un d'entre eux remarqua :

— Où qu'il est, Noé ?

Kounta, qui était justement en train de discuter avec Caton, sut aussitôt que Noé s'était enfui. Les têtes se tournèrent pour scruter les environs, et Kounta rencontra le regard de Kizzy qui s'efforçait de jouer la surprise — elle baissa les yeux.

— J' pensais qu'il était là avec toi, dit à Caton la mère de Noé, Ada.

— Pas du tout, et j' voulais y passer un savon d' pas s'être levé à l'heure, répondit Caton.

Et il alla heurter du poing la porte de l'ancienne case du vieux jardinier, que Noé venait d'hériter pour ses dix-huit ans. Poussant violemment la porte, il se précipita à l'intérieur en criant d'un air furieux :

— Noé ! (Mais il ressortit aussitôt, le visage soucieux, en remarquant :) Ça lui r'ssemble pas.

Puis il dépêcha aussitôt les autres pour inspecter leurs cases, la cahute des cabinets, les hangars, les champs.

Ils s'égaillèrent tous à la recherche de Noé et Kounta, pour sa part, se dirigea vers l'écurie où il s'égosilla à crier :

— NOÉ ! NOÉ ! au point que les chevaux en levèrent la tête de leurs râteliers.

Kounta s'assura que personne ne venait dans sa direction et, grimpant prestement dans le fenil, il se prosterna pour implorer la protection d'Allah sur l'entreprise de Noé.

Caton envoya finalement les autres aux champs, en disant qu'il les rejoindrait bientôt avec le Violoneux ; ce dernier, en effet, avait eu la sagesse de se proposer pour les travaux agricoles, depuis que les occasions de jouer pour les bals — et donc de rapporter de l'argent — s'étaient raréfiées.

En arrivant dans l'arrière-cour, le Violoneux murmura à Kounta :

— Pour moi, il s'est ensauvé.

Kounta répondit par un grognement, mais Bell ajouta :

— L'a jamais fait un écart, et c'est pas l' genre à courailler la nuit.

Caton finit par exprimer la crainte qui les tenaillait tous :

— Va falloir l' dire au maître !

Ils se concertèrent rapidement, et Bell proposa

d'attendre que le maître ait pris son petit déjeuner.

— Des fois que l' garçon aurait quand même filé dehors c'te nuit, et qu'il aurait du mal à rentrer sans s' faire pincer par les patterouilleurs.

Bell servit au maître son petit déjeuner préféré : pêches conservées dans leur jus avec de la crème fraîche, jambon fumé au bois de hickory, œufs brouillés, gruau, biscuits au babeurre, et elle attendit qu'il ait demandé de nouveau du café pour lui annoncer la nouvelle.

— Maître, dit-elle en avalant sa salive, Caton me d'mande de vous dire que c' Noé, on l' trouve pas c' matin !

Fronçant le sourcil, le maître reposa sa tasse.

— Et alors, où est-il ? Est-ce que tu essaies de me faire entendre qu'il est allé s'enivrer ou courir le guilledou et qu'il va rentrer en cachette, ou bien qu'il s'est enfui ?

— J' sais pas, maître. On l'a cherché partout et on l'a pas trouvé.

— Je vais lui donner jusqu'à ce soir — non, jusqu'à demain matin — avant de prendre des mesures.

— Maître, c'est un brave garçon, c' Noé, l'est né chez vous, l'a été él'vé ici, et un travailleur avec ça, l'a jamais causé l' moind' ennui à vous ni à personne...

M'sieu Waller braqua son regard sur Bell :

— S'il est en fuite, il va le regretter.

— Oui, m'sieu maître.

Et Bell se précipita dans la cour pour raconter aux autres comment le maître avait réagi. Mais à peine Caton et le Violoneux étaient-ils partis en hâte pour les champs que m'sieu Waller rappela Bell pour lui dire de faire atteler le buggy.

Tout au long de la journée, en conduisant le maître d'un patient à l'autre, Kounta passa de l'exaltation — à l'idée que Noé était en fuite — à l'angoisse, en pensant aux épines et aux chiens. Et il pressentit l'espoir et la souffrance qui devaient se disputer le cœur de Kizzy.

Tout le quartier des esclaves se retrouva à la veillée, sans oser échanger plus que des chuchotements.

— L'est parti, c' garçon, dit Tante Sukey. J' l'avais lu dans ses yeux qu' ça arriv'rait.

— L'est pas du genre à filer la nuit pour aller s' griser ! ajouta Sœur Mandy.

Ada, la mère de Noé, était enrouée d'avoir pleuré toute la journée.

— Il m'a jamais parlé qu'il aurait pensé à marronner, mon p'tit ! Seigneur ! Vous croyez-t-y qu' le maître va l' vendre ?

Personne n'osa lui répondre.

A peine étaient-ils rentrés dans leur case que Kizzy éclata en sanglots ; Kounta ne savait que dire ni que faire. Mais Bell la prit dans ses bras et la berça doucement.

Le mardi matin arriva et, bien sûr, Noé n'avait pas reparu. M'sieu Waller se fit conduire par Kounta au chef-lieu, et il alla directement à la prison du comté de Spotsylvanie. Il en ressortit une demi-heure après avec le shérif, et ordonna à Kounta d'attacher le cheval de ce dernier à l'arrière du buggy.

— Nous déposerons le shérif en chemin, dit le maître.

— Avec tous ces négros qui marronnent, dit le shérif tandis que le buggy s'ébranlait, on a un fameux tintouin — ils filent dans les bois pour pas être vendus dans le Sud.

— Depuis que j'ai une plantation, dit m'sieu Waller, je n'en ai jamais vendu que s'ils violaient ma règle. Et ils le savent tous très bien.

— Mais c'est fameusement rare, un négro qui apprécie un bon maître, vous le savez bien, docteur, répondit le shérif. Vous dites qu'il a dix-huit ans ? Y a donc tout à parier qu'il a fait comme les négros des champs du même âge : direction le Nord. (Kounta se raidit.) Avec les domestiques, c'est une autre histoire : ils sont finauds, ils ont du bagout, alors ils se font passer pour des affranchis ou ils racontent aux patrouilleurs qu'ils font une course pour leur maître et qu'ils ont perdu leur permis de circulation. Et puis, une fois à Richmond ou dans une autre grande ville, avec tous ces négros qu'il y a, allez donc les chercher. (Le shérif fit une pause.) Il a sa mère chez vous, docteur, mais vous savez s'il aurait de la famille ailleurs ?

— Je ne lui en connais pas.

— Peut-être une fille, alors ? A cet âge-là, le négro, il vous laissera la mule en plein champ pour aller courir.

— Pas à ma connaissance. Mais il y a chez moi la fille de ma cuisinière, elle doit avoir dans les quinze ou seize ans. Cependant j'ignore s'il y avait quelque chose entre eux.

Kounta retint son souffle.

— J'en ai vu qu'étaient grosses à douze ans ! ricana le shérif. Ces négresses, ça sait y faire, même avec les Blancs. Et pour les négros fringants, faut pas leur en promettre !

Kounta bouillait de colère, mais il entendit le maître répondre d'un ton brusquement glacial :

— Il n'est pas dans mes habitudes d'avoir des relations personnelles avec mes esclaves, et quant à leurs affaires privées, je les ignore et tiens à les ignorer.

— Bien sûr, sans doute, se hâta de répondre le shérif. Vous m'avez dit qu'il était né à la plantation et qu'il n'avait jamais beaucoup circulé ?

— Oui, c'est pourquoi je l'estime incapable d'arriver jusqu'à Richmond, et à plus forte raison d'atteindre le Nord.

— Vous savez, docteur, les négros se passent pas mal de renseignements entre eux. En leur frottant gentiment le cuir, on a pu faire cracher à certains qu'ils s'étaient mis dans la tête une carte complète du chemin à suivre et des endroits où on les cacherait.

Tout ça, c'est un coup de ces fameux amis des Noirs, ces prêchi-prêcha de Quakers et de Méthodistes. Mais un garçon comme le vôtre, qu'est jamais sorti, qui vous a jamais fait d'histoires, je parierais qu'avec encore deux bonnes nuits dans la forêt vous allez le voir rappliquer, tout péteux et crevant de faim. Le ventre vide, pour un négro, ça pardonne pas. Ça vous évitera la dépense d'un avis dans la *Gazette* ou d'une prime aux chasseurs de nègres.

— Je souhaite que vous disiez vrai, mais de toute façon je le vendrai sur-le-champ dans le Sud, car il a violé ma règle rien qu'en sortant sans autorisation de la plantation.

Kounta serrait si fort les guides qu'il s'en rentrait les ongles dans les paumes.

— Dans ce cas, ça vous fait pour l'instant douze à quinze cents dollars perdus dans la nature. Je vais transmettre aux patrouilleurs du comté la description que vous m'avez fournie, et si on le rattrape ou si on apprend quelque chose, je viendrai aussitôt vous en avertir.

Le samedi matin, Kounta était en train d'étriller un cheval devant l'écurie lorsqu'il entendit monter le cri de l'engoulevent — le signal habituel de Caton. Il attacha le cheval à un pieu et courut vers sa case. De la fenêtre en façade, il apercevait presque jusqu'à l'intersection de la grand-route et du chemin d'entrée. Dans la grande maison, Bell et Kizzy devaient avoir été alertées, elles aussi, par l'appel de Caton.

Puis il vit un chariot remonter l'allée, et soudain l'angoisse le saisit : c'était le shérif qui conduisait. Allah miséricordieux, est-ce qu'ils avaient rattrapé Noé ? Kounta savait qu'il aurait dû aller abreuver et bouchonner le cheval du visiteur, mais il demeurait rivé à la fenêtre — le shérif entrait en trombe dans la grande maison.

A peine quelques minutes plus tard, Kounta vit Bell

déboucher de la porte de la cuisine et accourir vers la case. Ouvrant la porte à toute volée, elle hurla, le visage inondé de larmes :

— L' shérif et l' maître, ils parlent de Kizzy !

Kounta accusa le coup, mais il regarda d'abord Bell d'un air incrédule et puis, brusquement, il l'empoigna et la secoua en criant :

— Quoi qu'il y veut ?

Bell parvint à lui raconter d'une voix hachée qu'à peine le shérif était-il arrivé, le maître avait appelé Kizzy qui était en train de faire sa chambre à l'étage. Surprise par son ton brutal, Bell avait couru se poster dans l'antichambre pour essayer d'entendre ce qui se disait, mais elle n'avait pas compris les mots, simplement l'intonation.

— L'avait l'air fou furieux, dit-elle en essayant de reprendre son souffle. Et puis l' maître m'a sonnée, alors j'ai voulu m'en r'tourner pour faire comme si je v'nais d' la cuisine, mais v'là qu'il était d'vant la porte du salon. J' l'ai jamais vu m' faire des yeux pareils. Il m'a dit d' sortir à l'instant d' la maison et d' pas rev'nir sans qu'il m'appelle ! Seigneur Dieu ! se lamenta Bell en allant devant la fenêtre pour surveiller la grande maison, mais quoi que l' shérif il peut bien vouloir à ma p'tite ?

Que faire ? songeait désespérément Kounta. Fallait-il courir aux champs pour alerter les autres ? Mais que ne risquait-il pas d'arriver en son absence ?

Bell se précipita dans leur chambre en implorant son Jésus à tue-tête, et il se retint pour ne pas déverser sur elle sa fureur : depuis combien de temps s'exténuait-il à lui démontrer qu'elle se leurrait en croyant qu'il y avait du bon dans le maître — ou dans n'importe quel toubab !

— J'y r'tourne ! s'écria brusquement Bell en prenant sa course vers la grande maison.

Qu'allait-elle faire ? Kounta se lança en clopinant

derrière elle, la vit s'engouffrer dans la cuisine, mais quand il arriva à son tour devant la porte, la pièce était vide. Alors, il poussa la contre-porte grillagée avec précaution, pour l'empêcher de grincer, traversa la cuisine à pas feutrés et s'arrêta devant la porte de communication avec le grand vestibule. Il tendit l'oreille en retenant son souffle. Et puis il entendit appeler doucement :

— Maître ! (Il n'y eut pas de réponse. Alors la voix de Bell s'éleva de nouveau, cette fois nette et sonore :) *Maître !*

Et la porte du salon s'ouvrit.

— Où est ma Kizzy, maître ?

— C'est moi qui la garde, répondit durement m'sieu Waller. Un en fuite, ça suffit.

— Maître, j'y comprends rien. C't' enfant-là, elle sort jamais d' chez vous.

— Après tout, dit le maître, il est possible que tu ne saches pas ce qu'elle a fait. On a réussi à capturer ce Noé, mais il a eu le temps de blesser grièvement à coups de couteau deux patrouilleurs à qui il présentait un faux permis de circulation. Et on l'a finalement contraint à avouer que c'était ta fille qui avait fabriqué ce document. Et elle l'a reconnu devant le shérif.

Il y eut un atroce moment de silence, et puis Kounta entendit un cri et des pas précipités. Comme il tirait brusquement la porte, Bell passa devant lui comme un ouragan, l'écarta avec la force d'un homme et jaillit hors de la porte de la cuisine. Alors, il se lança à sa poursuite et la rattrapa devant leur case.

— L' maître, il va vendre Kizzy, j' te dis qu'il va la vendre ! hurla Bell.

Tout tourna dans la tête de Kounta.

— J' vais lui r'prendre ! cria-t-il d'une voix étranglée, et il repartit comme un fou vers la grande maison, avec Bell sur ses talons.

Soulevé par la fureur, il traversa la cuisine, poussa la

porte et fit irruption dans le vestibule, bravant le plus formel interdit.

Le maître et le shérif pivotèrent sur eux-mêmes d'un air incrédule en entendant s'ouvrir avec fracas la porte du salon. Sur le seuil se dressait Kounta, les yeux brûlant d'une rage meurtrière. Derrière lui, Bell hurlait :

— Quoi qu' vous avez fait d' not' enfant ? On vient la r'prendre !

Kounta vit le shérif poser sa main sur la crosse de son pistolet, tandis que le maître fulminait :

— *Sortez !*

— Hé ! négros, vous êtes sourds ? (le shérif dégainait).

Kounta se ramassait pour bondir sur lui. Mais soudain la voix de Bell s'éleva derrière lui :

— Oui, m'sieu, et elle s'agrippa à son bras.

Il recula ainsi jusqu'au seuil — et puis la porte lui claqua à la figure et il entendit la clé tourner dans la serrure.

Kounta restait prostré dans la cuisine, remâchant sa honte à côté de Bell, éperdue, lorsque leur parvinrent les voix du maître et du shérif... puis un bruit de pas traînants..., les sanglots de Kizzy... et le claquement sec de la grande porte.

— Kizzy ! Kizzy ! mon bébé ! Seigneur Dieu, n' les laisse pas vendre ma Kizzy !

Bell se jeta dehors, suivie de Kounta, et ses clameurs alertèrent les Noirs des champs, qui accoururent aussitôt. Caton arriva juste à temps pour voir Kounta et Bell tourner le coin de la maison et se précipiter vers le grand escalier d'entrée : m'sieu Waller descendait les marches devant le shérif qui tirait Kizzy *par une chaîne.*

— Mammy ! Maaaaaaaammy ! hurlait Kizzy en se rejetant en arrière.

Bell et Kounta s'élancèrent — mais le shérif tira son

pistolet et le braqua sur Bell. Elle s'arrêta net, plongea son regard dans celui de Kizzy et parvint à articuler :

— C'est vrai qu' t'as fait c' qu'ils disent ? (Tous les yeux se tournèrent vers Kizzy : le regard noyé de larmes et suppliant qu'elle portait à tour de rôle sur Bell et Kounta, puis sur le maître et le shérif, constituait une réponse éloquente.) Seigneur Dieu ! hurla Bell. Pitié, maître ! Elle a pas compris c' qu'elle f'sait. C'est mam'zelle Anne qu'y a appris à écrire.

— La loi est la loi, répondit le maître d'un ton glacial. Elle a violé ma règle. Elle a commis un délit. Elle pourrait être complice de meurtre, car l'un de ces Blancs est entre la vie et la mort.

— C'est pas *elle* qu'a frappé c't homme, maître ! Dites, maître, elle a pas travaillé pour vous d'puis qu'elle est assez grande pour charrier vot' pot d' chambre ? Et moi, ça fait quarante ans que j' cuisine et que j' vous sers, et lui... (désignant Kounta) d'puis l' temps qu'il vous conduit partout ! Maître, ça compte donc pour rien, tout ça ?

— C'était votre travail, et rien de plus. Elle va être vendue, un point c'est tout.

— Y a qu' les derniers des Blancs pour séparer les familles, hurla Bell. Vous êtes pas du bas monde comme ça, maître !

Sur un signe furieux de m'sieu Waller, le shérif tira brutalement Kizzy en direction du chariot, mais Bell lui barra le chemin.

— Alors, z'avez qu'à nous vendre avec elle, son papa et moi ! Nous séparez pas, maître !

— Sors-toi d' là ! lança le shérif en l'écartant brutalement.

Un rugissement s'échappa de la gorge de Kounta et il s'élança sur le shérif, qui roula au sol.

— Sauve-moi, Fa ! cria Kizzy d'une voix déchirante.

Kounta la saisit par la taille et tira comme un forcené sur la chaîne. Mais soudain il tomba à genoux, à demi assommé par le violent coup de crosse que le shérif venait de lui porter à la nuque. Alors Bell sauta sur l'homme : celui-ci para le coup de son bras tendu, l'envoya à terre et, en un éclair, jeta Kizzy dans le chariot, attacha l'extrémité de la chaîne et bondit sur le siège. Il fouetta le cheval, qui démarra en trombe. Redressé d'un coup de reins, Kounta se lança derrière le chariot, mais son pied mutilé ne put tenir longtemps à ce rythme, et il resta bientôt en arrière.

— Mam'zelle Anne !... Mam'zelle Anne..., s'époumonait à hurler la malheureuse Kizzy.

Le chariot tournait déjà sur la grand-route que ses cris semblaient encore suspendus dans l'air autour de Kounta : « Mam'zlle Anne ! Mam'zelle Anne... »

Quand Kounta dut s'arrêter, chancelant, à bout de souffle, le chariot était déjà à plus d'un demi-mille. Il demeura sur le chemin, à le regarder disparaître, à regarder la poussière se dissiper au loin, à regarder la route — de nouveau vide à perte de vue.

Et Kounta se sentit soudain envahi d'une poignante et irrémédiable certitude : jamais plus il ne reverrait sa Kizzy.

78

Hébétée et sans forces, Kizzy gisait sur une pile de sacs de jute, dans une case obscure. Elle se demandait vaguement quelle heure il pouvait être. Quand on l'avait tirée hors de la carriole, il faisait déjà nuit, et il lui semblait que plus jamais le jour ne reparaîtrait. Elle se mit à s'agiter et à se retourner, en essayant de fixer son esprit sur quelque chose — n'importe quoi — qui ne fût pas terrifiant. Pour la centième fois, elle se força à réfléchir aux moyens de parvenir « là-haut dans l' Nord », où les Noirs fugitifs trouvaient la liberté. Si elle n'allait pas dans la bonne direction, elle risquerait de se retrouver dans le « Sud profond », où les maîtres et les régisseurs étaient infiniment pires que m'sieu Waller. Seulement dans quel sens était le Nord ? Elle n'en avait pas la moindre idée. Mais elle s'enfuirait, cela, elle se le jurait.

Le grincement de la porte la glaça soudain. D'un bond elle fut debout et recula dans le noir. Le personnage qui entrait portait une bougie, dont il protégeait la flamme de sa main repliée. Elle reconnut le Blanc qui l'avait achetée : il tenait dans son autre main un fouet court à la lanière déroulée. Mais ce qui la terrorisa, ce fut le sale désir empreint sur les traits de l'homme.

— J'aimerais autant pas avoir à t' frotter la peau, dit-il en répandant de suffocants relents d'alcool.

Elle comprit aussitôt. Il voulait faire avec elle ce que son papa faisait avec sa mammy, quand elle entendait monter de bizarres bruits derrière le rideau, au moment où ils la croyaient endormie. C'était cela aussi que Noé voulait, lorsqu'ils allaient se promener le soir, le long de la clôture ; elle avait même été plusieurs fois sur le point de lui céder, et plus encore la veille de sa fuite. Mais Noé s'était écrié d'une voix rauque :

— Oh ! j'veux qu' tu m' portes un p'tit ! (et elle avait eu tellement peur qu'elle s'était finalement refusée). Il fallait que ce Blanc fût fou pour s'imaginer qu'elle allait le laisser faire — lui !

— J'ai pas de temps à perdre !

Le Blanc parlait d'une voix pâteuse. Kizzy essayait de jauger la distance qui la séparait de la porte — elle allait se lancer, esquiver l'homme, se fondre dans la nuit. Mais il parut deviner son intention, se déplaça légèrement et, sans la quitter de l'œil, il se pencha pour faire couler un peu de cire sur la chaise branlante afin d'y fixer la bougie. Kizzy recula insensiblement, mais elle se trouva bientôt le dos au mur.

— Ton nouveau maître, c'est moi, tu comprends ça, non ? Une belle fille comme toi ! Je pourrais même t'affranchir, si j'étais content de toi.

Il bondit sur Kizzy et l'empoigna ; elle se dégagea en hurlant, mais, d'une sèche détente du poignet, il lança son fouet : la lanière brûla la nuque de Kizzy qui se lança sauvagement sur lui en essayant de lui lacérer le visage de ses ongles. Dans un torrent d'imprécations, il la jeta sur le sol. Kizzy se releva en un éclair, mais, d'une bourrade, l'homme la renvoya à terre. Et soudain il était à genoux à côté d'elle, et, lui serrant la gorge pour étouffer ses cris.

— J' vous en prie, maître, j' vous en prie !

Il lui enfonçait, de l'autre main, des lambeaux de toile à sac dans la bouche. Kizzy suffoquait, elle essayait de le repousser de ses bras, elle cambrait les reins pour se redresser. Alors il se mit à lui cogner le crâne contre le sol, puis il la gifla — de plus en plus violemment — et Kizzy sentit soudain qu'il lui relevait sa robe, qu'il lui arrachait ses dessous. Elle se tordit désespérément, hurla en vain — bâillonnée qu'elle était par la toile à sac. Les mains de l'homme remontaient en haut de ses cuisses, cherchant ses parties intimes où les doigts fouillaient, pinçaient, trituraient. Et puis l'homme lui porta un coup qui l'hébéta et, rejetant ses bretelles, il tira sur son pantalon. Soudain pénétrée par un trait de feu, Kizzy défaillit, mais l'homme s'agitait encore et encore. Alors, Kizzy s'évanouit.

Quand elle rouvrit les yeux, l'aube était déjà là. La honte la submergea en voyant, penchée au-dessus d'elle, une femme noire qui lui nettoyait le sexe avec un linge frotté de savon et de l'eau tiède. La main de la femme remonta sous ses fesses, et Kizzy reconnut à l'odeur qu'elle s'était souillée — submergée de honte, elle ferma les yeux. Quand elle osa de nouveau regarder la femme, elle se rendit compte que celle-ci avait un air aussi naturel que si elle exécutait n'importe quelle tâche courante. Pour terminer, la femme lui couvrit le ventre d'une serviette propre et murmura :

— T'as sûr'ment pas envie d' parler.

Elle étendit un sac de jute sur Kizzy, ramassa le seau et les linges et sortit de la case en disant :

— J' t'apport'rai à manger dans pas longtemps.

Kizzy restait étendue, en proie à un bizarre sentiment d'irréalité. Non, cette chose inimaginable, cette chose atroce n'avait pas pu lui arriver ! Mais la douleur qui lui déchirait le sexe était là pour prouver qu'elle l'avait bien subie. Elle était profondément salie, dégradée. Elle serra le sac autour d'elle et demeura absolument immobile, mais la lancinante douleur s'accentua encore.

Elle revoyait tout ce qui s'était passé depuis quatre jours : l'expression terrifiée de ses parents, leurs cris lorsqu'on l'avait emmenée, la résistance qu'elle avait essayé d'opposer au négrier blanc à qui le shérif du comté de Spotsylvanie l'avait livrée — elle avait même prétexté un besoin urgent en chemin pour tenter de s'enfuir. Et puis, arrivés dans une petite ville, le négrier l'avait vendue — après d'âpres marchandages — à ce nouveau maître qui avait abusé d'elle le soir même. Mammy ! Papa ! Si seulement ses cris avaient pu les atteindre — mais ils ne savaient pas où elle était. Et même, qu'était-il advenu d'eux ? M'sieu Waller ne vendait que ceux qui « violaient sa règle », mais, en essayant d'empêcher le maître de la vendre, ils s'étaient justement rendus coupables de plusieurs manquements.

Et Noé ? Qu'était-il arrivé à Noé ? Est-ce qu'ils l'avaient battu à mort ? Et aussitôt les souvenirs affluèrent à sa mémoire : Noé exigeant avec emportement qu'elle lui prouve son amour en lui fabriquant une fausse passe ; Noé jurant avec une farouche détermination que, dès qu'il aurait mis un peu d'argent de côté — car dans le Nord les emplois ne manquaient pas — il reviendrait et la ferait s'ensauver, elle aussi, « et on pass'ra l' reste de not' vie ensemble ». Les sanglots soulevaient Kizzy. Jamais elle ne reverrait Noé. Jamais elle ne reverrait ses parents.

Entendant la porte grincer, Kizzy se leva d'un bond et recula vers le mur : mais c'était la femme qui apportait une petite marmite fumante, un bol et une cuillère. Kizzy se laissa retomber sur les sacs, tandis que la femme remplissait le bol et venait le déposer à sa portée, sur le sol. Kizzy ne réagit pas, mais la femme s'accroupit à côté d'elle et se mit à lui parler aussi naturellement qu'à une vieille connaissance.

— J' suis la cuisinière d' la grande maison, j' m'appelle Malizy. Et toi ?

Kizzy finit par comprendre qu'elle serait une sotte de ne pas répondre.

— J' m'appelle Kizzy, mam'zelle Malizy.

La femme grogna d'un air bienveillant.

— T'as été bien él'vée, ça s' voit. (Et, jetant un coup d'œil au bol que Kizzy n'avait pas touché, elle ajouta :) Tu sais : ça t' f'ra pas d' bien d' manger froid.

Kizzy crut entendre Sœur Mandy ou Tante Sukey. Elle goûta une petite cuillerée de ragoût et se mit à manger lentement.

— Quel âge t'as ? demanda mam'zelle Malizy.

— Seize ans, ma'me.

— Oh ! il finira en enfer, l' maître, aussi vrai qu'il est v'nu au monde ! marmonna mam'zelle Malizy. Autant que j' te l' dise tout d' suite, l' maître, c'est un Blanc qu'aime les négresses, et surtout les jeunes. L'a fricoté avec moi, tu sais, pasque j'ai qu' neuf ans d' plus que toi, mais ça s'est arrêté quand il a am'né la maîtresse, pasqu'il m'a mise cuisinière à la grande maison d'où qu' la maîtresse elle bouge pas, l' Seigneur en soit r'mercié ! grimaça mam'zelle Malizy. Faut t'attendre à l' voir rappliquer plus d'une fois. (Kizzy prit aussitôt sa décision. Dès la nuit venue, elle s'enfuirait — jamais elle ne pourrait subir de nouveau cet homme. Mais mam'zelle Malizy semblait lire dans ses pensées.) Va pas penser à t'ensauver, mon chou ! Pasqu'il te f'ra r'chercher, et avec leurs chiens, t'as pas une chance et après tu s'ras dans un pire pétrin. Faut t' calmer. Déjà, il va pas être là pendant quat' cinq jours. L'est parti avec c' négro qu'entraîne ses bestioles. Vont bien courir la moitié d' l'État pour s' montrer dans des grands combats d' coqs qu'y a, là-bas. L' maître, sorti d' ses volailles, y a pas grand-chose qui compte.

Et mam'zelle Malizy poursuivit sa litanie : comment le maître, petit Blanc des plus démunis, avait gagné dans une tombola, rien qu'avec un billet à vingt-cinq cents, un bon coq de combat — et, à partir de là, comment il était devenu peu à peu un des grands propriétaires de coqs de combat de la région.

— Il couche pas avec la maîtresse ? risqua à un moment Kizzy.

— Tu parles que si ! L'est fou des femmes, c'est tout. Elle, tu la verras pas souvent ; l'a une peur bleue d' lui, alors, elle bouge pas. L'est bien plus jeune que lui : quatorze ans, qu'elle avait, quand il l'a am'née là — une crève-la-faim comme lui. Mais elle sait bien qu' pour lui, c'est d'abord ses coqs, et elle après. (Voyant que Kizzy ne l'écoutait que distraitement, tenaillée qu'elle était par ses idées de fuite, mam'zelle Malizy changea de sujet.) Dis donc, d'où tu viens, toi ? Comment qu' tu dis ? Du comté de Spotsylvanie, en Virginie. Jamais entendu c' nom-là ! Ici, c'est l' comté d' Caswell, en Caroline du Nord.

Le renseignement avait peu de prix pour Kizzy. Elle savait que la Caroline du Nord se trouvait plus ou moins à proximité de la Virginie, mais cela ne l'avançait guère.

— Dis donc, tu sais même pas l' nom du maître ?

reprit mam'zelle Malizy. S'appelle m'sieu Tom Lea, si bien qu' toi, tu s'ras Kizzy Lea !

— Mon nom, c'est Kizzy Waller ! protesta Kizzy. Mais elle songea aussitôt que c'était m'sieu Waller, celui dont elle portait le nom, qui l'avait précipitée dans l'horrible situation où elle se trouvait, et les larmes lui jaillirent des yeux.

— Faut pas l' prendre comme ça, mon chou, s'écria mam'zelle Malizy. Les négros, ils ont l' nom d' leur maître. Quoi qu' ça peut faire, c'est juste pour les appeler.

— Le vrai nom d' mon papa, c'est Kounta Kinté. L'est africain, dit Kizzy.

— C'est pas vrai ? (Mam'zelle Malizy paraissait franchement ébahie.) Paraîtrait qu' mon arrière-grand-papa aussi l'était africain ! Ma mammy m'a dit qu' sa mammy y avait raconté qu'il était noir comme du goudron, avec des cicatriks' sur les deux joues. Mais elle m'a jamais dit son nom. Et toi, tu connais aussi ta mammy ?

— Pour sûr. S'appelle Bell. Elle aussi, l'est cuisinière à la grande maison. Et mon papa, il conduisait l' buggy du maître.

— Alors, t'étais avec ton papa et ta mammy ? Tu sais qu' les négros, y en a pas beaucoup qui connaissent leurs *deux* parents !

Sentant que mam'zelle Malizy se préparait à partir, Kizzy chercha à faire rebondir la conversation, pour ne pas rester seule — et, d'ailleurs, cette question la tracassait.

— Quoi qu'on va m' faire faire ici, mam'elle Malizy ?

— C' que tu vas faire ? répondit mam'zelle Malizy d'un air étonné. L' maître t'a pas dit combien qu'on est d' négros ? Non ? Ben, avec toi, ça fait tout juste cinq ! Et encore, j' compte Mingo, l' vieux négro qu'est toujours avec sa volaille. Alors, moi, j' fais la cuisine, la lessive, l' ménage, et Sœur Sarah et Oncle Pompée ils travaillent aux champs, et c'est là qu' t'iras, toi aussi ! Quoi qu' tu f'sais, là où t'étais ? ajouta-t-elle en remarquant le désarroi de Kizzy.

— J' nettoyais la grande maison et j'aidais ma mammy à la cuisine, répondit Kizzy d'une voix blanche.

— Je m' disais aussi qu' t'avais les mains bien tendres ! Ici, tu les auras calleuses en un rien d' temps ! Écoute donc, ma pauv' mignonne, dit mam'zelle Malizy pour atténuer un peu la brutalité de sa déclaration, t'étais chez un maître riche. Mais ici, c'est un d' ces p'tits Blancs qu'ont dû s' dém'ner pour arriver seul'ment à avoir un peu d' terre, et ils te bâtissent là-d'ssus une maison de rien du tout avec un grand portique, histoire de s' faire mousser. L'a guère plus d' quat'-vingts acres, et il les cultive pasqu'il veut qu'on l' prenne pour un planteur. Mais il met tout c' qu'il a dans ses coqs de combat, l'en a bien plus d'un cent. L'arrête pas d' jurer à la maîtresse que quand il aura fait sa p'lote avec ses bestioles, elle aura une grande maison avec deux étages et six colonnes par-devant. R'marque, il y arriv'ra p't-êt' pasqu'il y a pas plus pingre. L'a pas d' cocher, pas d' garçon d'écurie. C'est lui qu'attelle le buggy, qui l' conduit tout seul. Tu sais, mon chou, si j' suis pas aux champs, c'est pasque la maîtresse elle sait même pas faire cuire un œuf ; alors, comme il aime bien manger, il y faut quelqu'un, sans compter qu' ça l' flatte d'avoir une négresse pour servir à table quand il traite des gens. L'aime bien prendre des grands airs, surtout quand il s'est fait d' l'argent en pariant sur les coqs. Alors, là, crois-moi qu'il boude pas sur l'alcool, et après, c'est des invitations à dîner longues comme la main. L'a quand même fini par s' mettre dans la tête que Tante Sarah et Oncle Pompée, ils suffisaient pas aux champs, et c'est comme ça qu'il t'a ach'tée. Tu sais combien tu y as coûté ?

— Non, ma'me, dit Kizzy d'une petite voix.

— Pour moi, t'as dû aller chercher dans les six à sept cents dollars, avec les prix qu'ils payent à c't' heure pour les négros, sans compter qu' jeune et solide comme t'es, ça lui f'ra des négrillons gratis. (Comme Kizzy restait sans voix, mam'zelle Malizy se dirigea vers la porte mais elle conclut avant de sortir) : L' maître, il t'aurait fait faire des p'tits par un d' ces négros r'producteurs qu' les maîtres ils louent, qu' ça m'aurait pas étonnée, mais j' vois qu'il va s' charger tout seul d' la besogne.

79

La conversation fut brève.

— Maître, j' vais avoir un p'tit.

— Et alors, qu'est-ce que tu veux qu' j'y fasse ? C'est pas une maladie, non ? Alors, ouste, au travail !

Mais, à mesure que le ventre de Kizzy s'arrondissait, il espaça de plus en plus ses visites nocturnes. Kizzy peinait sous le brûlant soleil, parfois prise d'étourdissements, surtout le matin, à cause des nausées que provoquait son état. Elle avait les paumes toutes gonflées d'ampoules qui éclataient et se reformaient aussitôt pour éclater de nouveau, au contact du manche rugueux de la houe. Elle avançait dans les sillons en essayant de ne pas trop se laisser distancer par ses aînés : Oncle Pompée, courtaud et noir de peau ; Tante Sarah, mince et nerveuse, avec un teint marron clair. Mais elle n'arrêtait pas de fouiller sa mémoire pour essayer de retrouver tout ce que Bell lui avait appris sur son état. Elle aurait donné n'importe quoi pour que sa mammy soit auprès d'elle. Sans doute Bell l'avait sévèrement avertie de ne pas « fricoter avec c' Noé » et « de le t'nir au large », mais cette fois elle comprendrait que Kizzy était grosse parce qu'on avait abusé d'elle, elle ne lui en voudrait pas, elle lui expliquerait tout ce qu'elle ne savait pas.

Comme mam'zelle Malizy et Sœur Sarah ne semblaient prêter nulle attention à son ventre rond, à ses seins gonflés, Kizzy se dit amèrement qu'il serait inutile de leur parler de ses craintes. Une fois suffisait, de s'être fait rabrouer par m'sieu Lea. La grossesse de Kizzy était d'ailleurs le moindre de ses soucis, à le voir chevaucher aux quatre coins de la plantation pour houspiller ses trois malheureux travailleurs des champs.

L'enfant vint au monde à l'hiver 1806 — Sœur Sarah faisant office de sage-femme. Déjà presque oublieuse de ce qui lui avait paru une éternité de gémissements, de hurlements, de déchirements d'entrailles, Kizzy gisait, baignée de sueur, et, devant ses yeux émerveillés, Sœur Sarah élevait le petit être gigotant. C'était un garçon — mais un garçon à la peau café-au-lait. Remarquant son anxiété, Sœur Sarah la rassura :

— Mon chou, leur faut un bon mois, aux bébés, pour foncer jusqu'à leur vraie couleur !

Mais, Kizzy eut beau inspecter le petit plusieurs fois par jour pendant un bon mois, elle dut se ranger à l'évidence : il ne serait jamais, au mieux, que marron clair. Et Bell qui était si fière de dire :

— Chez l' maître, on est qu' des vrais Noirs !

Et son papa couleur d'ébène, quel dédain ne manifestait-il pas pour le teint des mulâtres ! Au fond, elle était soulagée qu'ils ne pussent voir sa honte — et en souffrir. Mais, pour elle, toute fierté serait désormais abolie : n'importe qui saurait ce qui lui était arrivé, et avec qui, rien qu'en la voyant avec son enfant. Mais pourquoi s'était-elle refusée à Noé ?

— C'est not' dernière chance avant que j' m'ensauve, poupée, pourquoi tu veux pas ?

Ces mots résonnaient encore à son oreille. Oh !

Pourquoi n'avait-elle pas voulu — c'était l'enfant de Noé qu'elle aurait porté, un enfant *noir !*

— Eh bien, fillette, quoi qu'y a ? T'es pas contente d'avoir un beau gros poupon comme lui ? finit par demander à Kizzy mam'zelle Malizy, intriguée par son expression désolée et sa façon de tenir le bébé de côté, comme si elle ne voulait même pas le *regarder.* (Mais, comprenant soudain la répugnance de Kizzy, elle s'empressa de la réconforter :) Tu sais, une couleur ou l'aut', c'est du pareil au même. D' nos jours y a plus personne qui va en faire cas, pasqu'il y aura bientôt autant d' mulâtres que d' négros noirs comme nous. C'est comme ça, quoi ! Mais c'est *ton bébé à toi,* y a qu' ça qui compte !

— Mais quoi qu'y va arriver ? demanda Kizzy pourtant revigorée par cette explication, quand la maîtresse elle va voir c't' enfant, mam'zelle Malizy ?

— Bah ! Elle sait bien qu'il vaut pas cher, m'sieu Lea ! Et puis, j' touch'rais seul'ment un cent chaque fois qu'une Blanche elle sait qu' son mari l'a engrossé une négresse, que ça m' f'rait une jolie p'lote. La maîtresse, c' qui la rend jalouse, c'est qu'elle est pas capab' d'avoir de p'tit.

Le lendemain soir, m'sieu Lea arriva dans la case de Kizzy. Il se pencha au-dessus du lit et contempla le poupon à la lueur de sa bougie.

— Eh bien ! Il a l'air réussi, et solide avec ça ! dit-il en chatouillant du doigt une menotte. Maintenant, toi, ça suffit. Tu retournes aux champs lundi.

— Maître, faut que j' reste avec lui pour les tétées, laissa sottement échapper Kizzy.

M'sieu Lea se prit à hurler furieusement :

— La ferme, hein, et fais c' qu'on te dit ! Mais qu'est-ce que c'est qu' ces aristocrates de Virginie qui vous gâtent les négros ! Si tu veux pas l'emmener aux champs, moi, j' le vends et on en parle plus, t'entends ?

Folle de terreur à l'idée d'être séparée de son enfant,

Kizzy se mit à sangloter. Satisfait de sa démonstration d'autorité, le maître se calma rapidement, mais Kizzy sentit alors — sans vouloir d'abord le croire — que le but réel de sa visite était de recommencer à user d'elle, là, juste à côté du bébé endormi.

— Maître, maître, c'est trop tôt, supplia-t-elle, j' suis pas bien guérie encore !

Mais, comme m'sieu Lea ne tenait aucun compte de ses protestations, elle résista quelques instants, pour arriver à souffler la bougie, et puis se soumit à l'épreuve en prenant garde de faire le moindre bruit, en ne songeant qu'à une chose : que le bébé ne se réveille pas. Enfin le maître se releva et, tout en faisant claquer ses bretelles dans le noir, il dit :

— Faut lui donner un nom. (Kizzy retint sa respiration.) Tiens, appelle-le George — comme mon premier négro, un garçon courageux comme une mule. Oui, c'est ça, George. Je l'inscrirai demain dans ma Bible.

Le maître parti, Kizzy se lava et se coucha, aussi ulcérée par ce que lui avait fait subir le maître que par son choix du prénom pour l'enfant. Elle avait songé, pour sa part, à « Kounta » ou à « Kinté », mais qu'aurait-elle pu dire : il était le maître, et un maître irascible. Elle frémit en pensant à ce qu'en aurait pensé son papa africain, lui qui lui avait raconté que dans son pays, le choix du nom des fils était essentiel, « pasque les fils ça s'ra les hommes de la lignée ».

Au fond, elle n'avait jamais bien compris la rancœur de son papa envers les Blancs — les « toubabs », comme il les appelait. Elle n'avait guère mieux compris non plus les paroles de Bell : « Quand j' vois la chance que t'as, fillette, ça m' fait peur, pasque tu sais pas c' que c'est qu' d'être un négro, au fond ; mais j' prie l' Seigneur pour que t'ayes jamais à l' savoir. » Eh bien, elle le savait, à présent — et elle avait appris, en plus, qu'il n'existait pas de limites aux souffrances que les Blancs pouvaient infliger aux Noirs. Mais

Kounta lui avait dit aussi que leur pire forfait, c'était de tenir les Noirs dans l'ignorance de ce qu'ils étaient, de les empêcher d'être vraiment des êtres humains.

— Tu sais pourquoi j' l'ai aimé d'abord, ton papa ? avait raconté Bell à Kizzy, c'est pasque j'avais jamais connu d' Noir aussi fier que lui !

En sombrant dans le sommeil, Kizzy se promit que son fils — vilement enfanté par un Blanc, nommé par lui et clair de peau — ne serait jamais, pour elle, que le petit-fils d'un Africain.

80

Comme, en dehors de son bonjour matinal, Oncle Pompée n'adressait pratiquement pas la parole à Kizzy, elle n'aurait jamais pu imaginer la surprise qu'il lui avait réservée pour son retour aux champs — avec le bébé. En effet, il s'approcha timidement d'elle et, montrant du doigt les arbres en bordure des cultures, il marmonna :

— J' me suis dit qu' tu pourrais poser le p'tit là-bas.

Elle regarda le point qu'il lui désignait et aperçut sous un arbre une chose qu'elle distingua mieux en s'en approchant : c'était un abri en miniature, couvert d'herbe fraîche et de branchages.

Les yeux embués d'émotion, Kizzy étala un sac sur la moelleuse couche de feuilles déjà préparée et y déposa le bébé. Il pleura un peu, mais Kizzy lui prodigua caresses et petits mots doux, et bientôt il souriait aux anges. En rejoignant ses deux compagnons qui binaient les plants de tabac, Kizzy exprima sa gratitude à Oncle Pompée, mais il se contenta de grogner en s'activant de plus belle, pour cacher sa confusion. De temps en temps, Kizzy courait jeter un coup d'œil au bébé et, environ toutes les trois heures, elle allait lui donner le sein — et, si la tétée tardait, il la rappelait à l'ordre en donnant de la voix.

— On est tout ravigotés par ce p'tit mignon, pasqu'il arrive jamais rien dans l' coin, dit un peu plus tard Sœur Sarah en s'adressant ostensiblement à Kizzy, mais en jetant un regard en coin à Oncle Pompée qui feignit une digne indifférence.

A présent, en rentrant des champs au coucher du soleil, Sœur Sarah insistait pour porter le bébé, tandis que Kizzy se chargeait de leurs deux houes, et la petite troupe harassée regagnait le quartier des esclaves — c'est-à-dire quatre malheureuses petites cases percées d'une seule fenêtre, groupées près d'un grand châtaignier du Brésil. Kizzy se hâtait d'allumer un maigre feu de petit bois pour faire cuire son repas — m'sieu Lea leur délivrait tous les samedis matin leurs rations pour la semaine. Dès qu'elle avait mangé, elle s'allongeait sur sa paillasse de feuilles de maïs et jouait avec George, en retardant le plus possible la tétée. Quand il était repu, elle le tenait bien droit contre son épaule, en lui tapotant le dos pour qu'il fasse son rot, et se remettait ensuite à jouer avec lui. Elle s'efforçait de le tenir éveillé aussi tard que possible, pour que, une fois endormi, il ne réclame la tétée suivante que longtemps après. Car c'était justement durant cet intervalle que, deux ou trois fois la semaine, elle devait subir les ardeurs du maître. A chaque fois, il sentait l'alcool d'une manière répugnante, mais elle avait renoncé à lui résister — George et elle-même auraient eu tout à y perdre. Alors, malgré le dégoût qui la soulevait, elle restait sous lui, inerte, jambes ouvertes, attendant d'en être débarrassée quand il aurait pris son bruyant plaisir. Lorsqu'il se relevait enfin, elle restait les yeux fermés — il faisait sonner sur la table une piécette de dix cents ou parfois d'un quart de dollar, et s'en allait. Il arrivait à Kizzy de se demander si là-haut, dans la grande maison, la maîtresse dormait ou non ; que devait-elle penser, que devait-elle éprouver lorsque le maître se glissait dans leur lit, la peau encore imprégnée de l'odeur d'une autre femme ?

A un an, George marchait déjà tout seul. A quinze mois, il commença à se montrer turbulent, prenant visiblement plaisir à s'ébattre enfin en toute liberté. Pour qu'il se laissât porter ou cajoler, il fallait qu'il fût ensommeillé ou souffrant — ce qui était rare, car il éclatait de santé. Il faut dire que mam'zelle Malizy lui réservait journellement les plus fins morceaux de sa cuisine, et qu'elle ne se faisait pas scrupule de le gaver. Le dimanche après-midi, Kizzy venait retrouver ses trois compagnons et ils discutaient tout en se repaissant du spectacle de George déambulant autour d'eux, ravi de tout ce qu'il rencontrait : brindille, scarabée, libellule, tout était prétexte à rires et à gambades, quand il ne se lançait pas aux trousses du chat ou des poules. Un dimanche, les femmes ne purent contenir leur hilarité au spectacle du grave Oncle Pompée bondissant çà et là afin de faire prendre l'air au cerf-volant qu'il avait confectionné pour George, lequel suivait la manœuvre d'un œil émerveillé.

— Laisse-moi t' dire, ma belle, que c' que tu vois là c'est encore plus fort que tu crois, dit Sœur Sarah à Kizzy. Pasque Oncle Pompée, avant qu'il y eût ce p'tit ici, il connaissait qu' sa case, et puis on l' voyait plus jusqu'au lend'main matin.

— Pour sûr, ajouta mam'zelle Malizy. Même moi, j' savais pas qu'il avait une once de belle humeur !

— Moi, il a fait mon bonheur avec c't' abri pour George qu'il avait dressé dans l' champ, dit Kizzy.

— *Ton* bonheur, qu'il a fait ! Mais c't' enfant, il fait not' bonheur à *nous aut'*, déclara Sœur Sarah.

Mais ce fut quand George atteignit ses deux ans qu'Oncle Pompée s'acquit auprès de lui le prestige le plus durable : il commença à lui raconter des histoires.

Les dimanches après-midi, lorsque le temps fraîchissait avec le coucher du soleil, les trois femmes venaient installer leurs chaises autour du petit feu de bois vert que Pompée faisait brûler pour écarter les moustiques. Et George cherchait la meilleure position pour bien voir les gestes et les mimiques d'Oncle Pompée narrant les aventures de « Frère Lapin » et « Frère l'Ours ». Le vieil homme semblait en avoir une telle réserve que Tante Sarah s'écria un jour :

— Que j' sois tannée si j' savais qu' tu connaissais tant d'histoires !

Et Oncle Pompée rétorqua d'un air énigmatique :

— Y a des *tripotées* d' choses qu' tu sais pas sur moi.

— Mais faut pas croire qu' ça intéresse quelqu'un, bougonna Sœur Sarah, tandis qu'Oncle Pompée tirait solennellement sur sa pipe, les yeux tout plissés de malice.

— Mam'zelle Malizy, laissez-moi vous dire quèq' chose, remarqua un jour Kizzy. Sœur Sarah et Oncle Pompée, ils sont toujours comme chien et chat, mais, pour moi, c'est leur façon à eux d' roucouler.

— J' crois pas trop, tu vois, fillette. Sûr qu'y en a pas un qui l' dirait si c'était comme ça. Mais, pour moi, c'est seul'ment leur façon d' passer l' temps. Quand t'arrives à nos âges, et qu' t'as jamais eu personne, tu t'y fais, hein ? Et d' toute façon, tu peux rien y changer. (Mam'zelle Malizy scruta Kizzy.) On est vieux, et y a rien à y faire. Mais une jeunesse comme toi, c'est aut' chose d' la voir sans personne ! J' peux pas t' dire comme j'aurais voulu que l' maître il achète quelqu'un qu' tu pourrais t'apparier avec !

— Ben, mam'zelle Malizy, c'est pas la peine que j' fasse comme si j'y pensais pas, pasque j'y pense, ça c'est sûr. Mais l' maître, il f'ra jamais ça. (Kizzy se sentit brusquement reconnaissante envers les autres de ne jamais avoir fait allusion à ce qui se passait entre elle et le maître, et qu'ils ne pouvaient ignorer.) Mais comme on parle tout franc, poursuivit-elle, j' vais vous dire qu' là d'où j' viens, j'avais connu un homme, et j'arrête pas d' penser à lui. On allait s' marier, et puis v'là-t-y pas qu' tout a mal tourné. C'est même pour ça que j' suis arrivée ici. (Sentant l'affectueux intérêt que lui portait mam'zelle Malizy, Kizzy lui raconta ses amours avec Noé et termina son récit en disant :) J'arrête pas de m' dire qu'il est en train de m' chercher, et puis qu'un jour on va s' retrouver l'un d'vant l'autre. Et j' vais vous dire, mam'zelle Malizy, si ça nous arrive, on rest'ra à s' regarder sans rien dire. On s' prendra par la main, on viendra dire adieu à tout l' monde, et puis on s'en ira avec George. J'y d'man-d'rai même pas où qu'on va, pasque, comme il m'a dit : « On pass'ra l' reste de not' vie ensemb' ! »

La voix de Kizzy se brisa et les deux femmes se mirent à sangloter.

A quelque temps de là, George étant dans la grande maison, pour « aider » mam'zelle Malizy à préparer le déjeuner du dimanche, Sœur Sarah invita Kizzy à entrer chez elle — pour la première fois depuis son arrivée dans la plantation Lea. Kizzy ouvrit de grands yeux : du haut en bas des murs lézardés, ce n'étaient, pendues à des chevilles ou à des clous, que racines et plantes séchées — Sœur Sarah ne disait-elle pas qu'elle possédait un remède naturel pour n'importe quelle maladie ? Offrant à Kizzy son unique chaise, elle lui dit :

— J' vais t' dire quèq' chose qu'y en a pas beaucoup qui l' savent : ma mammy, c'était une Indienne cajoun de Louisiane, et elle m'a appris à prédire l'av'nir. Tu veux que j' te dise le tien ? proposa-t-elle à Kizzy.

— J' veux bien, Sœur Sarah, répondit-elle d'une petite voix.

Sœur Sarah s'accroupit sur le sol et tira de sous sa couchette une caissette. Elle en sortit une petite boîte, y puisa deux poignées de bizarres choses séchées et les disposa une à une afin de former un motif régulier. Puis elle plongea la main dans son corsage pour extraira une courte et mince badine, au moyen de laquelle elle brassa vigoureusement les objets étalés. Elle se pencha au point de les toucher du front, puis, se redressant comme par un grand effort, elle parla d'une voix anormalement aiguë :

— J' voudrais pas avoir à t' répéter c' que les esprits ils ont dit. Tu r'verras jamais ta mammy ni ton papa, pas dans c' monde en tout cas !

Kizzy fondit en pleurs. Sans se préoccuper d'elle, Sœur Sarah rassembla soigneusement ses objets, et les brassa de nouveau; mais cette fois plus longuement. Kizzy se calma un peu et regarda à travers ses larmes les tremblements et les soubresauts de la badine. Et Sœur Sarah se mit à marmonner de façon à peine audible :

— L'a pas d' chance, c'te fillette... l'aim'ra jamais qu'un seul homme... c' garçon il a eu bien du malheur... et il l'aime... mais les esprits z'ont dit qu'il d'vait savoir la vérité... qu'il d'vait plus espérer... (Kizzy se dressa en hurlant, et Sœur Sarah s'émut :) Chut ! Chuuut ! Chuuuuut ! Dérange pas les esprits, ma fille !...

Mais Kizzy se précipita dehors en poussant de longues clameurs et courut s'enfermer dans sa case. La porte de l'Oncle Pompée s'ouvrit aussitôt et, aux fenêtres de la grande maison, apparurent les têtes du maître et de la maîtresse, tandis que mam'zelle Malizy et George surgissaient par la porte de la cuisine. George fit bientôt irruption dans leur case où Kizzy se tordait sur sa paillasse en poussant des cris rauques.

— Mammy ! Mammy ! Quoi qu'y a ?

Redressant son visage inondé de larmes, Kizzy lança au petit un regard si farouche qu'il s'empressa de détaler.

81

Dès l'âge de trois ans, George tint à « aider » dans le quartier des esclaves.

— Seigneur, v'là qu'il a voulu m'apporter d' l'eau avec ce seau qu'est plus lourd que lui, remarquait mam'zelle Malizy en riant, (ou encore :) que j' sois pendue s'il a pas trimbalé les bûches une par une pour me remplir mon coffre à bois et, après, il a vidé toutes les cendres de l'âtre !

Kizzy était fière de George, mais elle se gardait bien de lui répéter les compliments dont mam'zelle Malizy lui rebattait les oreilles, car l'enfant n'avait déjà que trop tendance à faire le faraud.

— Comment qu' ça s' fait que j' suis pas noir comme toi, mammy ? lui demanda-t-il un soir avant d'aller se coucher.

— Les gens, ils naissent avec une couleur, v'là tout, répondit Kizzy.

Mais, quelques jours plus tard, George recommença ses questions :

— Dis, mammy, qui c'était, ton papa ? Pourquoi que j' l'ai jamais vu ? Où qu'il est ?

— Tais-toi, t'entends ! répondit Kizzy d'un ton sévère.

Mais elle fut tourmentée toute la nuit par l'expression peinée et honteuse qui s'était peinte sur le petit visage. Le lendemain matin, au moment où elle confiait le gamin à mam'zelle Malizy, Kizzy s'excusa maladroitement :

— C'est d' ta faute, aussi, tu m' tannes de questions !

Mais George était trop éveillé pour ne pas revenir à la charge, et Kizzy savait qu'elle devait trouver une réponse qui lui fût à la fois accessible et crédible.

— L'est grand, et noir comme la nuit, et tu l' vois

presque jamais sourire, finit-elle par lui dire. L'est ton parent comme il est l' mien, mais toi tu l'appelles grand-papa.

Intéressé, George voulut en apprendre un peu plus. Alors Kizzy lui raconta que son grand-papa était venu d'Afrique sur un bateau qui l'avait débarqué à « Naplis (1) »; là m'sieu John Waller, le frère du maître, l'avait acheté et emmené dans une plantation du comté de Spotsylvanie, mais il avait essayé de s'ensauver. Ne sachant comment tempérer cette dernière partie de son récit, elle l'écourta :

— Et, comme il arrêtait pas d' s'ensauver, ils lui ont coupé l' pied.

— Pourquoi z'ont fait ça, mammy? demanda George d'un air bouleversé.

— L'avait presque tué des chasseurs de négros.

— Pourquoi qu'ils chassaient les négros ?

— Pasqu'ils s'étaient ensauvés.

— D'où qu'ils s'étaient ensauvés ?

— D' chez leurs maîtres blancs.

— Quoi qu'ils leur avaient fait, les maîtres blancs ?

Exaspérée, Kizzy se mit à crier :

— T'as fini d' m'assommer d' questions ! Allez, ouste, dégage !

Mais George n'avait pas coutume de rester longtemps silencieux, d'autant plus qu'il brûlait d'en savoir plus sur son grand-papa africain.

— Où qu'elle est, c't' Afrique, mammy ?... Y a-t-y des p'tits garçons là-bas ?... Comment t'as dit qu'il s'ap-p'lait, mon grand-papa ?

Et il se fit peu à peu un portrait de son grand-père en questionnant inlassablement sa mère. Kizzy fouillait sa mémoire — elle avait tant de choses à raconter !

— Tiens, si t'avais entendu ses chants africains ! J'avais p't-êt' ton âge, tu vois, j'étais pas grande, et il

(1) Annapolis, sur la baie de Chesapeake (Maryland). (*N.d.T.*)

m'emm'nait avec lui dans l' buggy et il les chantait pour moi toute seule.

Lc visage de Kizzy s'éclairait en revivant ces bons moments où ils parcouraient les routes poudreuses du comté de Spotsylvanie, juchés côte à côte sur l'étroit siège du buggy ; ou encore leurs promenades le long de la clôture, jusqu'au ruisseau qui fermait la propriété — dans ce chemin où, plus tard, c'était avec Noé qu'elle avait marché main dans la main. Elle disait à George :

— Ton grand-papa, il m'apprenait l' nom des choses en africain. Un violon, c'était un *ko,* et puis il app'lait un fleuve *Kamby Bolongo,* et plein d' mots bizarres comme ça.

Comme son papa serait heureux, songeait-elle, s'il pouvait savoir que son petit-fils allait, lui aussi, apprendre les mots africains !

82

George atteignait ses six ans — l'âge d'aller travailler aux champs. Mam'zelle Malizy trouvait sa cuisine désespérément vide sans lui, mais Kizzy et Sœur Sarah se réjouissaient de l'avoir enfin récupéré. Dès le premier jour, il parut enchanté de tout ce qui s'offrait à lui. Il ramassait les pierres qui risquaient d'émousser le soc de la charrue que poussait Oncle Pompée, il courait leur chercher à boire au ruisseau. Il « aidait » même à semer le maïs et le coton, et s'il avait été assez fort pour soulever la houe, ou assez grand pour atteindre les mancherons de la charrue, nul doute qu'il leur aurait, là encore, prêté la main.

Lorsqu'ils regagnaient leur case, à la nuit tombée, Kizzy se mettait aussitôt à la préparation du dîner, car elle savait que George était affamé. Mais, de lui-même, il proposa un jour à Kizzy de modifier leurs habitudes.

— Mammy, t'as travaillé dur toute la journée. Pourquoi tu t' mets pas un peu sur le lit pour te r'poser avant d' t'occuper d' la cuisine.

Il s'essayait même de temps à autre à la commander — quand elle était d'humeur à le laisser faire. Il semblait parfois à Kizzy que son fils voulait assumer le rôle du chef de famille, de l'homme qui manquait dans leur vie à tous deux. George était déjà si indépendant que Tante Sarah et Kizzy en venaient presque à lui souhaiter un rhume ou une légère blessure pour pouvoir, l'une, lui administrer ses meilleurs remèdes et, l'autre, lui prodiguer tout son amour sans le voir regimber. Parfois, au moment de s'endormir, Kizzy souriait toute seule dans le noir en l'entendant égrener ses inventions :

— J' marche sur c'te grand-route, et qu'est-ce que j' vois en l'vant la tête ? Ce gros vieux compère l'ours qui s'amène..., l'est plus grand qu'un ch'val... et j'y crie : « Hé ! M'sieu l'Ours ! Hé ! M'sieu l'Ours ! Attends un peu que j' te r'tourne la peau, pasque faut pas croire que j' te laiss'rai toucher à *ma* mammy ! »

Aussi remuant qu'il fût, il arrivait à George de rester vautré devant l'âtre. A l'aide d'un bâtonnet qu'il avait taillé en pointe et fait charbonner dans les braises, il dessinait des silhouettes d'animaux ou de personnages sur une planche de bois blanc. A chaque fois Kizzy s'inquiétait. Pourvu qu'il n'ait pas ensuite l'idée de vouloir apprendre à écrire ou à lire ! Pourtant, cette idée ne semblait pas l'effleurer, et pour sa part Kizzy se gardait bien de parler de ces choses, qui avaient été à l'origine de son affliction. Depuis qu'elle était dans la plantation Lea, elle n'avait plus jamais eu l'occasion de tenir un crayon, de voir un livre ou un journal, et elle n'avait confié à personne qu'elle savait lire et écrire. Elle se demandait d'ailleurs parfois si elle en serait encore capable. Alors, elle épelait mentalement des mots qui lui étaient restés en tête, mais elle résistait à l'envie d'essayer de dessiner des lettres, pour voir si elle avait perdu la main — plus jamais elle n'écrirait, cela, elle se l'était juré.

Mais ce qui manquait le plus à Kizzy, dans la plantation Lea, c'était l'absence de nouvelles du monde extérieur. Autrefois, son papa rapportait au quartier des esclaves tout ce qu'il avait pu apprendre ou voir en conduisant m'sieu Waller. Mais ici, dans cette propriété modeste et isolée, avec un maître qui menait lui-même son buggy, rares étaient les occasions de savoir ce qui se passait ailleurs. Elles se limitaient d'ailleurs à saisir les bribes de conversations, lorsque le maître et la maîtresse avaient des hôtes à dîner — mais il pouvait s'écouler des mois sans une seule invitation. Un dimanche de l'année 1812, justement, mam'zelle Malizy abandonna un instant ses fourneaux pour courir jusqu'au quartier des esclaves :

— Z'ont déjà commencé à manger, alors j' peux pas rester longtemps, mais à c' qu'ils disent y aurait encore une guerre qu'aurait éclaté avec c't' Angleterre ! Paraîtrait que c't' Angleterre elle envoie des pleins bateaux d' soldats contre nous !

— Elle envoie rien contre *moi !* rétorqua Sœur Sarah. C'est les Blancs qui s'empoignent entre eux !

— Où qu'y font c'te guerre ? demanda Oncle Pompée. (Cela, mam'zelle Malizy ne le savait pas.) Bah ! tant qu'ils font ça dans l' Nord sans v'nir ici, conclut-il, ils peuvent bien s' battre tant qu' ça leur chante.

Mais le soir, dans leur case, George demanda à Kizzy :

— Mammy, quoi c'est, une guerre ?

Kizzy pesa soigneusement sa réponse.

— C'est tout un tas d'hommes qui s' battent ensemb'.

— Mais ils s' battent à cause de quoi ?

— A cause de c' qu'ils veulent.

— Mais quoi qu'ils veulent, les Blancs et c't' Angleterre, pour aller s' battre ?

— Tu vas arrêter, non ? Tu m'éreintes, avec tes questions.

Une demi-heure plus tard, Kizzy ne put s'empêcher de sourire en entendant monter dans le noir la petite voix de George, chantonnant tout doucement, comme pour lui-même, une chanson de m'am'zelle Malizy : « Je r'vêt-irai ma robe blanche ! Au bord de la rivière ! Au bord de la rivière ! Je f'rai plus jamais la guerre ! »

Il fallut longtemps avant qu'un nouveau dîner permît de recueillir quelques informations. Mam'zelle Malizy rapporta aux autres :

— Ils disent que c't' Angleterre elle a pris une grande ville là-haut dans l' Nord, « Détroit » qu'elle s'appelle.

A quelques mois de là, elle leur rendit compte de l'allégresse qui présidait au repas :

— Les États-Unités, z'ont lancé un gros navire qu'a quarante-quat' canons, et il a coulé une tripotée de bateaux à c't' Angleterre !

Et puis, un dimanche de 1814, mam'zelle Malizy dépêcha George qui l' « aidait » dans sa cuisine. Il arriva hors d'haleine au quartier des esclaves et lança tout d'une traite :

— L'armée de c't' Angleterre, l'a fauché cinq mille soldats des États-Unités, et puis l' Capitole et la Maison-Blanche, elle les a brûlés.

— Où qu'elles sont, ces maisons-là ? demanda Kizzy.

— A Washington, répondit Oncle Pompée. C'est à un bon bout d' chemin d'ici.

— Z'ont qu'à y aller, à s' tuer et s' brûler entre eux, ça les change de s'en prendre à nous aut' ! s'écria Sœur Sarah.

Un peu plus tard dans l'année, mam'zelle Malizy

délaissa un instant son repas et accourut à toutes jambes :

— J' veux bien être pendue s'ils sont pas tous en train d' chanter quèq' chose sur ces navires d' l'Angleterre qu'ont canonisé un gros fort du côté d' Baltimore.

Et elle essaya de fredonner quelques mesures du nouvel air. Dans l'après-midi, des sons insolites firent surgir les adultes sur le pas de leur porte : une longue plume de dinde fichée dans ses cheveux, George paradait dans le quartier des esclaves, marquant la mesure en frappant une gourde séchée avec un bâtonnet et chantant à pleins poumons sa propre version de ce qu'il avait entendu fredonner à mam'zelle Malizy : « Eh là, vous l' voyez-t-y, aux lueurs du matin..., c' drapeau que d' vos cris... la bombe a éclaté... sur un sol fier et lib' la bannière étoilée... »

En moins d'un an, les « imitations » de George devinrent le spectacle favori du quartier des esclaves, et spécialement celle de m'sieu Lea. S'assurant d'un coup d'œil que le maître n'était pas dans les parages, George fermait à demi les paupières et lançait, la bouche tordue dans un rictus :

— Eh là ! les négros, si vous m'avez pas dépouillé ce champ d' coton net comme la main d'ici à c' soir, faudra pas compter sur vos rations !

Jamais les esclaves de la plantation Lea n'avaient autant ri. Il suffisait à George de voir quelqu'un pendant un petit moment pour le singer de la façon la plus comique — et surtout un certain prédicateur blanc que le maître avait un jour amené au quartier des esclaves, après un déjeuner à la grande maison.

Un samedi matin, au moment de la distribution des rations hebdomadaires par le maître, Sœur Sarah, mam'zelle Malizy, Kizzy et Oncle Pompée attendaient leur tour, plantés devant leur case, lorsque George arriva en trombe et faillit se cogner dans le maître. Égayé, m'sieu Lea feignit un ton sévère :

— Qu'est-ce que tu fais pour gagner tes rations, mon garçon ?

Et les adultes faillirent en tomber à la renverse en entendant ce gamin de neuf ans répondre avec assurance :

— J' travaille aux champs, maître, et j' prêche !

Étonné, m'sieu Lea rétorqua :

— Eh bien ! Vas-y, prêche !

Tous les regards braqués sur lui, George fit un pas en avant et annonça :

— J' fais c' prédicateur blanc qu' vous avez am'né un jour ici, maître, (et soudain, à grand renfort de gestes, il se mit à débiter :) si vous suspicionnez qu'Oncle Pompée il a pris un cochon au maître, faut l' dire au maître ! Si vous voyez mam'zelle Malizy en train d' prend' d' la farine à la maîtresse, faut l' dire à la maîtresse ! Pasque si vous êtes des bons négros, à bien vous comme-porter envers vot' bon maître et vot' bonne maîtresse, quand ce s'ra vot' tour de mourir, vous vous r'trouv'rez tous dans la cuisine du ciel ! (George n'avait même pas fini que m'sieu Lea était plié en deux de rire — ce que voyant, le gamin se lança dans une des chansons préférées de mam'zelle Malizy :) C'est moi, c'est moi, c'est moi, ô Seigneur... Pas ma mammy, pas mon papa, mais moi... Pas l' prédicateur, pas l' diacre, mais moi... O Seigneur, j' suis là, j'ai besoin d' prières !

Jamais les esclaves n'avaient vu le maître rire de cette façon. Visiblement séduit, il tapa sur l'épaule de George :

— Mon garçon, tu peux prêcher tout ton soûl. Te gêne surtout pas !

Et il repartit vers la grande maison en riant tout seul et en se retournant de temps en temps vers George qui le regardait s'éloigner, la bouche fendue en un large sourire.

Au cours de l'été, m'sieu Lea rapporta d'un voyage

deux grandes plumes de paon. Il envoya mam'zelle Malizy quérir George aux champs et montra au garçon de quelle façon il devrait agiter les plumes derrière ses invités, lors du déjeuner qu'il donnerait le dimanche suivant.

— Tout ça, c'est des manières pour faire accroire qu'il s'rait riche ! lança mam'zelle Malizy d'un ton méprisant, après avoir reçu les instructions de la maîtresse.

George devait se présenter à la grande maison récuré des pieds à la tête et habillé de vêtements impeccablement empesés. George avait du mal à contenir son impatience en voyant tout l'intérêt qu'on accordait à sa personne.

Et les invités n'étaient pas encore partis que mam'zelle Malizy, incapable d'attendre plus longtemps, déserta un instant sa cuisine pour aller informer les esclaves qui montaient fébrilement la garde.

— Laissez-moi vous dire que c' gamin l'a pas son pareil. (Elle décrivit George en train de balancer ses plumes de paon :) Et j' te tourne les bras, et j' me penche par-ci, et j' me penche par-là, et j' fais encore plus d' manières que l' maître et la maîtresse ! Alors, après manger, l' maître il sert son vin d' liqueur et il fait comme si c't' idée lui v'nait juste : « Eh ! mon garçon, voyons voir un peu c' prêche ! » Et j' vous dis qu' pour moi, ce George, il s'était entraîné ! Pasque tout d' suite il demande au maître un livre qui lui f'rait sa bible, et quand il a c' livre dans la main, *Seigneur !* le v'là qui s' campe sur le plus beau tabouret d' tapiss'rie d' la maîtresse ! Une vraie 'lumination qu'il fait dans c'te salle à manger ! Et il s' met à dégoiser ! Alors, j' suis sortie pour vous l' dire, mais faut que j' m'en r'tourne tout d' suite !

Mam'zelle Malizy repartit prestement vers la grande maison, tandis que Kizzy, Sœur Sarah et Oncle Pompée se regardaient en hochant la tête et en souriant fièrement — mais sans encore trop oser y croire.

Pourtant, le succès de George était bien réel, car la maîtresse se mit à raconter à mam'zelle Malizy, au retour de ses visites dominicales avec le maître, que tel ou tel invité ayant assisté à la « prédication » avait encore demandé des nouvelles du garçon. Et elle-même, pourtant habituellement si réservée, se laissait aller à témoigner un certain attachement pour George,

— Et l' Seigneur m'est témoin que c'te femme elle a jamais goûté les négros ! s'écria mam'zelle Malizy.

La maîtresse trouvait d'ailleurs de plus en plus de tâches à confier à George, dans la grande maison ou à proximité, si bien qu'il ne paraissait plus guère aux champs.

D'un autre côté, ses nouvelles fonctions de chasse-mouches lui permettaient d'entendre *tout* ce qui se disait au cours des repas, contrairement à mam'zelle Malizy qui n'en saisissait que des bribes à l'occasion de ses allées et venues depuis la cuisine. Après le départ des hôtes, George instruisait le quartier des esclaves des toutes dernières nouvelles. Ainsi, aux dires d'un invité.

— Y aurait eu à Philadelphie un grand rassemblement d' négros 'mancipés, au moins trois milliers, z'étaient v'nus d' partout. L' Blanc, il dit qu'ils ont envoyé une rèz-lution à c' président Madison pour y 'spliquer qu' les esclaves et les négros 'mancipés z'ont aidé à construire c' pays, z'ont été dans ses guerres, et qu' les États-Unités ils sont pas c' qu'ils prétendent si les négros c'est toujours rien. Là-d'ssus, ajouta George, l' maître il a dit qu' faut être idiot pour pas voir qu' ces affranchis fallait t' chasser tout ça du pays en moins d' deux !

Un autre dîner donna à George l'occasion de relater que le visage des Blancs avait viré au rouge en parlant des grandes révoltes d'esclaves qui venaient d'éclater dans les Antilles. Certaines nouvelles ne suscitaient qu'un intérêt mitigé dans le quartier des esclaves : la malle « Concord » à six chevaux, qui faisait Boston-New York, avait atteint le record de dix milles à l'heure, compte tenu des halles, ou encore le bateau à vapeur de m'sieu Robert Fulton avait traversé un certain « océan Tlantique » en une douzaine de jours. En revanche, George passionna son auditoire en annonçant qu'il existait une nouvelle variété d'amuseurs :

— A c' que j'ai compris, z'appellent ça des *minstrels* — c'est des Blancs qui s' noircissent la face avec du bouchon brûlé, et puis ils chantent et dansent comme les négros. (Et, un dimanche soir, George rapporta, à l'issue d'un repas, que les Indiens s'agitaient.) V'là qu' les Cherokees, ils occup'raient quat'-vingts millions d'acres de terres, et les Blancs, z'ont besoin d' ces terres. Et y a longtemps que l' gouvern'ment il aurait mis ces Indiens au pas, seul'ment paraîtrait qu'il y a d'aut' Blancs qui s'en mêlent, et surtout m'sieu Davy Crockett et m'sieu Daniel Webster.

Un dimanche de 1818, George entendit les invités parler d'une « Société 'Méricaine de Colle-lonisation » qui s'efforçait de ramener des Noirs émancipés en Afrique, dans un certain « Libéria ».

— Les Blancs, ils disent que ces négros libres ça s'imagine que dans c' Libéria y a des arbres à jambon, avec des tranches à la place des feuilles, et des arbres à mélasse, que t'as qu'à leur fendre l'écorce pour en boire tout ton soûl ! Mais, poursuivit George, l' maître il dit qu' pour lui on mettra jamais assez vite ces négros 'mancipés dans les bateaux !

— Plus souvent qu' j'irais en Afrique, tiens ! ricana Sœur Sarah. Avec les négros dans l' faîte des arbres, au milieu des singes !

— D'où qu' vous tirez c'te sornette ? rétorqua sèchement Kizzy. Mon papa, il vient d'Afrique, et il descend sûrement pas d'un arbre.

— Mais *tout l' monde* a toujours entendu dire ça.
— C'est pas pour ça qu' c'est vrai, glissa Oncle Pompée avec un regard malin. Et, en plus, ils t' prendraient pas dans leurs bateaux, t'es pas 'mancipée.
— Eh bien ! Si j' le s'rais, j'irais pas quand même ! lança Sœur Sarah avant de se réfugier dans un silence boudeur.

Kizzy, qui avait vivement ressenti les implications vexantes à l'égard de son papa, homme qui les dépassait pourtant tous en sagesse et en dignité, découvrit avec bonheur que George n'acceptait pas plus qu'elle que l'on se moquât de son grand-papa l'Africain. En effet, après avoir bien cherché ses mots pour ne pas paraître irrespectueux, il demanda à Kizzy :
— Dis, mammy, Sœur Sarah, elle raconte des choses que c'est pas comme ça qu'elles sont, hein ?
— 'Xactement, confirma Kizzy.
— Mais toi, hasarda-t-il après un long moment de réflexion, tu m'en racont'rais pas un peu plus sur mon grand-papa ?

Kizzy sentit les remords l'envahir : au début de l'hiver, George l'avait tellement exaspérée avec son inlassable flot de questions qu'elle lui avait interdit de parler de son grand-père.
— J'ai bien cherché, tu sais, lui répondit-elle d'une voix douce, mais j' crois que j' t'ai dit tout c' que j' savais, et j' sais bien qu' t'as tout gardé dans ta tête.
— Une fois, t'as dit que c' qui comptait l' plus pour mon grand-papa, c'était de t' raconter ces choses africaines, hein ?
— Oui, l'avait l'air d'y penser tout l' temps.
— Alors, mammy, j' vais t' dire quèqu' chose. Moi, j' f'rai comme toi, j' raconterai à mes enfants tout c' que j' sais d' mon grand-papa.

Kizzy sourit. Quel singulier petit bonhomme que son fils ! A douze ans, il parlait déjà de ses futurs enfants.

83

— C' garçon s' tient bien et il a l'air adroit, maître, déclara Oncle Mingo en terminant sa description du gamin qui vivait dans le quartier des esclaves et dont il ignorait, par ailleurs, le nom.

Cela faisait plusieurs années que Mingo souhaitait avoir un aide, mais il ne fut pas tellement surpris que le maître ait donné aussi vite son assentiment. Ce dernier avait bien dû remarquer que, depuis plus de six mois, son dresseur de coqs de combat était affligé d'une mauvaise toux. Et puis il se faisait vieux, sa santé déclinait. Il savait d'ailleurs que le maître avait cherché à acheter un jeune esclave déjà un peu débrouillé dans cette spécialité. Mais les autres propriétaires de coqs de combat lui avaient opposé un barrage.

— Si j'avais un garçon prometteur dans ce domaine, lui avait répondu un de ses rivaux, vous pensez bien que je n'irais pas vous le vendre. Une fois formé par votre vieux Mingo, un garçon comme ça vous donnerait un fameux atout pour me battre !

Mais, surtout, la saison annuelle des combats de coqs allait s'ouvrir prochainement dans le comté de Caswell, avec la « grande » rencontre du Nouvel An, et si Mingo était déchargé par le garçon du soin de nourrir les jeunes, il pourrait consacrer plus de temps à la mise en forme physique et à l'entraînement des deux-ans, que l'on allait bientôt ramener du plein air.

George prît donc ses nouvelles fonctions. Mingo lui confia dès son arrivée la distribution de nourriture aux cochets — il y en avait des dizaines, renfermés dans un certain nombre d'abris. Voyant que le garçon s'en tirait d'une façon acceptable, le vieillard le laissa aussi s'occuper des « jeunes », petits coqs n'ayant pas encore atteint un an mais témoignant déjà d'une humeur batailleuse. Pendant les jours qui suivirent, George n'eut pratiquement pas un instant de répit : il fallait donner aux volatiles maïs broyé, coquilles d'huîtres et charbon de bois réduits en poudre, et renouveler trois fois par jour l'eau de source dans leurs augets.

Jamais George n'aurait pu imaginer qu'il s'en laisserait un jour imposer par des volailles — surtout par les jeunes, qui sentaient pousser leurs ergots et qui se pavanaient dans leur nouvel habit de plumes multicolores, l'œil constamment en alerte. De temps en temps ils s'arrêtaient et, renversant la tête en arrière, ils s'essayaient à lancer un cri qui leur restait dans la gorge, comme pour défier les appels rauques des six et sept-ans, les combattants maintes fois éprouvés — comme en témoignaient leurs cicatrices — qu'Oncle Mingo nourrissait lui-même.

M'sieu Lea venait inspecter ses volatiles au moins une fois par jour. En le voyant arriver à cheval sur le chemin sableux, George se faisait tout petit, car il avait senti que, d'une certaine façon, le maître le considérait comme un intrus. N'avait-il pas entendu raconter par mam'zelle Malizy que même la maîtresse n'était pas admise à pénétrer en ces lieux — interdiction à laquelle la maîtresse réagissait avec indignation en disant que c'était la dernière des choses dont elle pût avoir envie.

Le maître et Mingo faisaient alors leur tournée d'inspection, le second marchant sur les talons du premier pour saisir ce qu'il lui disait malgré le concert étourdissant des vieux balafrés. George remarqua que le maître parlait avec aménité à Mingo, alors qu'il se montrait toujours brusque et tranchant avec Oncle Pompée, Sœur Sarah et sa mammy, qui n'étaient évidemment que des négros des champs. Il lui arrivait de saisir des bribes de leur conversation. Ainsi, à la fin de la tournée, le maître disant :

— J'ai l'intention de mettre trente coqs en piste cette année, Mingo, si bien qu'on devra en ramener une bonne soixantainc du plein air.

Et Mingo répondant sur le même ton :

— Oui, m'sieu maître. J' compte qu'au moment d' la sélek-sion on en aura une quarantaine fin prêts pour l'entraîn'ment.

George se retenait de poser les innombrables questions qui ne cessaient de germer dans son esprit, car il sentait qu'Oncle Mingo appréciait le fait qu'il soit capable de tenir sa langue — moins un éleveur de coqs de combat en laisse échapper, et mieux cela vaut. Pour sa part, Mingo lui donnait des ordres laconiques et le laissait se débrouiller seul, pour voir s'il comprenait assez vite et s'il retenait bien les instructions — mais, avec George, il était rarement nécessaire de revenir deux fois sur la même chose.

Après un certain temps, Mingo finit par dire à m'sieu Lea que George s'occupait des volatiles avec soin et intérêt, en prenant cependant la précaution d'ajouter :

— Pour c' que j'en ai vu à c't' heure, maître, pasque ça fait pas encore longtemps.

Mais la réponse de m'sieu Lea le prit totalement au dépourvu :

— Justement, il te faut ce garçon ici à tout moment. Comme ta case est trop petite, monte-lui donc une cabane — il t'aidera. Et ainsi, tu l'auras toujours sous la main.

Mingo fut consterné à l'idée que sa solitude de vingt années avec ses précieuses bêtes allait être brusquement troublée par le garçon, mais il n'était pas question d'aller à l'encontre des décisions du maître. Quand celui-ci fut parti, Mingo s'adressa à George d'un ton maussade :

— V'là l' maître qui dit qu' j'ai tout l' temps besoin d' toi. Il doit en savoir plus que moi, alors.

— Oui, m'sieu, répondit George de son air le plus

inexpressif, mais où que j' vais habiter, Oncle Mingo ?

— On va t' faire une cabane.

Kizzy trempait ses pieds douloureux dans une bassine d'eau chaude lorsque George rentra, avec un air sombre qui lui était peu coutumier.

— J'ai quèq' chose à t' dire, mammy.

— Écoute, j' suis éreintée. Alors, viens pas m' parler de tes poulets d' malheur !

— C'est pas vraiment les poulets, mammy, lança George avec appréhension, mais l' maître il veut qu'on me construise une cabane avec Oncle Mingo.

Kizzy se dressa avec une telle vigueur qu'elle faillit en renverser son bain de pieds.

— Une cabane, pour toi ? Quoi donc que t'as à faire là-bas qui t'empêche de rester dans la case où t'as toujours habité ?

— J'y suis pour rien, mammy, c'est l' maître ! Moi, j' veux pas t' quitter, mammy, cria-t-il d'une voix aiguë en reculant devant l'expression furibonde de sa mère.

— T'es bien trop jeune pour t'en aller d' ton côté. C'est c' vieux Mingo qu'a mis ça dans la tête du maître, j' parie !

— Non, mammy, c'est pas lui ! L'est pas plus content qu' toi. L'aim'rait mieux rester tout seul, qu'il m'a dit. Mais tu sais, mammy, l' maître il croit qu' c'est une bonté qu'il me fait, ajouta-t-il pour essayer d'arranger les choses. L'est agréab' avec Oncle Mingo et moi, pas du tout comme avec ceux des champs...

George se tut brusquement en avalant sa salive : sa mammy aussi travaillait aux champs ! Le visage déformé par la fureur, Kizzy empoigna George et le secoua en hurlant :

— Il s' moque bien d' toi, l' maître. L'a beau être ton papa, tout c' qui compte pour lui, c'est ses poulets, et rien d'aut' !

Devant le visage stupéfait de George, elle réalisa la

portée de ce qu'elle venait de laisser échapper, mais il était trop tard. Alors, elle récupéra dans un coin ses quelques hardes ct les lui jeta à la tête en criant :

— Quoi qu' t'attends ? Allez, ouste, dégage !

George restait figé sous le coup. Sentant qu'elle n'allait pouvoir retenir ses larmes, Kizzy courut se réfugier chez mam'zelle Malizy. George attendit un moment en pleurant à chaudes larmes, et puis il fourra les vêtements dans un sac et s'en retourna vers les poulaillers. Cette nuit-là, il dormit dehors, la tête sur son sac.

Au petit matin, Mingo découvrit le dormeur et comprit ce qui s'était passé. Toute la journée, il fut d'une gentillesse inusitée envers le garçon qui exécutait ses tâches d'un air abattu. Tout en construisant la cabane, le vieil homme se mit à parler *vraiment* à George.

— Maint'nant, faudra qu' ta vie ça soye ces bestioles, comme si elles s'raient ta famille. (Mais George ne lui répondit pas. Il ne pensait qu'à une unique chose : le maître était son papa ; son papa était le maître. Cela le dépassait. Devant son mutisme, Mingo reprit la parole :) Je l' sais bien qu' les négros d' là-bas ils m' trouvent bizarre. (Il hésita.) Pour moi, z'ont raison.

Et il se tut.

Cette fois, George comprit qu'Oncle Mingo attendait tout de même une réponse. Mais il n'allait pas convenir que c'était justement ce qu'il avait entendu dire du vieillard. Alors, il posa une question qui le tracassait depuis les tout premiers temps :

— Oncle Mingo, comment ça s' fait qu' ces poulets, ils sont pas comme les au' ?

— Ceux qu' tu dis, c'est des bestioles domestik', bonnes à rien qu'à être mangées, lança Oncle Mingo d'un ton méprisant. Nos oiseaux qu'on a là, ils sont 'xactement pareils à c' qu'ils étaient dans ces jungles d'où qu'ils sont v'nus dans les anciens temps, d'après l' maître. Pour moi, tu r'mettrais un d' ces coqs dans la jungle qu'il s' battrait pour avoir toutes les poules pour lui, et il tuerait tous les aut' coqs, comme si l'aurait jamais quitté l' coin. (George avait encore bien d'autres questions en tête, mais Oncle Mingo était lancé.) Si vot' coq chante avant d'arriver à l'arène, poursuivit-il, vous f'rez bien d'y tordre le cou, pasque çui qui donne trop tôt d' la voix, il fil'ra doux quand il faut pas. Les vrais combattants, ils sont sortis d' l'œuf avec le sang de leurs grands-pères et de leurs arrière-grands-pères. Le maître il dit qu' dans l' temps, un homme et son coq de combat, z'étaient comme aujourd'hui un homme et son chien. Mais ces bestioles, c'est encore plus crâne qu'un chien, ou un taureau, ou un ours, ou un racoon, et qu'une pagaille d'hommes !

Remarquant que George avait les yeux fixés sur les minces cicatrices claires qui sillonnaient ses mains, ses poignets, ses avant-bras, Oncle Mingo rentra dans sa case et en rapporta une paire d'éperons d'acier incurvés, effilés comme une aiguille.

— Dès qu' tu vas manier ces bestioles, t'auras des mains comme moi si tu fais pas attention, expliqua-t-il.

Et George frissonna d'émotion à l'idée qu'il pourrait, un jour, être estimé digne de mettre lui-même les éperons aux coqs du maître.

Tout en observant encore de longues périodes de mutisme, Oncle Mingo se montra progressivement plus communicatif au fil des semaines. Traitant maintenant George en véritable adjoint, il s'efforçait de lui inculquer cette notion essentielle que la fortune de m'sieu Lea dépendait de ses coqs, et encore, seulement des sujets d'élite, attentivement sélectionnés, élevés et entraînés par un véritable expert.

— Dans l'arène, m'sieu Lea, il craint personne, expliqua un soir Oncle Mingo. C'est même son plaisir de s' présenter contre ces riches qui vont t'entret'nir un millier d' bestioles rien qu' pour en tirer une centaine de combattants par an. Nous, à côté, on a presque rien, et pourtant l' maître il gagne souvent contre eux. Et comme c'est jamais qu'un p'tit Blanc qui s'est poussé, ça leur plaît pas. Mais l' maître, il aurait des bêtes à sa suffisance et puis un peu d' chance, il pourrait dev'nir aussi riche qu'eux aut'. Pasque y a moyen de s' faire de jolies sommes avec les combats d' coqs. Moi, qu'on m' donne à choisir entre une centaine d'acres de terre à tabac ou à coton et une bestiole de première qualité, et crois-moi que j' prends la bestiole. L' maître, il pense comme moi. Et c'est pour ça qu'il a pas mis son argent dans une grande propriété avec une tripotée d' négros.

Le dimanche, George venait voir les siens au quartier des esclaves — Kizzy, bien sûr, mais aussi Oncle Pompée, mam'zelle Malizy et Sœur Sarah, qu'il considérait comme sa famille. Il les sentait impressionnés malgré eux par le prestige attaché à ses nouvelles fonctions. Tante Sarah ne manquait d'ailleurs jamais une occasion de rappeler à l'adolescent de quatorze ans qu'elle l'avait langé quand il était bébé et qu'il aurait affaire à elle s'il se permettait de prendre des grands airs.

George la rassurait en riant.

Mais, surtout, ils étaient dévorés de curiosité : à quelles mystérieuses activités se livrait-on dans le domaine réservé ? George n'en évoquait que les circonstances les plus banales. Les coqs de combat étaient capables de tuer un rat, de chasser un chat, et même d'attaquer un renard. Les poules de combat pouvaient être aussi mauvaises que les coqs, et certaines chantaient même parfois comme eux. Il expliquait pourquoi le maître veillait à refouler toute intrusion : les œufs de ces bêtes de race, et à plus forte raison les bêtes elles-mêmes, tentaient les voleurs, car ils pouvaient en tirer la forte somme. Quand il raconta que, d'après Oncle Mingo, un riche propriétaire de coqs comme m'sieu Jewett était allé jusqu'à payer trois mille dollars pour une bestiole, mam'zelle Malizy s'écria :

— Seigneur ! L'aurait eu trois-quat' négros pour moins qu' ça !

Pourtant, l'après-midi du dimanche était à peine entamé que déjà George ne tenait plus en place. Il lui fallait retourner auprès de ses volatiles. En chemin, il arrachait des touffes d'herbe et, arrivé aux courettes où les jeunes étaient renfermés, il leur en distribuait des petites poignées sur lesquelles les bêtes se jetaient avec des gloussements satisfaits, en s'interrompant de temps en temps pour pousser un cocorico sonore. Gonflant leur bel habit de plumes multicolores, l'œil farouche, les un-an commençaient déjà à s'affronter entre eux. Oncle Mingo avait d'ailleurs récemment remarqué :

— L'est grand temps qu'on les mène au plein air pour couvrir les femelles.

George savait que l'opération se passerait en même temps que la récupération de ceux qui, tout à fait adultes, allaient être soignés et entraînés en vue de la prochaine saison des combats.

Après avoir gâté les jeunes, George continuait son chemin pour aller passer le reste de l'après-midi dans le bois de pins où les bêtes vivaient en liberté. De temps en temps, il apercevait un adulte marchant gravement en tête de sa compagnie de femelles. Les volatiles trouvaient là tout ce qui leur était nécessaire : herbe, graines, sauterelles et autres insectes, ainsi que les gravillons qui facilitent le fonctionnement du gésier, et l'eau de plusieurs sources pour les désaltérer.

Au début du mois de novembre, m'sieu Lea arriva un matin dans le chariot tiré par une mule. Oncle Mingo et George chargèrent les paniers dans lesquels ils avaient enfermé les un-an. Puis le garçon aida le vieil homme à attraper son coq préféré, un vétéran tout couturé qui protesta avec énergie.

— Il est comme toi, Mingo, remarqua m'sieu Lea en riant. Il s'est bien battu, il s'est bien reproduit, maintenant il n'est plus bon qu'à manger et donner de la voix.

— A c't' heure, j' donne plus tellement d' la voix, maître, répondit Mingo en grimaçant un sourire.

George se détendit en les voyant pour une fois de si belle humeur. Mingo monta sur le siège du chariot à côté du maître, et George se nicha parmi les paniers, en s'accrochant à la ridelle. Arrivé au milieu du bois de pins, le maître retint la mule. Lui et Oncle Mingo tendirent l'oreille. Soudain, Mingo murmura :

— J' les entends par là !

Il souffla brusquement sur la tête du vieux coq, qui lança alors un vigoureux cocorico. Presque aussitôt un coq lui répondit et, gonflant son collier, le vétéran recommença son appel. Un frisson parcourut George en voyant le magnifique mâle qui débouchait à proximité d'eux, ébouriffant son chatoyant manteau de plumes, dressant bien haut le gracieux arc de sa queue. Il était suivi de neuf femelles caquetantes, qui s'arrêtaient pour gratter et becqueter le sol tandis qu'il chantait en déployant tout grand ses ailes, la tête agitée de brusques mouvements pour arriver à repérer l'intrus.

M'sieu Lea murmura :

— Montre-lui le vétéran, Mingo !

A peine Mingo avait-il tendu l'animal à bout de bras que le jeune mâle fit un bond, ailes déployées, pour essayer de l'atteindre. D'un geste vif, m'sieu Lea l'attrapa au vol et le fourra dans un panier dont il rabattit le couvercle.

— Quoi qu' t'attends ? Lâche-moi un d' ces jeunes ! lança brutalement Oncle Mingo à George, comme si celui-ci connaissait déjà la manœuvre.

George se dépêcha d'ouvrir un panier et, dans un

grand claquement d'ailes, l'animal passa par-dessus la ridelle et retomba à petite distance du chariot. L'instant d'après, il déployait ses ailes en poussant un chant sonore puis, après s'être ébroué, il se dirigeait, la tête haute, vers une des poules. En quelques secondes le nouveau mâle avait disparu sous les arbres, en poussant devant lui les femelles tout agitées.

Quand ils rentrèrent au crépuscule, ils ramenaient vingt-huit deux-ans. Ils recommencèrent le lendemain et revinrent cette fois avec trente-deux coqs. George avait l'impression d'avoir fait ça toute sa vie. A présent, les soixante bêtes lui donnaient de l'ouvrage. Il fallait les nourrir, renouveler l'eau des augets, et les surveiller d'assez près, à cause de leur humeur particulièrement agressive. Devant la splendeur et la sauvagerie de ces coqs, George comprenait mieux ce que Mingo avait voulu lui expliquer de leur hérédité : ces animaux étaient prêts, à tout moment, à se battre à mort contre les leurs.

Le maître tenait à préparer au combat le double du nombre de bêtes qu'il présenterait finalement. Il arrivait désormais plus tôt le matin et passait plusieurs heures avec Mingo, à étudier soigneusement ses soixante sujets. Étaient définitivement écartés, pour autant que George pût le comprendre d'après ce qu'il saisissait de leurs conversations, les coqs ayant une quelconque blessure ; ceux dont le bec, les ailes, les pattes ou la conformation générale n'étaient pas absolument parfaits ; enfin — et c'était là un vice sans appel — ceux qui manquaient d'agressivité.

Pour les fortifier, Oncle Mingo concoctait un curieux mélange : grosse mouture de froment et d'avoine, beurre, bière, blancs d'œufs, oseille sauvage, armoise et un soupçon de réglisse. Il en façonnait de minces galettes rondes qu'il faisait dorer dans un four de fortune. George avait alors la charge de réduire les galettes en menus morceaux et d'en donner tous les jours trois poignées à chaque animal.

— Mingo, je veux que tu me remues ces bêtes. Du muscle et de l'os, voilà ce qu'il me faut. Quand je les aurai dans l'arène, je ne veux pas leur voir une once de graisse, tu entends, Mingo ? disait le maître.

Et dès le lendemain, George dut courir en tous sens en tenant fermement sous son bras le vieux vétéran d'Oncle Mingo, poursuivi à tour de rôle par les futurs combattants. De temps en temps, George ralentissait légèrement et, d'une furieuse détente, le poursuivant manquait atteindre sa proie qui se répandait en vigoureuses clameurs.

Pour terminer, Oncle Mingo attrapait l'agresseur au vol et lui présentait une boulette de beurre et de plantes écrasées. Ensuite, il le déposait au fond d'un profond panier, sur une douce litière de paille, il le recouvrait de plusieurs autres couches de paille et il refermait soigneusement le couvercle. Il n'en extrayait l'animal que lorsque celui-ci avait abondamment transpiré et, avant de le replacer dans sa cage, il lui passait un rapide coup de langue sur la tête et les yeux.

— C'est pour les habituer, pasque des fois faut que j' leur suce les caillots de sang du bec pour qu'ils arrivent à respirer quand ils sont amochés, expliquait-il à George.

La saison des fêtes de fin d'année passa inaperçue pour George, qui se contenta de faire une courte visite au quartier des esclaves, le matin de Noël. Les coqs semblaient sentir que la saison approchait, car ils se déchaînaient à présent contre n'importe quoi. George songeait parfois à sa « famille » qui se plaignait de la monotonie de l'existence qu'elle menait. Mais lequel d'entre eux aurait pu imaginer qu'il se déroulait tant de choses passionnantes presque à portée de main ?

Deux jours avant le Nouvel An, m'sieu Lea et Oncle Mingo firent la toilette des coqs : ils leur coupèrent ras les plumes du crâne, raccourcirent celles du cou, des ailes et de l'arrière-train, et leur taillèrent la queue en éventail. Les bêtes avaient ainsi une tout autre allure, avec leur petit corps bien dessiné, leur cou serpentin, leur tête au bec puissant, aux yeux brillants et vifs. Pour finir, ils leur grattèrent et récurèrent les ergots.

Le jour de l'ouverture de la saison, Mingo et George s'employèrent dès l'aube à placer les douze coqs sélectionnés dans des caisses carrées faites d'un lattis de hickory. Oncle Mingo donna à chacun une noisette de beurre mélangée à du sucre candi réduit en poudre. Enfin, m'sieu Lea arriva avec le chariot, où il avait déjà placé un boisseau de pommes rouges. George et Mingo chargèrent les cages sur le plateau, Mingo grimpa sur le siège à côté du maître et la voiture s'ébranla. Tournant légèrement la tête, Oncle Mingo grinça :

— Alors, tu t'amènes, ou non ?

George se mit à courir, s'agrippa au hayon et piqua une tête dans le chariot. Personne ne lui avait *dit* qu'il serait de la partie ! Ayant repris son souffle, il s'installa à croupetons. Le chariot grinçait et craquait, les coqs chantaient et gloussaient, George était éperdu de gratitude et de respect envers Oncle Mingo et m'sieu Lea. Et il lui revint en tête — toujours avec le même étonnement — ce que sa mammy lui avait dit du maître : qu'il était son papa. Eh bien, voilà, ce maître-papa l'emmenait aux combats de coqs.

De tous les chemins de traverse débouchaient sur la route chariots, carrioles, coupés, cabriolets, ainsi que des cavaliers et — ceux-là à pied — des petits Blancs portant sur l'épaule un sac rebondi, renfermant leurs coqs bien protégés par des bouchons de paille. George se demandait si m'sieu Lea s'était pareillement rendu à pied au premier combat dans lequel il avait engagé le coq gagné à la tombola. Et ces petits Blancs qu'ils dépassaient, arriveraient-ils un jour à avoir, comme le maître, une plantation et une grande maison ?

Après avoir roulé pendant deux bonnes heures, un bruit d'abord lointain frappa les oreilles de George : ce ne pouvait être que le chant conjugué d'une multitude de coqs. L'incroyable tumulte ne cessait de s'enfler à mesure que le chariot se rapprochait d'un vaste bouquet de pins sylvestres. Une bonne odeur de viande grillant en plein air arriva jusqu'aux narines de George ; mais déjà m'sieu Lea arrêtait le chariot et manœuvrait pour le ranger parmi la multitude hétéroclite des véhicules. Chevaux et mules, attachés à des pieux, renâclaient ou hennissaient en fouettant de la queue. Partout, des hommes discutaient.

— *Tom Lea !*

Le cri montait d'un groupe de petits Blancs qui étaient en train de se passer une bouteille de main en main. La popularité du maître flatta George. M'sieu Lea salua les hommes d'un geste de la main, sauta à terre et alla se mêler à la foule. Il y avait là des centaines de Blancs de tous âges — y compris des bambins cramponnés à la jambe de leur père et des vieillards chenus — et les discussions allaient bon train. En regardant autour de lui, George vit que la plupart des esclaves étaient restés dans les voitures, pour s'occuper des bêtes retenues dans les cages et qui semblaient se livrer à un concours de cocoricos. Sous certains chariots, des couvertures roulées attestaient que les propriétaires venaient de loin et qu'ils devraient passer la nuit sur place. De forts effluves d'alcool de maïs imprégnaient l'air.

— Dis donc, mon garçon, bouge-toi un peu, faut qu'on dégourdisse nos oiseaux ! lança Oncle Mingo dans l'oreille de George.

Penché au-dessus des cages de lattis, le garçon sortait les volatiles un par un, en essayant d'esquiver leurs furieux coups de bec, et il les tendait à Mingo qui leur massait les ailes et les pattes. Lorsque George lui eut passé le dernier, Mingo lui fit hacher menu une demi-douzaine de pommes, pour l'ultime repas avant le combat. Mais, remarquant que le garçon ne détachait pas son regard de la foule, le vieillard lui lança avec une feinte rudesse :

— Vas-y donc faire un tour. Mais tu r'viendras avant qu' ça commence, t'entends ?

Déjà George avait bondi par-dessus la ridelle et disparaissait après un « Oui, m'sieu » précipité. Se glissant parmi la foule où les bouteilles passaient de main en main, il circulait en tous sens, ses pieds nus s'enfonçant dans l'épais tapis d'aiguilles de pin. Il vit des dizaines de cages renfermant des oiseaux de tous plumages, du blanc immaculé au noir de charbon, en passant par toutes les combinaisons imaginables de couleurs.

Et il se trouva enfin devant l'arène ! C'était une sorte de grande fosse ronde aux parois protégées par des bourrelets. Au centre de l'aire d'argile sableuse était tracé un petit cercle. Une foule tapageuse et déjà fortement imbibée d'alcool s'étageait sur la pente d'un tertre s'élevant derrière l'arène. Soudain, un personnage au visage rougeaud tonitrua :

— Allez, messieurs, les combats sont ouverts !

George fila comme un lièvre et arriva au chariot une seconde avant le maître ; celui-ci entama une conversation à voix basse avec Mingo. Grimpé sur le siège, George surplombait les spectateurs et apercevait l'arène. Il s'y trouvait un groupe compact de quatre hommes en train de parler, et deux autres hommes s'avançaient vers eux, avec leur coq niché sous le bras. Des cris montèrent dans l'assistance.

— Dix sur le rouge !... Pari tenu !... Vingt sur le bleu !... J'y vais pour cinq !... Cinq de mieux !... Pari couvert !

Le tumulte ne cessait de s'enfler tandis que l'on procédait à la pesée — les coqs devaient avoir le même poids à deux onces près — et que les propriétaires fixaient les redoutables éperons d'acier aux pattes de leurs bêtes.

— Bec à bec ! cria un homme qui se tenait au bord de l'arène.

Les maîtres des coqs s'accroupirent dans le petit cercle, tenant leurs coqs face à face et les laissant se becqueter légèrement. Le crieur et deux autres hommes s'accroupirent eux-mêmes à l'extérieur du cercle.

— Prêts !

Les maîtres reculèrent avec leurs coqs jusqu'à leur ligne de départ.

— Lâchez les coqs !

Les coqs foncèrent l'un sur l'autre avec un tel élan que le choc les rejeta en arrière. En une fraction de seconde, ils bondirent de nouveau en zébrant l'air de leurs éperons. Ils retombaient, revenaient à l'attaque, et recommençaient, comme des boules de plumes agitées de furieux soubresauts.

— Le rouge est balafré ! hurla une voix, et George regarda de tous ses yeux.

Les deux hommes rattrapèrent leurs coqs, les inspectèrent soigneusement et les replacèrent sur leur marque. Aiguillonné par sa blessure, le rouge revenait encore plus violemment à l'attaque et soudain un de ses éperons lacéra la cervelle de son adversaire. Le bleu retomba mort, les ailes encore agitées de mouvements convulsifs. Au-dessus du tumulte de cris et d'imprécations qui s'éleva aussitôt, George entendit la sonore annonce de l'arbitre :

— Le vainqueur est l'oiseau de M. Grayson — une minute dix secondes au deuxième assaut !

George haletait. Le second combat dura encore moins longtemps. Le maître jeta comme une loque la sanglante dépouille du vaincu. Derrière George monta la voix d'Oncle Mingo :

— C't' oiseau, c'était rien qu'une pagaille de plumes !

Il y eut encore quatre ou cinq rencontres et soudain retentit l'annonce :

— M. Lea !...

Le maître s'éloigna précipitamment du chariot avec son champion sous le bras. George était enivré de fierté : cet oiseau, il l'avait nourri, entraîné, caressé. Et voilà que le maître était dans l'arène — pesée, fixation des éperons, paris, tout recommençait, mais cette fois pour m'sieu Lea !

— Lâchez les coqs !

Les deux oiseaux foncèrent, battirent furieusement l'air, retombèrent. Avec de sauvages coups de bec, des feintes, des ondulations serpentines de leurs minces cous, ils cherchaient la faille. Ils bondirent de nouveau en l'air en battant follement des ailes, touchèrent de nouveau le sol — mais le coq de m'sieu Lea chancelait, visiblement atteint ! Et puis, en un éclair, les deux coqs s'élevèrent encore une fois — et l'oiseau du maître lacéra mortellement son adversaire.

M'sieu Lea ramassa prestement le combattant qui trompettait son triomphe et courut jusqu'au chariot. George eut à peine le temps d'entendre annoncer :

— Le vainqueur est l'oiseau de M. Lea !

Déjà Oncle Mingo avait saisi le coq blessé et le palpait : il avait une profonde entaille au niveau des côtes. Collant ses lèvres sur la blessure, Oncle Mingo aspira fortement pour dégager les caillots de sang. Puis il posa brusquement l'animal devant George qui s'était agenouillé à côté de lui en criant :

— Pisse dessus ! Juste là ! (Stupéfait, George restait sans réaction.) *Pisse* dessus ! Faut pas qu' ça s'infecte !

George déboutonna son pantalon et le chaud liquide vint asperger tout à la fois l'oiseau blessé et les mains d'Oncle Mingo. Celui-ci installa ensuite le combattant au fond d'un panier, dans un douillet lit de paille.

— J' crois qu'on va l' tirer de là, maître. L'quel que vous engagez maint'nant ?

M'sieu Lea désigna une cage.

— Sors-moi cet oiseau, mon garçon ! dit-il à George, bouleversé par cette marque de faveur.

Et m'sieu Lea repartit aussitôt vers la tumultueuse assistance. Malgré l'assourdissant ramage de centaines de coqs et les hurlements des parieurs, George entendait le blessé caqueter faiblement dans son panier. Il était partagé entre la tristesse, l'exaltation, la crainte, mais surtout, jamais il n'avait ressenti une telle excitation. En ce frais matin de janvier, les combats de coqs venaient de faire un nouvel adepte.

84

En arrivant, un dimanche matin, au quartier des esclaves, George sentit qu'il s'était produit quelque chose de fâcheux. Il n'apercevait, en effet, ni sa mammy ni les autres, alors que, depuis quatre ans qu'il habitait auprès d'Oncle Mingo, ils avaient toujours été dehors pour l'accueillir. Forçant le pas, il arriva devant la case de Kizzy, et il se préparait à frapper à la porte lorsque celle-ci s'ouvrit brusquement devant Kizzy qui le happa littéralement, le visage convulsé d'effroi.

— La maîtresse t'a vu ?

— Moi, j' l'ai pas vue, mammy ! L'est arrivé *quèq' chose ?*

— Seigneur ! Si tu savais ! L' maître, il a appris qu'on v'nait d' pincer un négro 'mancipé d' Charleston, en Caroline du Sud, un nommé Denmark Vesey, qu'aurait eu avec lui des centaines de négros qu'étaient prêts à faire un massacre de Blancs c'te nuit. L' maître, il vient tout juste d' partir, l'était comme fou. L'a dit qu' la maîtresse, elle nous tiendrait à l'œil : çui qui sortirait d' sa case avant qu'il s'en r'vienne d'une grande réunion où qu' les Blancs vont s'organiser, il lui f'rait son affaire, et il nous a balancé son fusil sous l' nez !

Kizzy alla regarder avec précaution par l'unique fenêtre, qui donnait vers la grande maison.

— L'était postée derrière son rideau, mais j' la vois plus ! P't-êt' qu'elle s'est cachée en t' voyant arriver !

Il était tellement absurde que la maîtresse pût se cacher à cause de *lui* que George commença à se laisser gagner par l'inquiétude de Kizzy.

— Tu vas r'partir à l'instant chez tes poulets. On peut pas savoir c' que l' maître il f'rait s'il te trouvait là !

— Non, mammy ! J' reste là, et j'y parlerai, au maître !

Dans une pareille extrémité, pensait George, il avait tout de même un atout pour désarmer la fureur du maître : lui rappeler, même de façon indirecte, sa paternité.

— Mais t'es fou, non ? Va-t'en, j' te dis ! (Et Kizzy poussait George vers la porte.) L'est tell'ment monté qu'on peut pas dire c' qu'il s'rait capab' de faire. Passe par-derrière les cabinets pour pas t' faire voir d' la maîtresse !

Kizzy semblait au bord de la crise de nerfs. Le maître devait avoir été pire que jamais pour l'avoir ainsi terrorisée.

— Ça va, mammy, j' m'en r'tourne, céda George. Mais j'ai pas à m' cacher, j'ai rien fait à personne. J' suis v'nu par le ch'min et je r'pars pareil.

— Fais donc à ta tête, mais *va-t'en !*

George avait à peine eu le temps d'informer brièvement Oncle Mingo de ce qu'il venait d'apprendre lorsqu'ils entendirent le galop d'un cheval. Arrivant à toute bride, m'sieu Lea s'arrêta pile devant eux, fusil braqué.

— Ma femme t'a vu, dit-il à George d'un ton plein de fureur. Alors, tu sais ce qui est arrivé !

— Oui, m'sieu, répondit George d'une voix étranglée, les yeux rivés au fusil.

Le maître fit mine de mettre pied à terre, mais il se ravisa et poursuivit en fulminant :

— En cette minute même, des Blancs, des gens de bien, seraient en train de mourir s'il n'y avait pas eu un nègre de bon sens pour tout raconter à son maître. Et ça prouve qu'on doit jamais faire confiance à un négro, jamais ! (M'sieu Lea agita son arme.) Mais qu'est-ce que vous pouvez bien avoir dans l' crâne ? En tout cas, allez même pas songer à bouger le petit doigt, parce que je vous fais sauter la cervelle comme rien !

Et m'sieu Lea repartit à toute allure en leur lançant un dernier regard noir.

Oncle Mingo resta ~~figé pendant un long moment~~. Puis il cracha avec fureur et s'écria :

— Tu peux bien travailler mille ans pour un Blanc qu' tu s'ras toujours un négro ! (Il partit vers sa case, mais, arrivé à la porte, il se retourna et dit à George :) Écoute-moi, mon garçon ! Tu t'imagines que t'as une place à part avec le maître, mais y a plus rien qui compte quand les Blancs ils ont la frousse ! Alors, bouge pas d'ici tant qu' c'est pas tassé, t'entends ? Reste là !

George s'assit sur une souche et se mit à tresser des lattes de hickory en essayant de rassembler ses esprits. Comment avait-il été assez stupide pour croire que m'sieu Lea aurait envers lui une autre attitude que celle d'un maître ? Et même pour *penser* parfois au fait qu'il était son papa ? Il aurait tellement voulu pouvoir en parler à quelqu'un. Mais à qui ? Pas à Oncle Mingo — il ne pouvait lui avouer qu'il savait que le maître était son papa. Mam'zelle Malizy, Sœur Sarah ou Oncle Pompée ? Pas plus — car il n'était pas sûr qu'ils aient été au courant de ce qui s'était passé entre le maître et sa mammy. Et il était pareillement exclu qu'il en parlât à cette dernière, tant elle regrettait d'avoir laissé échapper son secret dans un moment de colère.

Et d'ailleurs, sa mammy pensait-elle encore parfois à ces douloureux moments — il se souvenait vaguement des visites nocturnes du maître dans leur case, quand il était tout petit — alors qu'aujourd'hui, au moins sous ce rapport, m'sieu Lea et Kizzy se comportaient en parfaits étrangers ? Pourtant il avait honte en pensant à eux dans les mêmes attitudes que lui et Charité — et, plus récemment, lui et Beulah — lorsqu'il s'échappait à la nuit de la plantation, pour aller la rejoindre.

George avait parfois songé à parler de son papa blanc avec Charité. Elle aurait été capable de comprendre. En contraste avec Beulah, qui était noire comme la nuit, Charité avait une peau encore plus claire que celle de George. Mais elle ne semblait nullement en souffrir. Au contraire, et sans que George ait le moins du monde sollicité cette confidence, elle lui avait appris en riant que son père était le régisseur d'une grande plantation de Caroline du Sud, où plus d'une centaine d'esclaves cultivaient le riz et l'indigo. Elle avait vécu là jusqu'à dix-huit ans et puis avait été vendue aux enchères. M'sieu Teague, qui l'avait achetée, en avait fait la femme de chambre de la grande maison. La seule chose qu'elle regrettait, c'était d'avoir été ainsi séparée de sa mammy et de son petit frère, lequel avait la peau pratiquement blanche. Au début, les gamins noirs le tourmentaient, mais sa maman lui avait enseigné une réponse pour leur clouer le bec :

— C'est l'urubu qui m'a pondu, et l' soleil qui m'a fait éclore. L' Seigneur m'a donné ma couleur, et vous aut' les négros tout noirs, dans tout ça z'avez rien à voir !

Et dès lors, racontait Charité, son frère avait été tranquille.

Mais une autre chose tourmentait George : ce soulèvement avorté de Charleston allait retarder momentanément un projet qui lui tenait à cœur depuis au moins deux ans. Il venait justement de décider d'en parler à Oncle Mingo. Seulement, pour l'instant, cela ne servirait à rien, puisque tout dépendrait finalement de la décision de m'sieu Lea — et celui-ci allait être inabordable pendant encore longtemps. Sans doute avait-il cessé au bout d'une semaine de venir armé de son fusil, mais il avait singulièrement écourté ses visites quotidiennes, et encore se contentait-il de donner brièvement ses instructions à Mingo, de son air le plus rébarbatif.

Pourtant, George n'avait pas compris toute la gravité de l'affaire de Charleston. L'occasion lui en fut donnée deux semaines plus tard lorsque, en dépit des mises en garde d'Oncle Mingo, il ne put résister à la tentation de sortir nuitamment pour aller voir une de ses bonnes amies. Charité devait être l'heureuse élue, choix que justifiait amplement son tempérament de feu. Il lui fallut une bonne heure pour arriver, en coupant à travers champs, jusqu'au verger où il avait coutume de se poster et d'imiter le cri de l'engoulevent. Mais il commença à s'inquiéter en ne recevant pas le signal convenu — une bougie promenée devant la fenêtre — même après sa quatrième tentative. Il venait de se résoudre à y aller voir de plus près lorsqu'une silhouette sortit des arbres : c'était Charité. George s'élança pour l'étreindre, mais elle lui accorda à peine un petit baiser et le repoussa.

— Quoi qu'y a, bébé ? interrogea-t-il d'une voix mal assurée, déjà excité par la senteur musquée de cette peau.

— Mais t'as donc la tête perdue d'aller courailler la

nuit avec tous ces patterouilleurs qui canardent les négros !

— Eh bien ! On va dans ta case, dit George en lui enlaçant la taille.

Mais elle se dégagea encore une fois.

— On dirait qu' t'as pas entendu parler du soulè-v'ment !

— J' sais qu'y en a eu un, c'est tout.

— Alors, j' vas t'en dire un peu plus, moi !

Et Charité lui raconta ce qu'elle avait pu saisir des conversations entre le maître et la maîtresse : le meneur était un charpentier de Charleston, Denmark Vesey, ancien esclave qui avait acheté lui-même sa liberté et était nourri de la lecture de la Bible. Il avait passé des années à préparer son projet avant de le confier à quatre amis intimes qui l'avait aidé à recruter et à structurer des centaines de Noirs de la ville, esclaves et affranchis. Quatre groupes très bien armés devaient s'emparer des arsenaux et autres bâtiments publics, tandis que les autres mettraient le feu à la ville et massacreraient indistinctement les Blancs. Pour les effrayer et les empêcher de se regrouper, des charretiers et des cochers devaient sillonner la ville à toute allure avec leurs fardiers, leurs chariots, leurs cabriolets.

— Mais, l' dimanche matin, y a un négro qu'a pris peur et qu'est allé raconter à son maître c' qui d'vait s' passer à minuit. Alors, v'là les Blancs qui s' ramènent dans tous les coins, et j' te rosse et j' te torture les négros pour leur faire cracher l' nom des meneurs. Z'en ont déjà pendu trente, et un peu partout, ça fait vilain pour les négros, mais surtout en Caroline du Sud, z'ont chassé les négros 'mancipés et brûlé leurs maisons. Et puis, comme ils veulent plus qu' les négros ils prêchent, z'ont fermé leurs temples, pasqu'ils disent qu'au lieu d' prêcher z'apprenaient à lire et à écrire aux aut'. (Tout en prêtant à Charité une oreille distraite, George essayait de l'entraîner vers sa case.) Mais t'as donc pas écouté c' que j' te disais ? demanda-t-elle avec nervosité. Faut rentrer chez toi, et tâche de pas t' faire voir pasque ces patterouilleurs, ça les gêne pas d' tirer, tu sais ! (George argua que les patrouilleurs ne seraient pas à craindre dans la case de Charité, et que s'il les avait bravés c'était justement pour lui témoigner sa passion ailleurs que sous les arbres...) J' t'ai dit qu' c'était non !

Exaspéré, George la repoussa brutalement. Et il refit tout le long chemin de retour en rageant — c'était Beulah qu'il aurait dû aller voir, mais maintenant il était trop tard.

Le lendemain, George dit à Mingo, d'un air qu'il voulait dégagé :

— J' suis allé voir ma mammy, hier soir. Et mam'zelle Malizy nous a raconté l' soulèv'ment — l'a entendu l' maître et la maîtresse qu'en discutaient...

Sans trop savoir si Mingo avalerait sa fable, il lui rapporta tout ce qu'il avait appris de Charité, et le vieillard l'écouta avec attention. En terminant, George lui demanda :

— Oncle Mingo, pourquoi on tire sur les négros par ici à cause de quèq' chose qui s'est passé là-bas en Caroline du Sud ?

— Les Blancs, ils ont toujours peur que nous aut' négros on s'organise pour se soul'ver ensemb', répondit-il après un moment de réflexion. Mais les négros, ils f'ront jamais *rien* ensemb'. Et puis, ça va finir par s'tasser : quand ils auront tué et terrorisé assez d' négros, et puis passé encore des lois, et qu'ils s'ront fatigués d' payer un tas d' bons à rien d' patterouilleurs.

— Mais ça va prendre longtemps ? demanda vivement George, s'apercevant trop tard qu'il posait une question stupide.

— Quoi qu' tu veux qu' j'en sache ?

Devant le ton de Mingo, George décida d'attendre que les choses aillent mieux avec le maître pour parler de son idée.

Au bout de deux mois m'sieu Lea, qui s'était progressivement détendu, continuait à arborer une mine boudeuse, mais son agressivité avait disparu. George estima que le moment était venu.

— Oncle Mingo, commença-t-il, y a un bon bout d' temps que j' pense à quèqu' chose : les coqs du maître, ils pourraient gagner encore plus d' combats.

Mingo regarda son assistant comme si ce malheureux jeune homme de dix-sept ans venait d'être frappé de folie.

— Ça fait cinq ans que j' vas avec vous à toutes les rencontres. Et j'ai bien vu qu' les maîtres ils avaient tous leur façon d'entraîner les bestioles.

George avait envie de rentrer sous terre : il était en train de parler à un homme qui entraînait déjà des coqs avant sa naissance.

— Nous, c' qu'on fait ici, c'est d' les fortifier, pour qu'ils résistent plus longtemps qu' les aut'. Mais chaque fois qu'on perd, c'est quand l'aut' combattant il saute plus haut que çui du maître, pasqu'il lui perce le crâne d'en haut. Alors, Oncle Mingo, si on leur fortifie les ailes, en leur faisant faire tout un tas de 'xercices, les oiseaux du maître ils voleront plus haut qu' les aut', alors ils gagneront encore plus.

George éprouva un immense soulagement en voyant qu'au moins Oncle Mingo ne riait pas de son idée. Mais qu'allait en penser le maître lui-même ?

Lorsque le maître arriva, le lundi matin, George respira un bon coup et débita calmement son programme, en l'enjolivant de quelques détails techniques à propos des styles d'attaque.

M'sieu Lea contemplait George comme s'il venait seulement de découvrir sa présence.

Pendant les mois qui restaient à courir jusqu'à la

prochaine saison des combats, m'sieu Lea assista plus fréquemment que jamais à l'entraînement de ses coqs. Il lui arrivait même de se retrouver côte à côte avec Mingo et George, en train de projeter de plus en plus haut les volatiles. A force de battre frénétiquement des ailes pour ralentir la chute de leurs cinq ou six livres de chair et d'os, les coqs s'élevaient plus haut, et plus facilement, que par le passé.

La saison de 1823 fut un véritable triomphe pour m'sieu Lea. Sur cinquante-deux rencontres, ses oiseaux en gagnèrent trente-neuf. En outre, aux gains qu'il retirait des grands combats étaient venus s'ajouter ceux que lui assurait George — encore qu'il lui en abandonnât la moitié — en engageant les coqs écartés de la sélection définitive dans des rencontres beaucoup plus modestes. Le maître avait donc tout lieu d'être satisfait de « Chicken George », comme l'appelaient désormais les initiés (1).

Une semaine après la clôture de la saison, m'sieu Lea arriva donc de belle humeur — il venait voir où en étaient la demi-douzaine de combattants émérites qui avaient été sérieusement blessés.

— J' crois pas qu' çui-là va s'en tirer, maître, dit Oncle Mingo en désignant un champion dans un si triste état que m'sieu Lea confirma le diagnostic d'un signe de tête. Mais, continua Mingo en montrant les deux cages suivantes, ces deux-là vont bien se r'mettre. Ces trois aut'-là, continua-t-il, on pourra plus jamais les engager dans des grandes rencontres, mais ça peut faire des bons vétérans.

M'sieu Lea confirma d'un signe de tête le pronostic d'Oncle Mingo et se dirigea vers son cheval, mais, au moment de se mettre en selle, il se retourna vers George :

(1) Chicken = poulet. (*N.d.T.*)

— A propos, quand tu vas courir les champs la nuit, méfie-toi, t'es pas seul sur le coup.

Charité ! George bouillait ! Tout lui revenait à présent : avec quelle vigueur ne l'avait-elle pas empêché d'entrer dans sa case ! Bougresse de fille ! Mais à présent que le maître savait qu'il se permettait, sous le couvert de la nuit, de filer de la plantation, qu'allait-il décider ?

L'ayant laissé un peu mijoter dans son jus, m'sieu Lea décocha sa dernière flèche, au grand ébahissement du garçon :

— Que diable ! Tant que tu fais ton travail, tu peux bien courir la gueuse ! Seulement, méfie-toi ! Il y a d'autres jolis-cœurs qui ont le couteau facile. Et puis il y a quand même les patrouilles — elles tirent à vue sur les négros !

— Non, m'sieu ! J' f'rai rien, sûr !

George était si confus qu'il ne savait comment exprimer sa gratitude et sa bonne volonté.

M'sieu Lea enfourcha son cheval et partit au trot, les épaules secouées par une sorte de rire intérieur.

85

— Eh bien, mon garçon, à quoi penses-tu comme ça ?

Depuis plus d'une heure que le chariot roulait, Chicken George s'était absorbé dans la contemplation des nuages qui moutonnaient, de la route s'étirant à perte de vue, du balancement monotone de la croupe des mules. La question du maître le fit sursauter.

— A rien, répondit-il. J'pensais à rien du tout, maître.

— C'est une chose que je n'arriverai jamais à comprendre chez vous autres, les négros, lança m'sieu Lea d'un air agacé. Il suffit qu'on essaie de vous parler et aussitôt vous faites les abrutis. Il y a de quoi me rendre enragé, surtout avec toi, qui dégoises pendant des heures quand ça te chante. Tu crois pas que les Blancs vous respecteraient autrement si vous vous teniez comme des gens sensés ?

— Y en a qui pourraient, et d'aut' qui pourraient pas forcément, répondit Chicken George, sur ses gardes. Ça dépend.

— Et allez donc, tourne autour du pot ! Ça dépend de quoi ?

Ignorant où le maître voulait en venir, Chicken George continua de biaiser.

— Ben, ça dépend qui c'est les Blancs qui vous parlent, maître, à c' que j'crois, en tout cas.

M'sieu Lea cracha d'un air dépité :

— On nourrit un négro, on l'habille, on lui donne un toit, ah ! ouiche ! Et qu'est-ce qu'on en tire ? Jamais une réponse franche !

Après tout, peut-être le maître voulait-il simplement bavarder pour égayer la monotonie de la route. Soucieux de ne pas l'agacer, Chicken George s'aventura légèrement :

— Si vous voulez la vérité vraie, maître, j' crois qu' les négros ils s' croient malins en s' faisant passer pour plus bêtes qu'ils sont, pasqu'ils ont peur des Blancs.

— Ils ont peur ! se récria m'sieu Lea. Mais c'est des vraies anguilles, les négros ! Alors, c'est parce qu'ils ont peur qu'ils fomentent des soulèvements à tout bout de champ, qu'ils veulent nous massacrer ! Qu'ils empoisonnent la nourriture des Blancs, qu'ils vont jusqu'à tuer les nourrissons ! Tout ce qu'il est possible d'imaginer contre les Blancs, les négros n'arrêtent pas de le faire, et quand les Blancs agissent pour se protéger, les négros braillent qu'ils ont tellement peur ! (Le silence retomba dans le chariot, mais Chicken George sentait que la rage s'emparait du maître. Finalement celui-ci explosa :) Écoute-moi bien, mon garçon ! T'as toujours eu le ventre plein chez moi, tu connais rien d'autre. Tu sais pas c' que ça veut dire de grandir avec dix frères et sœurs, sans jamais manger à sa faim, à douze dans deux malheureuses pièces, en comptant le père et la mère ! (Comment le maître pouvait-il se laisser aller à faire de telles confidences ! s'étonnait George, mais m'sieu Lea était lancé :) J'ai jamais vu ma mère autrement qu'enceinte. Et mon père, toujours à moitié soûl, à brailler et tempêter qu'on travaillait pas assez dur — avec ça qu'on pouvait sortir quelque chose de ses dix acres de pierraille ! Et tu veux savoir c' qu'a changé ma vie ? ajouta-t-il d'un air furibond.

— Oui, m'sieu, s'empressa de répondre George.

— C'est la venue d'un grand guérisseur religieux. Il avait une tente immense. Dès le premier soir, elle était remplie à craquer — ceux qui pouvaient pas marcher, on les avait portés. Jamais on avait vu ça dans le comté de Caswell : ses sermons du tonnerre de Dieu, ses guérisons miraculeuses. Y avait là des centaines de Blancs et ça sautait, et ça hurlait, et ça témoignait. Les gens s'accrochaient les uns aux autres et tu les voyais trembler ou s'agiter comme des possédés en poussant des gémissements. Les assemblées d' fidèles des négros, c'était rien à côté. Mais, dans tout ce charivari, y a une chose qui m'a frappé plus que tout l' reste. (M'sieu Lea tourna les yeux vers George.) Tu connais un peu la Bible ?

— Non, m'sieu, enfin... presque rien.

— Mais j' parie que t'aurais cru que moi non plus ! C'était tiré des Psaumes. J'ai marqué la page dans ma Bible. Ça dit : « J'ai été jeune, et je suis devenu vieux ; mais je n'ai pas vu le juste abandonné ni ses enfants mendiant leur pain. » Et ça m'est resté dans la tête. J'arrêtais pas d'y repenser en m' demandant quel sens ça avait pour moi. Justement, dans ma famille, on en était plus ou moins à mendier notre pain. On avait rien à nous, et on aurait *jamais* rien. Alors, j'en suis arrivé à m' dire que si *moi* je devenais juste — si je travaillais dur, quoi ! — j'aurais pas à mendier mon pain quand je serais vieux.

Le maître semblait défier Chicken George, mais celui-ci s'empressa de répondre :

— Oui, m'sieu !

— Et c'est là qu' j'ai quitté la maison, poursuivit m'sieu Lea. J'avais onze ans. J'ai trimardé, j'ai fait tous les sales boulots, même ceux des négros. J'avais qu' des haillons sur le dos, qu' des restes à manger. J'ai économisé sou à sou pendant des années. Et c'est comme ça qu' j'ai fini par acheter vingt-cinq acres de terrain boisé et mon premier négro, George. C'est à cause de lui que j' t'ai appelé comme ça.

— Oncle Pompée, il m'en a parlé, se hâta de dire George, sentant que le maître attendait une réponse.

— Oui. Pompée, je l'ai acheté plus tard. Mais écoute-moi bien, mon garçon. Moi, avec ce George, j'ai travaillé comme une bête à essoucher et à débroussailler et à épierrer pour planter mon premier champ. Et puis l' Seigneur m'a fait acheter ce billet de loterie, et j'ai gagné ce coq. J'ai jamais eu un oiseau comme lui ! J' pouvais le ramener en sang, j' le requinquais, et il me gagnait encore des combats comme pas un. Au fond, j' me demande pourquoi j' suis en train de parler comme ça à un négro. Mais on a tous un moment où on a besoin de parler. Avec la bonne femme, qu'est-ce que tu veux qu'on dise ! Une fois qu'elles ont mis l' grappin sur un homme, les v'là mal lunées, ou malades, ou fatiguées — fatiguées quand elles ont même plus à lever l' petit doigt puisque les négros ils font tout. Et quand c'est pas ça, c'est qu'elles sont trop occupées à se fariner le museau — et tu dirais des fantômes... (Chicken George n'en croyait pas ses oreilles, mais le maître semblait incapable de s'arrêter, maintenant qu'il était lancé.) Mais y a des gens qui changeront pas, eux. T'as qu'à prendre ma famille. Pourquoi qu' mes neuf frères et sœurs ont pas cherché à s'en aller comme moi ? Ils continuent à crever d' faim et à vivre les uns sur les autres — et ils arrêtent pas d' faire des petits.

George jugea prudent de demeurer muet. Il avait eu l'occasion de voir des parents du maître, à l'occasion des combats de coqs. Ses frères étaient de la racaille de petits Blancs que les esclaves eux-mêmes méprisaient. Combien de fois n'avait-il pas surpris la gêne du maître lorsqu'il leur arrivait de se trouver face à face. Et leurs pleurnicheries, leurs demandes d'argent, enfin leur expression haineuse lorsque le maître leur avait lâché le demi-dollar ou le dollar qu'ils allaient échanger dans le quart d'heure contre du tord-boyaux. Mais le comble, c'était lorsque le maître les invitait à sa table. Mam'zelle Malizy l'avait raconté à George : ils se gobergeaient de la plus indécente façon, et, dès que le maître ne pouvait les entendre, ils le traînaient plus bas que terre.

— Y en a pas un qu'aurait pas pu faire c' que j'ai fait, s'écria le maître. Mais c'est des chiffes molles, alors, qu'ils aillent au diable ! Et puis, reprit-il après un court silence, moi, ça va gentiment maintenant. Une maison convenable, une centaine de coqs, quatre-vingt-cinq acres de terre dont la moitié en cultures, le cheval, les mules, les vaches et les cochons. Et puis quelques fainéants de négros.

— Oui, m'sieu, s'empressa de répondre Chicken George. (Peut-être était-ce le moment de glisser sa propre opinion !) Maître, nous aut', on travaille dur pour vous. Moi, d'puis que j' les connais — ma mammy, et mam'zelle Malizy, et Sœur Sarah, et Oncle Pompée — z'ont-y pas trimé pour vous ? Et, à part ma mammy, z'ont tous passé les cinquante ans, à c't' heure !

— Mais, mon garçon, t'as pas dû m'écouter ! Y a pas

un négro qu'a travaillé aussi dur que moi. Alors, viens pas m' parler des négros qui *triment !*

— Oui, m'sieu.

— Oui, m'sieu, et après ?

— Juste oui, m'sieu. Vous avez trimé dur, maître.

— Et comment ! Tu crois qu' c'est facile de s'occuper de tout et de tout l' monde ? Et de tous ces poulets, hein, c'est facile ?

— Non, m'sieu, c'est l' gros souci pour vous.

Et George pensait à Oncle Mingo : cela faisait plus de trente ans qu'il s'occupait jour après jour des coqs de combat, sans compter l'apport personnel de George depuis sept ans. Le mieux était de feindre la naïveté.

— Maître, vous savez quel âge il a, Mingo ?

— J' peux pas dire exactement. Voyons, il a bien quinze ans de plus que moi, ce qui lui fait dans les soixante ans. Et il rajeunit pas ! Il baisse, Mingo, il est souvent patraque. Qu'est-ce que t'en penses, toi ? Tu vis avec lui, non ?

Aussitôt, George songea aux abominables quintes de toux qui secouaient parfois le vieillard pendant des jours. Mais, d'un autre côté, combien de fois Sœur Sarah et mam'zelle Malizy ne lui avaient-elles pas répété que le maître se refusait à croire à leurs maladies : pour lui, ce n'était qu'une façon de couper au travail. Alors, il chercha à ruser.

— L'a l'air d'aller bien, mais il s' prend des fois à tousser qu' ça arrive à m' faire peur, pasque Mingo, c'est comme mon père.

Il regretta aussitôt d'avoir laissé échapper ces mots en sentant, chez le maître, une réaction hostile. Un cahot secoua opportunément le chariot et, pendant un moment, les coqs protestèrent tapageusement. Mais le maître finit par revenir à la charge.

— Qu'est-ce qu'il a donc tant fait pour toi, Mingo ? C'est lui qui t'a retiré des champs, qui t'a donné ton nouveau travail, avec une cabane à toi par-dessus le marché ?

— Non, m'sieu maître, ça, c'est vous.

— Tu vois, c' que tu m'as dit tout à l'heure, reprit le maître au bout d'un moment, j'y avais pas tellement réfléchi, mais c'est vrai qu' mes négros sont pas d' la dernière jeunesse. Sacredieu ! ils risquent de m' claquer dans les mains à tout moment. Et ça a beau coûter gros à c't' heure, un négro, il va falloir que j'en achète un ou deux pour les cultures ! J' te l' disais bien tout à l'heure : j'ai qu' des soucis, moi, ça n'arrête pas.

— Oui, m'sieu.

— Oui, m'sieu. Tu dis n'importe quoi à un négro, et voilà ce qu'il te répond.

— Vous voudriez pas que l' négro il vous dise le contraire, maître !

— Alors c'est tout ce que ça te fait ? *Oui, m'sieu !*

— Non, m'sieu ! Mais, au moins, vous avez l'argent pour ach'ter des négros, pasqu'on a fait une bonne saison avec les coqs ! (Et, pour essayer de faire dévier la conversation vers un terrain moins dangereux, Chicken George ajouta :) Maître, y a-t-il des propriétaires de coqs qu'ont juste leurs bêtes, et pas d' cultures ?

— Moi, j'en connais pas. Dans les villes, oui, y en a, mais c'est des rien-du-tout, avec trois ou quatre bêtes, quoi ! Au contraire, ceux qu'ont le plus de coqs, ils ont aussi les plus grandes plantations. Tiens, t'as qu'à voir M. Jewett. Tu sais bien comment c'est chez lui, t'y traînes assez la nuit !

— J'y vais plus, maître, répondit George, pour couper court à ce sujet épineux.

— Ah ! bon. Tu t'es trouvé une autre garce, alors ?

— J' sors plus beaucoup, maître, dit George.

Au moins, il ne mentait qu'à moitié.

— Un grand gaillard de vingt ans ! lança m'sieu Lea d'un ton méprisant. C'est pas à *moi* que t'iras raconter qu' tu passes tes nuits dans ton lit. Ces négresses qu'ont l' feu au cul, tu vas me dire que ça t'excite pas ?

En un éclair, George revit le maître et sa mammy. Dissimulant sa rage, il répondit avec une froideur affectée :

— Ça s' peut qu'elles soient comme ça, j'en connais pas beaucoup.

— Ça va, ça va ! Tu veux pas avouer que tu te défiles la nuit. Mais figure-toi que je sais *où* tu vas et *quand* tu y vas. Mais comme j'ai pas envie que les patrouilles te canardent, comme ce négro à M. Jewett, tu sais c' que je vais faire ? En rentrant je te signerai un laissez-passer pour *toutes* les nuits ! Si on m'avait dit que j' ferais ça un jour pour un négro ! (M'sieu Lea se fit bourru, pour cacher sa gêne.) Mais laisse-moi te dire une bonne chose. T'as qu'à faire du grabuge, ou pas rentrer à l'aube, ou rentrer trop éreinté pour travailler, ou retourner chez M. Jewett — enfin, tout c' que t'as pas le droit de faire — et ce laissez-passer, je le déchire et je te réserve une gentille danse ! T'as compris ?

Chicken George n'en croyait pas ses oreilles.

— Oh ! Maître, j' vous suis vraiment obligé. J'ai bien compris, allez !

— Très bien ! Tu vois que je suis pas aussi mauvais que vous le racontez, vous autres. Moi, j' les traite bien, mes négros, quand je veux. (Mais m'sieu Lea était décidé à revenir à la charge.) Alors, les garces noires, elles sont chaudes, hein ? Combien t'en montes en une nuit ? Paraît qu' les négros de ton âge, faut pas leur en promettre ! Comment tu t'en tires, toi ?

— Ben, maître, faut dire que... enfin... moi, j' fais pas ça.

— Et allez donc ! Encore des craques !

— J' craque pas, maître ! Mais faut que j' vous dise quèq' chose que j'ai raconté à personne : vous savez ce m'sieu MacGregor, çui qu'a l' coq jaune tach'té ?

— Évidemment. On jase même pas mal ensemble. Et alors ?

— Vous avez promis de m' donner une passe, hein ? Alors, j' vais vous dire la vérité vraie. C'est vrai que j' sors la nuit, mais c'est pour aller voir une fille de chez m'sieu MacGregor. (Cette fois, George était absolument sincère.) Moi, j'ai besoin d'en parler à quelqu'un, maître. J' la comprends pas, c'te fille ! Matilda, qu'elle s'appelle. Une négresse des champs, qu' c'est, mais, des fois, elle aide à la grande maison. Eh bien, j' peux lui raconter tout c' que j' veux, j' peux essayer d' toutes les façons, y a pas moyen d' la toucher. Tout c' que j' peux en tirer, c'est qu'elle a d' l'amitié pour moi, mais elle peut pas souffrir mes manières — alors, moi, j'y ai répondu qu' j'avais pas besoin d'elle, que j' pouvais avoir toutes les femmes que j' voulais. Et là-d'ssus elle me dit qu' j'ai qu'à y aller et à la laisser tranquille. (Cette fois, c'était au maître de ne pas en croire ses oreilles.) Et c'est pas tout, poursuivit Chicken George, faut toujours qu'elle me rabâche des choses qu'il y a dans la Bible ! Elle sait lire la Bible, pasque son maître d'avant, c'était un prédicateur qu'a fini par vendre ses négros à cause de la r'ligion. Pour vous dire comment qu'elle est *r'ligieuse,* y a pas longtemps, v'là qu'elle apprend qu' des Noirs 'mancipés y f'saient la fête dans un bois pas loin d' là, et ça d'vait boire et danser toute la nuit. Eh bien, c'te gamine — pasqu'elle a qu' dix-sept ans — elle est sortie d' la plantation de m'sieu MacGregor et elle leur est tombée d'ssus en braillant que l' Seigneur les sauve avant que l' diable il s'amène pour les faire griller, et v'là mes négros 'mancipés qui filent comme des lapins avec leur violoneux qui clopine comme un malheureux par-derrière !

— C'est une terreur, ta garce, dis donc ! lança m'sieu Lea, qui n'en pouvait plus de rire.

— Maître, ajouta George d'un ton cette fois hésitant, avant d' rencontrer c'te fille, c'est vrai que j' courail-lais comme vous dites. Mais avec elle, bon sang, j' pense pas seul'ment à ça. J'ai comme une idée d' sauter l' balai... enfin... si des fois elle voudrait d' moi. (Il parlait très bas, cette fois.) Et si vous auriez rien contre...

M'sieu Lea ne répondit pas aussitôt. Le chariot cahotait en grinçant, les poulets caquetaient. Enfin, le maître reprit la parole :

— M. MacGregor sait que tu courtises une fille de chez lui ?

— Ça m'étonn'rait qu'elle y en ait parlé, m'sieu, pasque c'est jamais qu'une négresse des champs, mais les domestik' ils sont au courant, alors ils ont dû lui dire.

— Il y a combien de négros, chez M. MacGregor ?

— L'a une grande plantation, maître. J' dirai p't-êt' une vingtaine ou plus.

— Tu vois, j'ai une idée, reprit le maître après un nouveau silence. T'es né chez moi, tu m'as jamais causé d'ennuis — tu m'as même été pas mal utile. Alors, je vais faire quelque chose pour toi. Puisque j'ai besoin de nouveaux bras pour les cultures, si ta garce a envie de sauter l' balai avec un coureur — parce que je pense pas que tu vas changer comme ça — eh bien, j'irai en discuter avec M. MacGregor. S'il a autant d' nègres que tu dis, c'est pas cette fille qui ira lui manquer, à condition qu'on tombe d'accord sur le prix, bien sûr. Et comme ça tu l'auras, ta garce — comment c'est, déjà, son nom ?

— Tilda... Matilda, maître, répondit Chicken George dans un souffle en se demandant s'il avait bien entendu.

— T'auras plus qu'à vous bâtir une case...

Chicken George remuait les lèvres, mais aucun son n'en sortait. Dès qu'il eut retrouvé sa voix, il bégaya :

— Y a qu'un maître de *qualité* pour faire ça !

— Mais va pas oublier que ta place est avec Mingo, avant tout le reste, hein ?

— Oh ! sûr, maître !

— Et laisse-moi te dire encore une chose, bougonna m'sieu Lea. Une fois que cette Matilda t'aura mis le grappin dessus, moi, j' te r'tire ton laissez-passer. S'agira plus d'aller traîner tes fesses ailleurs !

Chicken George et Matilda se marièrent en août 1827. Au printemps 1828, un fils leur naquit.

86

Le jour allait se lever. Matilda avait attendu George toute la nuit et le voici qui rentrait en titubant légèrement, le melon sur l'oreille, la mine réjouie.

— Y avait un r'nard qui s'était glissé chez les poulets, expliqua-t-il d'une langue pâteuse. Nous a fallu toute la nuit pour l'attraper, avec Oncle Mingo.

D'un geste, Matilda lui intima silence.

— Et c'est c' renard-là qui t'a donné d' l'alcool à boire et puis qui t'a parfumé à la rose, hein ?

George essaya de réagir à l'algarade, mais Matilda n'allait pas se laisser interrompre.

— George, c'est *moi* qui parle ! Moi, j' suis ta femme, j'ai porté tes enfants, alors tu peux partir, tu peux rev'nir, je s'rai toujours là. Et dis-toi bien que tu nous fais pas autant de tort à nous que tu t'en fais à *toi*. Tu sais, c'est dans la Bible : « Car vous récolterez c' que vous avez s'mé ! » Et au septième chapitre de Matthieu, ça dit : « La mesure dont vous vous servez, elle servira pour vous. »

George feignit la dignité outragée — et muette — mais, en réalité, il ne savait que répondre. Il repartit en titubant dangereusement et alla dormir dans un poulailler vide.

Pourtant, le lendemain, il réintégrait chapeau bas la

case familiale, et il ne découcha plus de toute la fin de l'automne ni de l'hiver. Et le matin où Matilda fut prise des douleurs, au début de janvier 1831, il obtint du maître la permission de rester auprès d'elle, bien que la saison des combats battît son plein. Si les grands tournois l'avaient empêché d'être présent pour la naissance de Virgile comme pour celle d'Ashford, il serait au moins là pour celle de son troisième enfant.

Il faisait les cent pas devant la case, tressaillant lorsque les cris de Matilda devenaient plus aigus, tendant l'oreille à ses gémissements. Soudain lui parvint la voix de mammy Kizzy :

— Tire sur ma main, mon chou, allez, tire *fort!* Respire un grand coup!... Comme ça!... Attends! *Attends!*

Et Sarah commanda :

— Laisse faire, t'entends! Et maint'nant, vas-y... POUSSE!... POUSSE! (Et bientôt :) Le v'là!... Le v'là... Seigneur!

Chicken George, qui s'était collé contre la porte, recula en entendant un bruit de claques aussitôt suivi des vagissements d'un nouveau-né. Et grand-mère Kizzy ne tarda pas à apparaître sur le seuil, le visage épanoui dans un grand sourire.

— M'est avis qu' tu sais faire que des garçons!

Chicken George se mit à danser en poussant de telles clameurs de joie que mam'zelle Malizy sortit en trombe de la cuisine de la grande maison. Il se précipita à sa rencontre, la souleva de terre et tournoya sur lui-même en lui criant dans l'oreille :

— Çui-là, on va l'app'ler comme moi!

Le lendemain soir, conformément à la coutume qu'il avait instaurée, il réunit tout son monde et raconta au nouveau-né l'histoire de son grand-papa l'Africain.

— Écoute un peu, petit! J' vais t' parler de ton arrière-grand-papa. L'était africain, et il disait qu' son nom c'était Kounta Kinté. Il app'lait une guitare un *ko* et une rivière Kamby Bolongo, et plein d'aut' mots africains comme ça. L'était en train d' couper un arbre pour faire un tambour à son p'tit frère, et v'là quat' hommes qui l'attrapent par-derrière. Et puis y a un gros bateau qui l'a emm'né sur la grande eau jusqu'à un endroit qui s'app'lait « Naplis ». Après ça il s'est ensauvé quat' fois, et puis ceux qui l'ont attrapé, ils y ont coupé l' pied. Mais v'là qu'il a sauté l' balai avec la cuisinière de la grande maison, mam'zelle Bell, et ils ont eu une p'tite gamine — et à c't' heure c'est ta grand-mère Kizzy, qu'est en train de t' faire un sourire !

Vers la fin août, m'sieu Lea alla assister à une assemblée ordinaire des propriétaires fonciers du comté de Caswell. Ils repartaient vers la plantation — le maître conduisant le chariot et George, à l'arrière, en train d'écailler et de vider, à l'aide de son couteau de poche, des grosses perches que m'sieu Lea venait d'acheter — lorsque le chariot fit brusquement halte. George écarquilla les yeux : m'sieu Lea avait sauté du siège et se précipitait, avec d'autres maîtres qui s'étaient pareillement arrêtés, vers un Blanc qui accourait sur un cheval blanc d'écume. L'homme hurlait pour se faire entendre de la foule sans cesse plus nombreuse. Chicken George et les autres Noirs écoutaient, bouche bée, les lambeaux de phrases qui leur parvenaient.

— Des familles entières massacrées... des femmes, des enfants... ils dormaient et les Noirs... assassins... irruption dans les maisons... des haches, des sabres, des gourdins... un prédicateur noir qui s'appelle Nat Turner...

Chicken George lut sur le visage des Noirs la même terreur que celle qu'il sentait monter en lui, en entendant les imprécations des Blancs, en voyant leurs gesticulations furieuses. Brusquement lui revint le souvenir horrible des mois qui avaient suivi le soulèvement de Charleston — ce soulèvement qui, tué dans l'œuf, n'avait pas fait de victime blanche. Qu'allait-il arriver maintenant ? Blanc de rage, l'œil étincelant, le maître regagnait la voiture. Il démarra à une allure folle et rentra à la plantation sans jeter un seul regard à Chicken George, cramponné à la ridelle.

Arrivé devant la grande maison, le maître dégringola de son siège, laissant George le nez sur les poissons. Peu de temps après, mam'zelle Malizy jaillit de la porte de la cuisine et courut vers le quartier des esclaves, les bras levés comme après l'annonce d'une catastrophe. Puis le maître sortit de la maison, armé de son fusil, et lança brutalement à George :

— File chez toi !

Le maître fit sortir les esclaves de leurs cases et, d'un ton mauvais, les informa des terribles événements. Sachant qu'il était le seul à pouvoir éventuellement calmer la colère du maître, George tenta de lui parler :

— Maître, *j' vous en prie...* (Mais il s'interrompit, la gorge sèche : m'sieu Lea braquait son arme sur lui.)

— Allez ! Videz-moi vos cases ! Vous m'entendez, les négros ! Et plus vite que ça !

L'heure qui suivit fut un véritable cauchemar : les esclaves portaient ou traînaient leurs misérables possessions aux pieds du maître, qui les examinait en hurlant les pires menaces à l'égard de ceux qui auraient caché des armes ou des objets douteux. Ils dépliaient et secouaient leurs hardes, ouvraient boîtes et récipients, éventraient leurs paillasses de feuilles de maïs — mais rien ne semblait apaiser la rage de m'sieu Lea.

Il renversa d'un coup de pied la caisse où Sœur Sarah renfermait simples et racines médicinales en hurlant :

— J' veux plus voir ton nom de Dieu de vaudou !

Sous les yeux des esclaves, il éparpilla leurs maigres trésors, les brisa, les défonça à coups de botte. Les quatre femmes sanglotaient, Oncle Pompée demeurait paralysé, les enfants affolés s'agrippaient à la jupe de Matilda. Elle lança un cri douloureux et George dut se retenir pour ne pas sauter sur le maître : d'un coup de crosse, celui-ci venait de briser le carillon de Matilda, souvenir de son grand-père.

— Que je trouve seulement un clou là-dedans, lança m'sieu Lea, au comble de la fureur, et y aura un négro d' moins !

Abandonnant le quartier des esclaves jonché de débris et d'objets souillés de poussière, m'sieu Lea sauta sur la plate-forme du chariot et se fit conduire par George dans l'enclos des coqs sans cesser de le tenir à la pointe du fusil. Sommé de vider sa propre case, Oncle Mingo balbutia :

— J'ai rien fait d' mal, maître...

— Y a des familles entières qui viennent de périr pour avoir fait confiance à des négros ! hurla m'sieu Lea.

Il confisqua la hache, la hachette, le coin d'acier, une armature métallique et les couteaux de poche des deux hommes. Chicken George et Oncle Mingo le regardaient jeter les différents objets dans le chariot.

— Si vous aviez idée de forcer ma porte, je vous préviens que je dors avec ce fusil ! leur lança-t-il en fouettant le cheval.

Le chariot partit comme une flèche en soulevant un nuage de poussière.

87

— Alors, ça te fait quatre garçons à la suite ! dit le maître en mettant pied à terre dans l'enclos des coqs.

Il n'avait pas fallu moins d'une bonne année pour

que s'apaisent l'effroi et la fureur du Sud blanc — et de m'sieu Lea. Certes, il avait recommencé à emmener George aux combats de coqs un ou deux mois après la révolte, mais sans se départir d'une ostentatoire froideur. Curieusement, les liens qu'ils avaient renoués semblaient plus étroits qu'avant. M'sieu Lea et Chicken George n'en faisaient jamais état, mais l'un et l'autre souhaitaient ardemment qu'il n'y ait plus jamais de soulèvements de Noirs.

— Oui, m'sieu ! Un beau gros garçon qu'est né juste au point du jour, maître ! répondit Chicken George qui mélangeait les ingrédients pour confectionner les galettes fortifiantes dont Oncle Mingo venait, à contrecœur, de lui abandonner la responsabilité.

La toux du vieillard s'était aggravée et m'sieu Lea l'avait consigné dans sa case. Chicken George aurait aussi à procéder lui-même à l'impitoyable sélection des combattants : une vingtaine seulement seraient retenus, sur les soixante-seize qui venaient d'être ramenés du plein air.

Dans neuf semaines jour pour jour, lui et m'sieu Lea partiraient pour La Nouvelle Orléans. Rendu confiant par ses succès locaux, puis par un nombre non négligeable de victoires en divers points de l'État, m'sieu Lea avait décidé d'engager une douzaine de ses bêtes de premier choix dans le grand tournoi du Jour de l'An, événement principal — et réputé — de la saison des combats de coqs dans cette lointaine ville. Étant donné l'excellence des champions en lice, il suffirait que m'sieu Lea — ou plutôt ses bêtes — remportât seulement la moitié des combats pour lui tailler, outre une jolie fortune, une réputation de première grandeur parmi les propriétaires de coqs de combat du Sud. Cette perspective exaltante occupait Chicken George, à l'exclusion de toute autre pensée.

Ayant attaché son cheval à la barrière, m'sieu Lea se dirigea vers George.

— C'est quand même drôle qu'avec quatre garçons t'en aies pas appelé un comme moi !

Pris au dépourvu mais ravi, Chicken George feignit la spontanéité :

— Maître, c' que vous dites là, c'est bien vrai ! Et c'est justement comme ça qu'on l'a appelé : *Tom,* oui, m'sieu !

Une expression satisfaite se répandit sur le visage du maître, mais il s'assombrit aussitôt.

— Comment va le vieux ?

— Ben, maître, c'te nuit, l'a toussé comme un malheureux. C'était avant qu'ils m'envoyent chercher par Oncle Pompée, pasque Tilda allait avoir le p'tit. Mais c' matin, quand j'y ai fait à manger, il s'est mis assis dans son lit et il a tout avalé. Ça va beaucoup mieux, qu'il dit. Il a fait vilain pasque j'y disais d' rester au lit tant qu' vous auriez pas décidé qu'il pouvait s' lever.

— Tiens-le donc renfermé encore une journée, c't oiseau-là. Je devrais peut-être appeler un médecin. Ça me chipote, cette toux qui le prend depuis un bon bout de temps.

— Sûr, m'sieu. Mais il veut pas d' médecin, il dit qu'il y croit pas.

— Je m'en fous, de c' qu'il croit. Enfin, attendons de voir comment il s'en tire d'ici la fin de la semaine.

M'sieu Lea passa ensuite son inspection, en commençant par les cochets et les jeunes pour finir par les superbes combattants que George était en train de fortifier et d'entraîner. M'sieu Lea se montra extrêmement satisfait des résultats. Puis il parla de son futur voyage à La Nouvelle Orléans. Il faudrait compter six semaines de trajet. Un charron de Greensboro était en train de lui fabriquer un robuste chariot, dont il avait conçu lui-même le modèle. Il comporterait une longue plate-forme contenant douze cages amovibles, un espace garni de bourrelets pour continuer l'entraînement quotidien en chemin, des rayonnages, des râteliers, des coffres destinés au matériel et aux provisions. Le chariot serait prêt sous une dizaine de jours.

Une fois le maître parti, Chicken George s'absorba dans ses tâches. Il soumettait les coqs à un entraînement impitoyable. Le maître lui avait donné carte blanche pour écarter toute bête présentant le plus minime défaut : étant donné le niveau des adversaires qu'ils allaient affronter à La Nouvelle Orléans, seuls seraient retenus les coqs de la plus haute classe. Tout en s'occupant des volatiles, George songeait à la musique qu'il allait entendre à La Nouvelle Orléans, et notamment, à ce qu'on lui avait dit, les orchestres de cuivres défilant dans les rues. Selon un matelot noir qu'il avait rencontré à Charleston, tous les dimanches après-midi des milliers de gens s'attroupaient sur une grande place publique, la « place Congo », où des centaines d'esclaves exécutaient des danses africaines. Les quais de La Nouvelle Orléans, avait-il dit encore, surpassaient en beauté tout ce qu'il connaissait. Et les femmes ! Aussi exotiques que faciles, et l'embarras du choix quant à la couleur : « créoles, octorones, quarterones ». A cette seule idée, Chicken George brûlait d'impatience.

Vers la fin de l'après-midi, George trouva enfin un moment pour aller voir Oncle Mingo. En entrant dans la case envahie par un fouillis poussiéreux, il demanda :

— Comment ça va, Oncle Mingo ? Vous avez-t-y envie d' quèq' chose ?

Mais, aussi émacié et faible qu'il fût, le vieillard n'en vomissait pas moins son inactivité forcée et il répondit hargneusement :

— Fiche ton camp ! Va donc d'mander au *maître* comment que j' vais ! Paraît qu'il sait ça mieux qu' *moi !*

Oncle Mingo ne tenant manifestement pas à sa

visite, Chicken George s'en fut en songeant que le vieillard devenait de plus en plus comme ses vieux durs-à-cuire déplumés : vétérans de maints combats, certes, mais si diminués par l'âge que seule subsistait leur combativité, quand leurs forces les avaient déjà abandonnés.

Peu après le coucher du soleil, George s'octroya une courte visite chez les siens. Ravi de trouver Kizzy auprès de Matilda, il leur raconta comme un bon tour son échange matinal avec le maître, à propos du nom du bébé. Mais, à sa grande surprise, elles ne partagèrent pas son hilarité. Ce fut Matilda qui répondit la première, d'un ton prudemment neutre :

— Les Tom, c'est pas c' qui manque dans l' monde !

— J'ai dans l'idée que Tilda et moi on pense pareil, dit alors Kizzy en mâchant bien ses mots, et elle veut pas t' contrarier à cause de ton cher maître. Y a rien à r'dire à quelqu'un qui s'appelle Tom. Seul'ment, vaudrait mieux que c' pauv' gamin il doive son prénom à un *aut'* Tom. Enfin, se hâta-t-elle d'ajouter, c' que j'en dis, hein, c'est pas mon gamin à moi, et ça me r'garde pas.

— En tout cas, ça r'garde le Seigneur ! lança sèchement Matilda en allant chercher sa bible. L'était pas encore né, l' gamin, qu' j'ai cherché c' qu'était dit dans l'Écriture sur les noms. (Elle feuilleta la bible, trouva enfin le livre, le chapitre, le verset, et lut à voix haute :) « La mémoire du juste est en bénédiction ; mais le nom des méchants tombe en pourriture ! »

— Seigneur ! Aie pitié de nous ! s'écria grand-mère Kizzy.

Cette fois, George ne put se contenir.

— Eh bien, allez-y donc ! Laquelle qui veut dire au maître qu'on appell'ra pas l' gamin Tom ?

Ça ne pouvait plus durer, fulminait-il intérieurement. Il ne pouvait plus mettre les pieds chez lui sans subir les pires avanies. Et cette Matilda, toujours le nez dans la Bible, à rabâcher ses histoires de damnation éternelle, il en avait par-dessus les oreilles ! Qu'est-ce que c'était déjà, qu'il avait entendu à propos d'un nom ? Ah ! voilà, ça y était :

— App'lez-le donc Tom-*Baptiste* pendant qu' vous y êtes ! lança-t-il d'une voix si forte que ses trois fils apparurent sur le seuil de la chambre, tandis que le nouveau-né se mettait à vagir.

Et Chicken George s'en fut à grandes enjambées furieuses.

Au même moment, dans le salon de la grande maison, m'sieu Lea, installé au bureau, trempait sa plume dans l'encre. Moulant soigneusement les lettres, il inscrivit sur la première page blanche de sa bible, au-dessous des quatre noms déjà enregistrés — celui de Chicken George lui-même et de ses trois premiers fils, Virgile, Ashford et George — *20 septembre 1833... né de Matilda : un fils... Tom Lea.*

En repartant rageusement vers l'enclos des coqs, George s'échauffait tout seul. Il tenait à Matilda, c'était évident. Il n'avait jamais rencontré femme plus droite. Mais une bonne épouse n'avait tout de même pas à condamner son mari au nom de la religion dès qu'il agissait simplement comme un homme. Et d'abord, un homme avait le *droit* de profiter occasionnellement de la compagnie de femmes qui aimaient rire, boire, plaisanter — et se mettre au lit. Depuis le temps qu'il voyageait avec m'sieu Lea, il savait que celui-ci agissait comme lui. Lorsqu'ils produisaient les coqs dans une ville de quelque importance, ils y restaient toujours un jour de plus. Laissant les mules à l'écurie et confiant les coqs à la garde d'un homme de confiance, d'ailleurs grassement rétribué, m'sieu Lea et Chicken George s'en allaient, chacun de son côté. Ils se retrouvaient le lendemain matin à l'écurie, récupéraient les coqs et regagnaient la plantation avec une fameuse gueule de bois et des souvenirs enivrants, qu'ils se gardaient bien d'évoquer entre eux.

Il ne fallut pas moins de cinq jours à Chicken George pour se calmer. Il arriva au quartier des esclaves, tout prêt au pardon.

— Seigneur ! s'écria Matilda en le voyant entrer, te v'là donc, George ! C'est les gamins qui vont être contents de r'voir leur papa ! Et surtout çui-là — l'avait même pas les yeux ouverts la dernière fois qu' t'es passé !

George allait repartir, furibond, mais il aperçut dans un coin ses trois fils — cinq, trois et deux ans — qui le contemplaient d'un air inquiet. Il eut envie de se précipiter sur eux, de les serrer bien fort. Avec le prochain voyage à La Nouvelle Orléans, il ne les verrait plus pendant trois mois. Il faudrait qu'il leur déniche de jolis cadeaux, là-bas.

Il s'assit de mauvaise grâce devant la table servie. Après avoir invoqué la bénédiction divine sur le repas, Matilda dit à Virgile :

— Va chercher la grand-mammy.

Chicken George manqua avaler de travers. Qu'est-ce qu'elles avaient encore manigancé ?

Kizzy arriva, et ce furent d'abord des embrassades avec Matilda, des câlins aux garçons, des agaceries au tout-petit. Enfin, elle parut remarquer son fils.

— Ça va, mon garçon ? D'puis l' temps qu'on t'a pas vu !

— Et toi, mammy, ça va aussi ? répondit-il sur le ton de la plaisanterie, tout en bouillant intérieurement.

Kizzy s'installa dans le fauteuil et Matilda lui mit le poupon dans les bras. Alors, s'adressant à George de son ton le plus naturel, sa mammy lui dit :

— Y a tes garçons, là, qu'ont un truc à te demander. Pas vrai, Virgile ?

George vit son aîné hésiter. Elles lui avaient soufflé

quelque chose, c'était sûr. Enfin, le gamin demanda de sa petite voix flûtée :

— Papa, tu veux pas tout nous raconter sur not' arrière-grand-papa ?

Matilda lança un long regard à George.

— George, reprit doucement Kizzy, t'es un brave garçon, et ceux qui disent aut' chose, faut pas les écouter ! Et va jamais t'imaginer qu'on t'aime pas. Des fois, tu sais p't-êt' plus bien où t'en es, ou *qui* on est, nous aut'. On est ton *sang,* et l'arrière-grand-papa d' ces garçons aussi.

— C'est juste c' qu'on dit dans l'Écriture..., commença Matilda. (Mais elle se hâta d'ajouter, devant le regard inquiet de George :) Tu sais, dans la Bible, ça parle aussi beaucoup d'amour.

Cette fois, George se laissa aller à son émotion. Il rapprocha sa chaise de l'âtre et les trois garçons s'installèrent à ses pieds, tandis que Matilda lui mettait le bébé dans les bras. Enfin il se reprit, s'éclaircit la gorge et commença à raconter à ses quatre fils l'histoire de leur arrière-grand-papa, qu'il tenait lui-même de leur grand-mammy.

— Papa, l'interrompit brusquement Virgile, moi j' la sais, c't' histoire !

Avec une grimace triomphante à l'adresse de ses cadets, il se mit effectivement à la débiter — et ce gamin avait même retenu les mots africains.

— Ça fait trois fois qu' tu la racontes, mais, en plus, la grand-mammy elle vient jamais sans la r'dire encore une p'tite fois, expliqua Matilda en riant.

Depuis combien de temps, se demandait George, n'avait-il plus entendu sa femme rire d'aussi bon cœur ?

Mais Virgile tenait à reprendre en main son auditoire :

— Grand-mammy, elle dit qu' c'est à cause de

l'Africain qu'on sait qui on est, lança-t-il victorieusement.

— Oui, c'est *à cause* de lui, approuva Kizzy, rayonnante.

Pour la première fois depuis bien longtemps, Chicken George sentit qu'il était rentré au bercail.

88

Quatre semaines plus tard, le maître fut averti que le nouveau chariot était prêt. Comme il avait eu raison de le faire fabriquer, réfléchissait George sur le chemin de Greensboro. Comment auraient-ils osé arriver à La Nouvelle Orléans dans leur vieux véhicule grinçant ? Non, ils feraient leur entrée dans une luxueuse voiture, exécutée spécialement et à prix d'or — le grand propriétaire de coqs et son entraîneur, le grand expert. Il faudrait d'ailleurs, avant de quitter Greensboro, qu'il emprunte au maître un dollar et demi : il avait besoin d'un melon neuf. Il le prendrait noir, pour trancher sur la grande écharpe verte que Matilda finissait de lui tricoter. Il devrait d'ailleurs veiller à ce qu'elle n'oublie rien dans sa valise : le complet vert, le complet jaune, les larges bretelles rouges, et tout un tas de chemises, caleçons, chaussettes, mouchoirs. Après les combats, il devait pouvoir tailler une certaine figure dans la ville !

A l'atelier du charron, George resta dehors ; au travers de la porte filtraient les échos d'une violente discussion. Le maître étant enclin à marchander, il n'y prêta pas autrement attention, mais il profita de ce moment de loisir pour revoir mentalement tout ce qu'il lui restait à faire avant le départ. Le plus difficile, il ne se le dissimulait pas, serait de sélectionner la douzaine de coqs qui allaient rester seuls en piste sur les dix-neuf dont il avait fait de précises et inexorables machines à tuer. Ils s'y mettraient tous les trois : lui-même, m'sieu Lea et Oncle Mingo — dont l'humeur ne s'était pas améliorée depuis qu'il était de nouveau debout.

Dans l'atelier, le maître, cette fois, poussait des clameurs : retard inexcusable..., manque à gagner pour lui..., rabattre le prix... Le charron contre-attaquait à pleins poumons : urgence de la commande..., matières premières en hausse..., sans compter les prix exorbitants de la main-d'œuvre..., tous des Noirs affranchis... Cette fois, Chicken George tendit l'oreille : le maître était sûrement moins furieux qu'il ne le paraissait, mais il essayait, à son habitude, de faire rabattre quelques dollars...

Le charron et m'sieu Lea devaient cependant être parvenus à s'entendre car voici qu'ils émergeaient, le visage encore tout congestionné, mais discutant apparemment de façon amicale. Le charron contourna le bâtiment et hurla un ordre à destination de gens invisibles. Et, quelques minutes plus tard, quatre Noirs amenaient à grand-peine le lourd chariot, fabriqué selon les spécifications de m'sieu Lea. George écarquilla les yeux : il n'avait jamais vu une voiture aussi belle ni aussi bien conçue. Ce bâti, ces planches de chêne, voilà qui résisterait ! Il apercevait les douze cages amovibles. L'axe principal, les essieux, tout cela était superbement équilibré et graissé, car, malgré le poids du véhicule, il n'entendait pas le plus mince frottement, le plus léger grincement. D'ailleurs, il n'avait jamais vu m'sieu Lea épanoui comme aujourd'hui !

— C'est pas souvent qu'on sort d'aussi belles pièces, s'écria le charron. C'est presque dommage de la faire rouler.

— Eh bien, vous allez un peu voir si elle va rouler,

rétorqua m'sieu Lea, et pas pour aller à côté, hein!

— Tout de même, La Nouvelle Orléans, faut compter six semaines de voyage. Vous y allez pas tout seul, non ?

— Non, j'aurai mon négro, là, et mes douze poulets, dit le maître en faisant un signe à Chicken George.

Passant à l'arrière du chariot, celui-ci s'empressa de détacher les deux mules louées pour la circonstance, et les mena jusqu'à la voiture neuve. Un des quatre Noirs l'aida à atteler les bêtes et rejoignit les autres qui demeuraient aussi superbement indifférents à Chicken George qu'il l'était lui-même à leur égard. M'sieu Lea ne disait-il pas souvent qu'il ne pouvait souffrir la vue des Noirs affranchis ? L'œil étincelant, le visage épanoui dans un grand sourire, le maître fit encore plusieurs fois le tour du chariot, puis il serra chaleureusement la main du charron et grimpa sur le siège. Il démarra le premier, suivi de George qui menait la vieille voiture, et le fabricant les regarda partir d'un air pénétré de fierté devant la beauté de son ouvrage.

Juché sur son haut siège, où il avait déposé ses acquisitions : chapeau melon flambant neuf et guêtres de feutre gris — un dollar la paire, s'il vous plaît — Chicken George occupa le long trajet du retour à revoir son programme d'ici leur départ pour La Nouvelle Orléans. Il y avait encore tant de choses à faire, sans compter l'organisation à prévoir pour que tout se passât bien en leur absence. Lui parti, il savait que Matilda et Kizzy rencontreraient des difficultés, mais elles sauraient se débrouiller ; quant à Oncle Mingo, il était certes de moins en moins valide, il n'avait pas toujours la tête à ce qu'il faisait, mais il serait tout de même capable de s'occuper convenablement des oiseaux. Il n'en faudrait pas moins songer bientôt à trouver quelqu'un d'autre pour remplacer le vieillard défaillant. Mais comment procéder pour qu'Oncle Mingo ne prenne pas son éviction trop à cœur, et surtout pour qu'il cesse d'en vouloir à George, à propos de tout et de rien ?

Les deux voitures tournèrent enfin dans l'allée de la plantation, et elles étaient encore à mi-chemin de la grande maison lorsque la maîtresse surgit sur le perron et descendit précipitamment les marches. Presque au même moment, mam'zelle Malizy émergeait de la porte de la cuisine. Chicken George vit alors accourir du quartier des esclaves Matilda et ses fils, mammy Kizzy, Sœur Sarah et Oncle Pompée. Un jeudi après-midi ! Pourquoi n'étaient-ils pas aux champs ? Ils n'auraient tout de même pas osé braver la colère du maître rien que pour contempler le beau chariot neuf ? Non, il y avait autre chose, George le devinait à leur expression.

Comme la maîtresse venait à la rencontre de m'sieu Lea, George arrêta le chariot et se pencha pour essayer de saisir ce qu'elle disait. Brusquement, le maître eut un haut-le-corps et la maîtresse repartit précipitamment vers la grande maison. Ahuri, Chicken George vit le maître descendre de son siège et venir vers lui. Devant son visage livide, il comprit instantanément, et il n'entendit que faiblement les mots du maître :

— Mingo est mort !

Chicken George s'abattit sur le siège en sanglotant comme un enfant. Il ne s'aperçut même pas que le maître et Oncle Pompée le soutenaient pour le faire descendre. Et voici qu'encadré par Matilda et Oncle Pompée il s'avançait vers le quartier des esclaves, entouré par les siens éplorés. Il entra en titubant dans la case, fermement guidé par Matilda que suivait Kizzy, portant le tout-petit.

Une fois qu'il se fut ressaisi, elles lui racontèrent ce qui s'était passé.

— C'est lundi matin qu' vous êtes partis, hein ? dit Matilda, eh bien, y a personne qu'a pu dormir de la nuit. Mardi matin, on était en train de s' dire qu'on avait jamais autant entendu de hurlements d'hiboux et d' chiens, et puis c'est là qu'on a entendu un grand cri...

— C'était Malizy ! s'écria Kizzy. Seigneur ! Ces braillements qu'elle poussait ! Alors, on s'est tous précipités d'où qu' ça venait. C'était en allant donner les épluchures aux cochons qu'elle était tombée d'ssus. L' pauv' malheureux, l'était couché en travers du ch'min, comme un tas d' vieux chiffons !

— L'était pas mort, reprit Matilda, mais il pouvait plus bouger qu'un côté d' sa bouche. Je m' suis mise à g'noux à côté d' lui, mais il parlait si bas qu' j'ai eu du mal à comprendre. « J' crois qu' j'ai eu une attaque, qu'il a dit. Faut m'aider pour les poulets... J'ai pas la force. »

— Miséricorde ! On savait rien de c' qu'il fallait faire, nous aut' ! ajouta Kizzy.

Oncle Pompée avait essayé de soulever le corps inerte, mais il était trop lourd. Alors, en s'y mettant tous ensemble, ils avaient quand même réussi à le porter jusqu'au quartier des esclaves et à l'installer dans le lit d'Oncle Pompée.

— George, tu peux pas croire comme il puait, avec c'te maladie ! dit Matilda. Nous, on essayait d'y faire de l'air en l'éventant, mais il arrêtait pas d' marmonner : « Les poulets..., faut qu' j'y r'tourne... »

— Miss Malizy, elle était allée prév'nir la maîtresse, poursuivit Kizzy, et la v'là qui s'amène dans un état terrib', et j' te tords les bras et j' te pousse des clameurs ! Mais allez pas croire qu' c'était à cause de Frère Mingo ! Non ! Tout c' qu'elle trouvait à brailler, c'était qu' si on s'occupait pas des poulets, l' maître il en f'rait une maladie ! Alors, Matilda elle a app'lé Virgile...

— C'est pas qu' j'y t'nais, dit Matilda. Un d' la famille avec les poulets, c'est déjà plus qu'assez. Et puis, t'avais parlé d' chiens errants et de r'nards, et même de chats sauvages qu'auraient tourné autour des poulets ! Mais c' gamin, l'a du cran. Il en m'nait pas large, mais il a dit : « Mammy, moi, j' vais y aller, seul'ment j' sais pas c' qu'y a à faire ! » Alors, Oncle Pompée y a donné un sac de maïs. « T'auras qu'à en j'ter une poignée à tous ceux qu' tu vois, qu'il a expliqué au gamin, et puis j'irai te rel'ver dès que j' pourrai. »

Il n'y avait aucun moyen de prévenir le maître, Sœur Sarah ne possédait pas de remèdes capables de retaper Mingo et la maîtresse ne savait même pas comment quérir un médecin.

— Alors, on pouvait rien faire d'autre que d' vous attendre, racontèrent-elles à George.

Matilda éclata en sanglots, et il essaya de la réconforter en lui prenant la main.

— C' qui la fait pleurer, c'est pasque quand on est rentrées dans la case de Pompée, une fois qu' la maîtresse elle a dit c' qu'elle voulait, c' pauv' Mingo l'était passé ! expliqua Kizzy. Seigneur ! j' l'ai tout d' suite vu à sa tête. L'était mort tout seul, le malheureux !

Une fois prévenue, la maîtresse avait fait un foin d'enfer. Elle ne savait pas comment on doit procéder avec les morts, mais elle avait entendu le maître dire que si on les garde plus d'une journée ils se mettent à pourrir. M'sieu Lea et George ne seraient pas rentrés à temps. Alors, elle avait commandé aux esclaves de creuser une fosse. Ils avaient choisi un endroit dans la saulaie, parce que le sol n'y était pas trop dur ; en se relayant à la bêche, ils avaient creusé un grand trou. Après ça, Oncle Pompée avait fait la toilette de Mingo.

— L'a nettoyé avec de la glycérine qu' la maîtresse elle a donnée à miss Malizy, et puis l'a aspergé avec ce sent-bon qu' tu m'avais rapporté l'année dernière, dit Matilda.

— On avait seul'ment rien pour l'habiller, poursuivit Kizzy. C' qu'il avait sur lui, c'était une vraie infection, et les hardes de Pompée, z'étaient trop p'tites pour son grand corps ; alors, on l'a enroulé dans un drap.

Elle expliqua qu'Oncle Pompée avait fabriqué un brancard de fortune.

— La maîtresse, elle a quand même eu ça d' bien que quand elle a vu qu'on l' portait dans l' trou, elle s'est am'née en vitesse avec sa bible, ajouta-t-elle. Et quand on l'a mis au fond, elle a lu dans l'Ecriture et dans les Psaumes. Et puis moi, j'ai dit une prière pour d'mander au Seigneur de prend' l'âme de Mingo sous sa garde !

Et puis ils avaient comblé la fosse.

— On a fait tout c' qu'on a pu pour lui ! T'as pas à nous en vouloir ! lança Matilda, se méprenant sur l'expression crispée de son mari.

— Personne vous en veut..., répondit George d'une voix rauque en étreignant Matilda de toutes ses forces.

C'était au maître et à lui-même qu'il réservait sa colère, pour avoir été ailleurs, justement ce matin-là. Peut-être auraient-ils pu faire *quelque chose* pour le sauver.

Mais que de soins, d'attentions, d'amour même, n'avaient pas témoignés envers Mingo ceux-là même qui avaient toujours prétendu ne pas l'aimer, pensait-il en quittant sa case. Apercevant Oncle Pompée, il alla lui parler un moment. Le vieillard — il avait presque l'âge de Mingo — arrivait de l'enclos des coqs, qu'il avait laissé à la garde de Virgile.

— Tu sais, c'est un bon garçon qu' t'as là, dit-il à Chicken George. Tu verras, sur le ch'min, y a encore la trace où Mingo il s'est traîné, du fait qu'il a pas plu d'puis mardi.

Mais Chicken George ne voulait pas voir cette trace-là. Il fit le détour par la saulaie et arriva devant le petit tertre sous lequel dormait Oncle Mingo. Sans trop savoir ce qu'il faisait, il ramassa des pierres et dessina tout autour une bordure régulière. Il avait le sentiment d'être indigne. Il avait sans doute été la personne la plus proche de Mingo, et pourtant, que savait-il de ce compagnon qui lui avait appris tant de choses ? Rien. Ni d'où il venait avant d'être acheté par le maître, ni s'il avait eu une famille, une femme, des enfants. Et maintenant où était-il, le vieux Mingo ?

Chicken George ne quitta pas l'enclos des coqs pendant toute la journée du lendemain et la nuit suivante. Le samedi matin, m'sieu Lea parut, le visage sombre. Il alla droit au but.

— J'ai bien réfléchi à toute cette histoire. Pour commencer, tu vas brûler la case de Mingo. C'est le meilleur moyen de s'en débarrasser.

Tandis qu'ils regardaient tous deux les flammes consumer la cabane qui avait abrité Mingo pendant plus de quarante ans, Chicken George sentit que le maître avait encore quelque chose en tête ; mais ce qui suivit le prit totalement au dépourvu.

— J'ai pas mal repensé à La Nouvelle Orléans, dit le maître lentement, comme s'il soliloquait. Si tout marche pas parfaitement, c'est trop risqué. On ne peut pas s'en aller sans personne ici pour s'occuper des coqs. On a pas le temps de trouver quelqu'un et, même, il faudrait encore le former. Pas question non plus que j'y aille tout seul. Je ne pourrais jamais conduire et m'occuper d'une douzaine de bêtes. Pour s'engager dans des combats, faut mettre toutes les chances de son côté, et pour l'instant, on en a pas les moyens. Alors, on reste là...

Chicken George sentit sa gorge se nouer. Des mois de préparation..., tous les frais engagés par le maître..., son rêve de faire partie de l'élite des propriétaires de coqs du Sud..., ces bêtes superbes, la crème des combattants...

— Oui, m'sieu, répondit Chicken George.

89

On approchait de la nouvelle saison des combats, mais m'sieu Lea n'avait pas parlé de La Nouvelle Orléans. Au fond, Chicken George n'y croyait plus tellement ; jamais ils n'iraient là-bas. En revanche, on ne vit qu'eux — et leur nouveau chariot rutilant — dans les grands tournois locaux. Et ils tenaient la chance. M'sieu Lea sortait vainqueur de quatre rencontres sur cinq et Chicken George remportait des gains non négligeables dans les combats mineurs, où il présentait les bêtes de deuxième choix. Vers la fin de cette saison bien remplie — et lucrative — Chicken George se trouvait justement chez lui lorsque son cinquième fils vint au monde. Il eut la magnanimité de laisser Matilda choisir son prénom : il s'appellerait James.

D'après ce que George avait l'occasion d'apprendre au cours de ses déplacements avec le maître, les Blancs semblaient traverser une mauvaise passe. Un Noir affranchi lui raconta notamment l'histoire d'Osceola, le chef des Indiens Séminoles, dans l'État de Floride. Comme les Blancs avaient réussi à s'emparer de son épouse, une esclave noire fugitive, il avait réuni une troupe de deux mille hommes, Séminoles et esclaves marrons, et avait tendu une embuscade à un détachement de l'armée des États-Unis. Plus d'une centaine de soldats y avaient péri. A présent, une opération militaire d'envergure avait été lancée pour réduire les hommes d'Osceola qui, connaissant toutes les pistes, tous les marécages de Floride, canardaient les soldats et puis se volatilisaient.

Ce fut peu après la clôture de la saison de 1836 que l'on parla d'un endroit appelé « Alamo ». Une bande de Mexicains y avait massacré la garnison blanche — composée de Texans — et notamment l'éclaireur Davy Crockett, le célèbre ami et défenseur des Indiens. Mais, à peu de temps de là, les Mexicains, conduits par le général Santa Ana, avaient essuyé une défaite beaucoup plus sérieuse. Ce général se vantait, paraît-il, d'être le plus grand éleveur de coqs de combat du monde. Si tel était le cas, pensait Chicken George, comment se faisait-il qu'il n'ait jamais entendu parler de lui auparavant ?

Au printemps de l'année suivante, Chicken George rapporta au quartier des esclaves une nouvelle assez stupéfiante.

— Paraîtrait que c' président Van Buren il a envoyé son armée pour faire repasser tous les Indiens à l'ouest du Mississippi !

— Ça va être leur Jourdain, à ces Indiens ! dit Matilda.

— V'là c' que ça leur a valu d' laisser les Blancs v'nir chez eux, remarqua Oncle Pompée. Y en a des tripotées d' gens qui savent pas qu' dans c' pays y avait d'abord que des Indiens — moi, ça m'a pris longtemps de l' savoir. Ils pêchaient, ils chassaient, ils s' battaient entre eux, ils d'mandaient rien à personne. Et puis, y a ce p'tit bateau plein d' Blancs qui s'amène, et j' te fais des signes, et j' t'envoie des sourires. « Hé là ! les Peaux-Rouges, qu'ils disent, on est amis, alors on va casser la croûte et faire un p'tit somme chez vous ! » J' te parie qu'à c't' heure les Indiens ils s'en mordent les doigts d' pas avoir transformé c' bateau en porc-épic avec leurs flèches !

La réunion des propriétaires fonciers du comté de Caswell, à laquelle le maître était allé assister, fut pour George l'occasion de glaner de nouvelles informations sur les Indiens.

— Y aurait un général Winfield Scott qu'aurait dit à ces Indiens qu' les Blancs, comme ils sont chrétiens, ils veulent plus faire couler d' sang indien, alors fallait qu'ils aient assez d' jugeote pour s'en aller comme on leur a dit ! Paraît qu' l'Indien qu'a seulement *l'air* de vouloir résister, les soldats ils l'abattent sur place ! Et puis, l'armée, elle a déjà commencé à pousser les Indiens par milliers vers un endroit qui s'appelle l'Oklahoma. On peut pas dire combien y en a qui sont morts en route, sous les balles des soldats ou à cause de la maladie.

Vers la fin de 1837, il y eut en revanche une heureuse nouvelle, tout intime celle-là : la naissance du sixième fils de George et de Matilda. Celle-ci l'avait appelé Lewis — comme son époux était en voyage, elle avait eu, une fois de plus, la haute main sur la décision.

— Pour moi, vous aut', vous aurez jamais qu' des garçons ! remarqua Kizzy.

— Mammy Kizzy, déjà que j' suis sur le flanc et vous dites des choses comme ça ! s'écria Matilda dans son lit.

— J' dis rien d' mal ! Tout l' monde sait bien qu' c'est mes chéris, mes garçons ! Mais vous pourriez tout d' même avoir au moins *une* fille !

— On va t'en faire une tout d' suite, de fille, mammy ! répondit George en riant.

— Veux-tu bien t' sauver ! cria Matilda.

Mais, quelques mois plus tard, la rondeur de Matilda témoigna que George était un homme de parole.

— Vrai de vrai ! Dès que c't' homme-là il est à la maison, et hop ! L'est pire que ses coqs ! commenta Sœur Sarah.

Mam'zelle Malizy en convint.

Dès que Matilda fut prise de douleurs, George commença à tourner en rond. Et soudain, au milieu des cris et des gémissements de Matilda, montèrent les ferventes invocations de Kizzy : *Merci, Jésus ! Merci, Jésus !* Point n'était besoin d'une autre confirmation : il avait engendré une fille — pour la première fois !

Avant même que le nouveau-né soit nettoyé, Matilda dit à sa belle-mère qu'elle et George avaient décidé, pratiquement depuis toujours, que leur première fille s'appellerait Kizzy. Et, pendant tout le reste de la journée, l'heureuse grand-mère s'exclama à intervalles :

— Eh bien ! J'ai pas vécu pour rien !

L'après-midi suivant, elle n'eut de cesse que George délaissât l'enclos des coqs pour raconter une fois de plus aux garçons, et devant la minuscule Kizzy, l'histoire de leur arrière-grand-père, Kounta Kinté l'Africain.

Environ deux mois plus tard, à la veillée, George demanda tout à trac à sa femme :

— Tilda, combien qu'on a d'argent d' côté ?

— Un peu plus d' cent dollars, répondit-elle d'un air surpris.

— Rien qu' ça ?

— Oui, rien qu' ça ! Et c'est déjà beau qu'on en aye autant ! D'puis l' temps que j' te dis qu'avec c' que tu dépenses c'est pas à toi d' parler d'*économies !*

— Bon, ça va, répondit George, tout penaud.

Mais Matilda était lancée.

— Sans parler de c' que t'as gagné et dépensé sans m' le dire, parce que c'était tes affaires, tâche un peu de d'viner combien tu m'as donné à mettre de côté, d'puis qu'on est mariés, et puis, à chaque fois, tu me l'as red'mandé !

— J' sais pas, moi, combien ?

Matilda laissa passer un instant avant de répondre avec emphase :

— Dans les trois-quat' mille dollars.

— Moi, j'ai fait ça ! Eh bien, vrai, j'en r'viens pas, répondit George.

Mais soudain son expression changea. Jamais encore, en douze ans de mariage, Matilda ne l'avait vu aussi sérieux.

— Tu vois, à force d'être tout seul avec les coqs, j' pense à un tas d' choses, dit-il enfin. Et justement, je m' suis demandé si on pourrait pas mettre assez d'argent d' côté pour arriver à nous rach'ter.

Matilda en restait muette d'étonnement.

— Hé là, prends donc un crayon pour faire un peu l' calcul, au lieu de me r'garder avec des yeux ronds !

Presque machinalement, Matilda prit son crayon, un morceau de papier, et s'assit à la table.

— L'embêtant, c'est qu'on sait pas combien que l' maître pourrait aller nous d'mander. Y a toi, moi et les gamins. On va commencer par toi. Au chef-lieu du comté, un travailleur des champs, ils le vendent pas à moins d' mille dollars. Comme t'es une femme, tu vaux moins : alors, écris huit cents dollars. Bon, mettons que l' maître il dise trois cents dollars pour les enfants, alors, huit enfants à trois cents dollars, combien qu' ça fait ?

— Y en a qu' sept ! remarqua Matilda.

— Et çui qu'on vient d' mettre en route, ça fait pas huit ?

— Eh oui, tiens ! Voyons, trois cents par huit, ça fait deux mille quat' cents...

— Rien qu' pour les gamins ? demanda George d'un ton à la fois surpris et mécontent.

— Ben oui ! Trois fois huit vingt-quat', et avec les huit cents pour moi, ça donne trois mille deux cents en tout.

— Dis donc, c'est pas rien, hein ?

— J' te dis pas, mais y a encore toi à compter, et tu vas sûrement chercher gros ! Combien tu dirais ?

— Combien j' vaux, à ton idée ? la taquina George.

— Si j' l'aurais su, moi, j' t'ach'tais au maître, tu sais.

Ils éclatèrent de rire en chœur, mais Matilda retrouva bien vite son sérieux.

— Écoute, George, je m' demande c' qui nous prend

d'aller discuter d' ça. Tu sais bien que l' maître, il te vendra jamais !

George parut hésiter, puis reprit :

— Tilda, j' sais bien que moins on parle du maître et mieux ça vaut pour toi. Alors, j' t'ai jamais dit grand-chose sur lui. Mais si ça fait pas vingt-cinq fois qu'il m' répète la même chose, ça fait pas une : les combats de coqs, y en a plus pour longtemps, pasqu'il sent qu'il s'fait vieux. Alors, dès qu'il a assez d'vant lui, il va s' faire bâtir une belle maison avec six colonnes, et puis, avec la maîtresse, ils s' content'ront de c' que donnent les cultures.

— Ça, j'attendrai de l' voir pour y croire. Lui ou toi, vous arrêt'rez jamais avec vos poulets d' malheur !

— Mais y a donc pas moyen de t' faire entend' quèq' chose. J' te dis qu' c'est lui qui m'a raconté ça. L' maître, il a soixante-trois ans à c't' heure, je sais ça par Oncle Pompée. Donne-lui encore cinq ou six ans — un homme qu'a toujours circulé avec ses oiseaux, il va sûr'ment la trouver dure de s' tasser. Mais comme il y faudra pas mal d'argent pour bâtir sa belle maison, il s'ra p't-êt' bien content qu'on s' rachète, pasque ça y en f'ra encore plus.

Matilda grogna sans conviction.

— Enfin, vas-y, on peut toujours causer. Combien tu t'figures qu'il voudra, pour toi ?

— Ben, l' cocher de m'sieu Jewett, tu sais, l' richard, il m'a juré qu'il avait entendu son maître proposer quat' mille dollars à m'sieu Lea pour m'ach'ter, avoua Chicken George d'un air à la fois fier et consterné.

— Non ? s'exclama Matilda, complètement éberluée.

— Si ! T'aurais pas cru qu' tu couchais avec un négro d' quat' mille dollars, hein ? Mais j' vais t' dire quand même, reprit-il d'un ton sérieux, que pour moi c' négro il 'xagérait, juste pour voir si j'aval'rais sa couleuvre. Non, j'aime mieux m' fier au prix des négros qu'ont un métier, comme les charpentiers ou les forgerons. Mais ils vont quand même chercher dans les deux ou trois mille. Alors, vas-y pour trois mille. Combien ça fait en tout ?

Matilda compta et recompta soigneusement.

— Faudrait six mille deux cents dollars. Mais t'as pas compté mammy Kizzy.

— Tu peux pas attendre, non ? lança-t-il d'un air impatient. A l'âge qu'elle a maint'nant, elle peut pas coûter aussi cher qu'une jeune...

— Elle aura cinquante ans c't' année, glissa Matilda.

— Écoute, mets-la pour six cents dollars. Alors, combien qu'il faudrait, en tout ?

— On arrive à six mille huit cents dollars, répondit Matilda d'un air malheureux.

— Rien qu' ça ! Si après ça tu vois pas qu' les négros c'est du bel argent pour les Blancs ! Mais j' crois qu'avec c' que je m' fais dans les p'tis combats, on pourra y arriver. (Remarquant l'expression déconfite de Matilda, il ajouta :) J' sais c' qui te trotte dans la tête. Y a mam'zelle Malizy et Sœur Sarah et Oncle Pompée. Mais, tu sais, z'étaient déjà ma famille avant qu' t'arrives...

— Mon Dieu ! George, j' sais bien qu'on d'vrait pas d'mander à un homme de rach'ter une famille à lui tout seul, mais moi, j' pourrai jamais les laisser !

— Écoute, Tilda, comme c'est pas pour demain, on a l'temps d' voir venir, hein ?

— Oui, t'as raison. Mais tu vois, George, j'arrive pas à croire que ces chiffres, c'est nous qu' ça r'présente.

Elle avait envie de se lever et de se jeter dans ses bras, mais, en même temps, elle était trop émue : pour la première fois de leur vie, ils étaient en train de faire des projets pour leur famille, et c'était George qui avait décidé, tout seul, de cet enjeu monumental.

— Nous, on arrive jamais à rien ! s'écria George. Tout l' mal qu'on s' donne, c'est pour *faire arriver l' maître !* Moi, j'ai discuté avec des négros affranchis des villes. Ils disent que c'est dans l' Nord que ça va l' mieux pour eux. Z'habitent entre eux, z'ont des maisons et des bons boulots. Moi j' suis sûr que j' pourrais décrocher un bon boulot ! J'aurais même qu'à continuer avec les coqs. Paraît qu'à New York y a des négros qui sont fameux pour ça. Je m' souviens même de leurs noms : Oncle Billy Roger, Oncle Pete, et puis un aut' qu'ils appellent « Négro Jackson ». Mais j' vais t' dire encore aut' chose, j' veux qu' les gamins ils apprennent à lire et à écrire, comme toi.

— Mieux qu' moi, tu veux dire !

— P't-êt' bien, et puis j' veux aussi qu'ils ayent un métier. Mais dis donc, tu peux t'imaginer ça, toi : t'es dans ta maison, t'as plein d' meubles crapitonnés, et puis tout un tas d' babioles. Et c'te ma'me Tilda, l' matin, y a des négresses 'mancipées qui viennent la voir, et ça boit du thé, et ça discute de ses fleurs, et tout l' reste !

— Seigneur, mais il est fou, c't homme ! lança Matilda en riant de bon cœur. (Mais, justement, comme elle l'aimait cet homme !) Pour moi, dit-elle en retrouvant son sérieux, l' Seigneur m'a donné c' soir tout c' que j'ai jamais eu besoin. Tu crois qu'on va y arriver, George ? demanda-t-elle en glissant sa main dans la grosse patte de son mari.

— Pourquoi que j' s'rais là en train de t' parler, sans ça ?

— Tu sais, l' soir où j' t'ai dit que j' voulais bien t' marier ? J' t'ai récité c' qu'était écrit au premier chapitre du livre de Ruth : « Où t'iras, j'irai ; là où tu vas d'meurer, je d'meurerai ; ton peuple sera mon peuple. » T'as pas oublié, non ?

— Non, ça m' revient.

— Eh bien, j' l'ai jamais autant pensé qu'en c' moment.

90

En arrivant devant le maître, Chicken George se découvrit.

— Y a mon fils Tom, çui-là qu'a vot' nom, maître, qu'a fabriqué ça pour sa grand-mère, dit-il en lui tendant une petite aiguière qui semblait faite d'un entrelacement de gros fils métalliques, et dont l'anse figurait une corne de bœuf. (Le maître s'en saisit, l'examina rapidement et se contenta de pousser un grognement. George insista :) Vous l' croiriez pas, maître, mais il a fait c't engin avec du vieux fil barbelé tout rouillé, en assemblant les brins au-d'ssus d'une fournaise de charbon d' bois, et puis en soudant tout l' truc une fois qu'il y avait donné la forme. On peut dire qu'il est adroit, c' Tom... (Mais m'sieu Lea ne réagissait toujours pas. George comprit qu'il lui faudrait dévoiler ses batteries.) Maître, vous imaginez pas comme ce garçon il a toujours été fier d' porter vot' prénom, et nous on s' dit qu'en y donnant les moyens d'y arriver, ça vous f'rait un bon forgeron.

Cette fois m'sieu Lea réagit en prenant une expression mécontente, mais, d'une certaine façon, cela renforça la détermination de George. N'avait-il pas promis à Matilda et à Kizzy d'user de son influence en faveur de Tom ? Le mieux, d'ailleurs, était de faire valoir devant le maître les avantages financiers qu'il y trouverait.

— Maître, vous y laissez gros, au forgeron, tous les ans. Eh bien, ça s'rait autant d' gagné pour vous ! On vous l'a jamais dit, mais Tom il vous évite déjà quèq' dépenses : c'est lui qu'aiguise les serpettes, les faucilles et tout un tas d'aut' outils — sans compter tout c' qu'il répare. Si j'en parle à c't' heure, c'est pasque vous m'avez fait conduire le chariot chez cet Isaïe, pour y faire mettre des jantes de métal neuves. Et v'là-t-y pas que c' négro il m' raconte que ça fait des années que m'sieu Askew il y promet un aide, pasqu'avec la forge il rapporte pas mal à son maître, mais il suffit plus à la besogne. Il dit qu' s'il arrivait à trouver un garçon sérieux, il en f'rait un forgeron, alors, j'ai tout d' suite pensé à Tom. Y aurait qu'à y gagner, pasqu'il fabriqu'rait tout c' qu'on a besoin et l' travail qu'il f'rait pour le monde, comme Isaïe, ça s'rait du bénéfice.

M'sieu Lea devait être ébranlé, mais il n'en laissait rien voir.

— Qu'est-ce que j'y gagne si ton garçon perd son temps à fabriquer ses machins au lieu de travailler aux champs ? lança-t-il aigrement à George en lui rendant l'aiguière.

— Mon Tom, il a jamais manqué un jour aux champs, maître. Il prend seul'ment son temps du dimanche, mais il a ça dans la peau d' fabriquer des choses !

— Ça va, je verrai ! dit m'sieu Lea en partant brusquement, laissant derrière lui un George tout penaud.

Mam'zelle Malizy, qui épluchait des navets, se contenta de se retourner en entendant le maître entrer dans la cuisine. Autrefois, elle aurait sauté sur ses pieds, mais, à son âge et dans sa position, elle pouvait bien se permettre de légères infractions sans que m'sieu Lea en prît ombrage.

— Qu'est-ce que tu penses de ce Tom ? demanda le maître sans préambule.

— Tom ? Le Tom de Tilda, maître ?

— Tu connais d'autres Tom ici ? Alors, qu'est-ce que t'en penses ?

Mam'zelle Malizy savait exactement de quoi il retournait. Quelques minutes plus tôt, Kizzy l'avait informée de l'incertitude de Chicken George quant à la réaction du maître. Mais elle avait elle-même une si haute opinion de Tom — et pas seulement parce qu'il lui avait confectionné de petits ustensiles pour sa cuisine — qu'elle décida de faire attendre m'sieu Lea quelques secondes, pour avoir l'air impartiale.

— C' garçon-là, maître, répondit-elle enfin, faut pas trop chercher à lui parler, pasque la conversation, c'est pas son fort. Mais j' peux vous dire qu'y en a pas un plus malin qu' lui, et qu' c'est l' plus brave de tous. Tom, il s'ra un *homme,* lui, par bien des façons qu' son papa il a pas eues.

— Qu'est-ce que tu racontes ? Quelles façons ?

— Juste des façons d'*homme,* maître. Un gaillard solide, qu'on peut compter d'ssus, qu'est pas toujours en train d' faire du vent. Un homme qu'est un bon mari.

— J'espère bien qu'il ne songe pas encore au mariage, parce que, depuis que j'ai donné mon consentement à celui de l'aîné — comment il s'appelle, déjà ?

— Virgile, maître.

— Oui, eh bien, ce Virgile file toutes les fins de semaine à la plantation Curry pour aller coucher avec la fille, au lieu de rester ici à faire son travail.

— Tom, il est pas comme ça, maître. Déjà qu'il est trop jeune à c't' heure, mais j'ai dans l'idée que ce s'ra pas son genre à c' garçon, l'est sérieux.

— A ton âge, tu sais plus c' que les jeunes ont dans la peau. Ils sont parfaitement capables de laisser en plan la mule et la charrue pour aller courir la gueuse.

— Pour Ashford, j' dirai pas l' contraire, maître. Histoire de courailler, c'est son papa tout craché. Mais pas Tom.

— Dans ce cas, tant mieux. Alors, d'après toi, ce garçon serait bon à quelque chose ?

— C'est 'xactement c' qu'on dit, nous aut', répondit mam'zelle Malizy en s'efforçant de dissimuler sa jubilation. J' sais pas pourquoi vous me d'mandez des choses sur Tom, mais sûr que c'est l' meilleur de tous ces grands gars.

Cinq jours plus tard, m'sieu Lea annonçait sa décision à Chicken George.

— Je me suis entendu avec la plantation Askew. Ils vont le prendre pour trois ans, comme apprenti de leur Isaïe.

Chicken George aurait volontiers embrassé le maître, mais il se contenta de lui dédier son plus large sourire en balbutiant ses remerciements.

— J'espère que tu ne m'as pas fait faire fausse route avec ce garçon, George. Je me suis porté garant de lui auprès de M. Askew. Mais s'il ne donne pas toute satisfaction, s'il se permet le moindre écart, je vous tannerai le cuir à tous les deux, tu m'entends ?

— Maître, avec mon Tom, y a rien à craindre, vous pouvez m'en croire. C'est bien l' fils de son père !

— C'est justement ce qui m'inquiète. Enfin, dis-lui de se préparer, il part demain matin.

— Oui, m'sieu, et merci, m'sieu. Vous l' regrett'rez pas.

Tout à la joie d'avoir réussi son coup, Chicken George se précipita pour annoncer la grande nouvelle dans le quartier des esclaves. Matilda et Kizzy eurent le bon goût de ne pas lui rappeler que c'étaient elles qui l'avaient poussé à parler de Tom au maître. Puis George se planta devant sa case et se mit à crier :

— Tom ! Tom ! Dis donc, Tom, t'arrives, oui ?

— Me v'là, papa ! répondit Tom depuis l'appentis qu'il s'était installé derrière l'écurie.

— Vas-tu t'am'ner, à la fin ?

Tom accourut bientôt et écouta son père bouche bée, les yeux ronds. L'incroyable nouvelle le prenait entièrement au dépourvu — car on l'avait tenu à l'écart de la démarche de son père, pour lui éviter une déception, au cas où elle aurait échoué. Tom débordait de joie, mais il fut si gêné par les félicitations dont les autres l'accablaient qu'il s'esquiva rapidement — et puis il avait besoin d'être seul pour se faire à cette idée qu'il allait enfin pouvoir réaliser son rêve. Mais Kizzy et Mary, ses deux petites sœurs, n'avaient pas attendu pour aller prévenir les grands frères.

Virgile venait juste de terminer sa besogne à l'écurie. Tom vit arriver la haute silhouette efflanquée de son aîné, l'entendit grommeler quelque chose qui devait être un compliment et ne put se retenir de sourire en le voyant s'éloigner comme stupéfié — depuis son mariage, il ne semblait plus toucher terre.

Mais il se raidit, car voici qu'approchait Ashford, traînant derrière lui leurs deux plus jeunes frères, James et Lewis. Il y avait toujours eu entre lui et le cadet — aujourd'hui âgé de dix-huit ans — un inexplicable antagonisme. Dandinant son corps râblé et vigoureux, Ashford lança son venin :

— T'as toujours été le chouchou ! A force de leur faire de la lèche, t'as réussi ! Tu vas bien t' payer not' tête, à nous aut' qu'on est dans les champs ! (Il gesticula comme pour frapper Tom, au grand effroi de James et de Lewis.) Mais t'en fais pas, j' t'aurai au tournant !

Et il s'en fut d'un air outragé. Un jour ou l'autre, pensa Tom, cela tournerait mal entre eux.

Mais, avec « P'tit George », ce fut une autre chanson.

— C' que j' donn'rais pas pour être à ta place ! Papa, il m'éreinte avec ses poulets ! Pasque j' m'appelle comme lui, faudrait que j' soye fou d' ces sales bêtes ! Mais moi, j' peux pas les *sentir !*

Quant à Kizzy et Mary — dix et huit ans — estimant avoir fait leur devoir en annonçant le nouveau destin de Tom, elles ne le quittèrent plus de l'après-midi, éperdues d'admiration devant ce grand frère qui avait soudain toutes leurs préférences.

Le lendemain matin, Tom partit dans le chariot que conduisait Virgile. Arrivées aux champs, Kizzy, Sœur

Sarah et Matilda se mirent à sarcler avec si peu d'entrain que Kizzy finit par remarquer tout haut :

— Et j' te r'nifle, et j' te pleurniche, et j' te prends un air dolent, ce s'rait à croire qu'on le r'verra jamais, c't enfant !

— Eh là ! Faut plus dire un *enfant,* ma belle ! s'écria Sœur Sarah. L' prochain *homme* qu'on aura par ici, ça s'ra Tom !

91

Chicken George ne se souvenait pas avoir connu une fièvre comparable à celle qui s'empara des amateurs de combats de coqs, à la fin de novembre 1854 : le riche M. Jewett recevait chez lui un Anglais des plus opulents, noble de surcroît, qui avait traversé l'Océan avec trente oiseaux superbes, de haute race et entraînés « à l'anglaise ». C'était M. Jewett qui avait invité l'Anglais, sir C. Eric Russell, à venir faire combattre ses bêtes contre les meilleurs champions des États-Unis. Étant amis de longue date, ils se refusaient à se mesurer l'un contre l'autre, mais chacun engagerait de son côté vingt coqs, soit au total quarante bêtes opposées à autant de champions. La somme des enjeux, pour les seuls propriétaires, serait de l'ordre de 30 000 dollars, et leurs paris individuels ne pourraient être inférieurs à 250 dollars. Il fut finalement décidé que huit éleveurs entreraient en lice, chacun avec cinq coqs. Pour George, il allait sans dire que m'sieu Lea compterait parmi ces huit.

En revenant de déposer sa caution de 1 875 dollars, le maître résuma la situation :

— Nous avons six semaines pour entraîner cinq oiseaux.

Et nul, dans la plantation, ne vit beaucoup m'sieu Lea ou Chicken George pendant ces six semaines.

— L' maître, il fait aussi bien d' rester avec ses poulets, raconta mam'zelle Malizy à la fin de la troisième semaine, pasque la maîtresse, elle est tout c' qu'y a d' furieux ! J' l'ai entendue qui f'sait un foin d'enfer pasqu'il aurait r'tiré cinq mille dollars de la banque. La moitié de c' qu'ils avaient mis d' côté dans toute leur vie, qu'elle tempêtait. Et tout ça pasqu'il voulait faire le faraud d'vant des gens qu'ont mille fois plus d' bien qu' lui.

Pour finir, concluait mam'zelle Malizy, le maître lui avait hurlé de la fermer et il était parti en claquant les portes.

Matilda et Tom l'écoutaient d'un air lugubre. Le garçon avait maintenant vingt et un ans, et, depuis quatre ans qu'il était revenu de la plantation Askew, la forge qu'il s'était installée derrière l'écurie ne désemplissait pas — pour le plus grand bénéfice de m'sieu Lea. Folle de rage, Matilda avait confié à son fils que Chicken George lui avait brutalement extorqué les deux mille dollars d'économies qu'ils possédaient, pour les faire miser par m'sieu Lea sur ses coqs. Elle aussi s'était fâchée après avoir essayé en vain de le raisonner, « mais t'aurais dit qu'il était dev'nu fou », avait-elle raconté à Tom. Et puis il s'était mis à hurler comme un perdu :

— Nos oiseaux, moi, j' les connais d'puis qu'ils ont été pondus. Et j' te dis qu'y en a pas un qui peut les battre, on va pas laisser passer c'te chance de doubler c' qu'on a en deux minutes, l' temps qu' not' coq il tue l'aut', au lieu d' s'échiner sou à sou pendant encore huit ou neuf ans ! C'est pas *possib'* qu'on perde. J' te dis de m' donner mon argent, femme !

Et Matilda avait bien été obligée de céder.

Une semaine avant le grand tournoi, le maître alla

faire l'acquisition de six paires d'éperons en acier suédois, aussi acérés que des rasoirs.

Comme il leur semblait impossible de départager entre les huit coqs qu'ils avaient finalement sélectionnés, m'sieu Lea décida qu'ils les emmèneraient tous les huit et qu'ils choisiraient au dernier moment.

Ils partirent à minuit, afin d'arriver assez tôt pour pouvoir se reposer et dégourdir convenablement les coqs. Mais Chicken George savait que le maître était aussi impatient que lui d'être sur les lieux. Le long voyage nocturne se passa sans histoires. Chicken George conduisait et, tout en regardant danser la lanterne accrochée au bout de la flèche, entre les mules, il songeait à la scène que lui avait faite Matilda à propos de l'argent. Il savait pourtant bien mieux qu'elle ce que cela représentait de patientes économies, année après année ; après tout, n'était-ce pas lui qui avait constitué ce magot en engageant les coqs dans des dizaines et des dizaines de petits combats ?

— T'as pas l' droit d' jouer l'argent d' not' liberté, avait-elle crié.

Mais justement, qui avait eu l'initiative de songer à leur rachat ? C'était bien lui, non ?

Elle aurait dû comprendre que c'était une bénédiction que m'sieu Lea lui ait confié son besoin pressant d'argent frais — non seulement pour faire bonne figure devant les richards qu'il affronterait, mais aussi pour leur ratisser pas mal de dollars dans les paris ouverts. Chicken George souriait tout seul au souvenir de l'ébahissement de m'sieu Lea lorsqu'il lui avait dit :

— J'ai deux mille dollars de côté, maître, ça pourrait grossir vos paris. Une fois revenu de sa surprise, le maître lui avait serré la main avec effusion, en lui donnant sa parole qu'il ne garderait pas un cent des gains obtenus avec cet argent.

— Tu sais que tu vas toucher au moins deux fois ta

mise ! Et qu'est-ce que tu vas faire avec tout cet argent, mon garçon ?

Alors là, Chicken George avait décidé de risquer encore infiniment plus — en avouant tout bonnement ses mobiles.

— Faudrait pas qu' vous l' preniez mal, maître, pasque pour moi, y a pas mieux qu' vous. Mais on a discuté avec Tilda, et on voudrait essayer d' nous rach'ter avec nos enfants, pour finir not' vie comme des négros libres ! (Voyant la surprise du maître, il l'avait imploré :) Allez pas prendre ça en mauvaise part, hein, maître...

Mais la réponse de m'sieu Lea l'avait littéralement cloué au sol.

— Mon garçon, je vais te dire exactement ce que j'ai en tête avec ce tournoi-là. Pour moi, ce sera le dernier. J'ai tout de même soixante-dix-huit ans, à l'heure qu'il est, et ça fait cinquante ans que j' me tue à élever ces poulets et à courir partout au moment de la saison. J'en ai ma claque ! Et tu sais c' que j'escomptais, moi ? Réussir un gain suffisant, avec ma mise de départ et les paris ouverts, pour nous faire enfin bâtir une maison, la bonne femme et moi — pas une grande demeure comme je voulais d'abord, mais juste cinq ou six pièces. Il nous en faut pas plus, une maison moyenne mais *neuve*. Et avant qu' t'en parles, j'avais pas pensé à un truc : qu'est-ce qu'on a besoin de s'embêter avec une tripotée de négros ? Sarah et Malizy suffiront largement pour la cuisine et le potager — j'aurai plus grand-chose à sortir, et rien à demander à personne. (George en avait le souffle coupé, mais m'sieu Lea était loin d'avoir fini.) Alors, écoute donc, mon garçon ! Vous m'avez bien servi, j'ai jamais eu à m' plaindre de vous. On gagne ce tournoi, hein ! Toi, en doublant ta mise, tu t' fais quatre mille dollars ! Eh bien ! Tu me les donnes, et on en parle plus. Et tu sais pourtant aussi bien que moi que vous valez au bas mot le double, tous ensemble. J' te l'ai jamais dit, mais ce richard de Jewett m'a déjà proposé quatre mille dollars rien que pour toi et j'ai *refusé !* N'importe, vous voulez être libres, eh bien, vous serez libres !

Éclatant en pleurs, Chicken George s'était jeté dans les bras de m'sieu Lea qui s'écartait, gêné.

— Seigneur Dieu ! maître, vous pouvez pas savoir c' que vous êtes en train de m' dire. On voudrait tell'ment être libres, nous aut' !

— J' me demande c' que vous serez capables de faire, vous autres négros, sans personne pour s'occuper de vous, répondit m'sieu Lea d'une voix étrangement rauque. Et ma femme a pas fini d' faire du foin, tiens ! Parce que c'est à peu près comme si je vous émancipais gratis ! Rien que Tom, avec son métier de forgeron, il irait déjà chercher dans les deux mille cinq cents dollars, et sans compter le manque à gagner, hein, parce qu'il me rapporte gentiment pour l'instant. (Le maître repoussa Chicken George d'un geste brusque.) Va-t'en donc avant que je change d'avis, négro ! Nom de Dieu, faut que j' sois fou. Et ta bonne femme et ta mammy et les autres qu'arrêtent pas de dire que j' suis un mauvais maître, ils chanteront plus la même chanson, j'espère !

Ils arrivèrent à l'aube en vue de l'aire du tournoi, déjà envahie par une foule immense et disparate qui se répandait même dans la prairie adjacente qu'emplissaient rapidement chariots, carrioles, buggies, chevaux et mules.

Tom Lea ! Les acclamations montaient d'un groupe de petits Blancs. Le maître dégringola du siège, accueillit les bruyants hommages d'un signe de la main mais continua son chemin. Chicken George savait que le maître était à la fois fier et gêné de sa notoriété parmi les petits Blancs. N'était-il pas devenu un personnage légendaire depuis cinquante ans qu'il participait à tous les combats de coqs de la région ? Et ne faisait-il pas preuve, à soixante-dix-huit ans, d'une compétence que l'âge ne semblait en rien avoir entamée ?

Bientôt, pourtant, la remuante assistance n'eut plus qu'un point de mire : le grand cabriolet où, à côté de M. Jewett, trônait un gros petit homme rougeaud bizarrement accoutré — son hôte, le noble anglais. Ils affichaient tous deux un air de hautaine distinction, encore renforcé, chez l'Anglais, par une pointe de mépris à l'égard de la turbulente piétaille au milieu de laquelle la voiture s'ouvrait un chemin.

Chicken George était trop accoutumé à l'ambiance des combats pour se laisser distraire de sa tâche la plus impérative : masser les pattes et les ailes de ses oiseaux. Les bruits montant de la foule le renseigneraient sans qu'il ait à jeter le moindre coup d'œil.

Mais voici que soudain retentit la voix de l'arbitre :

— Les cinq coqs à combattre maintenant sont à M. Tom Lea, du comté de Caswell !

Et puis tout sembla aller très vite : l'Anglais, apparemment piqué de l'ovation faite à son adversaire, proposant à m'sieu Lea de miser dix mille dollars de plus sur leurs bêtes respectives..., le maître contre-attaquant en *doublant* cette mise..., la surenchère de l'Anglais après le premier combat — gagné par m'sieu Lea... — et soudain l'impensable, l'atroce défaite de leur plus valeureux combattant, celui que Chicken George avait baptisé « le Faucon » !

Ils ne mirent que deux heures pour rentrer à la plantation, mais jamais voyage n'avait paru plus long à George. Pourtant, il regretta vite qu'il n'ait pas duré encore plus longtemps devant l'accueil que lui réserva Matilda. Incapable de supporter ses hurlements et ses sanglots, il alla se réfugier dans l'enclos des coqs, où il demeura toute la nuit et toute la journée suivante. A la tombée de la nuit, alors qu'il s'occupait des cochets, le maître parut.

— J'ai quelque chose à te dire, George. (M'sieu Lea semblait chercher ses mots.) Je sais pas comment te déballer ça. Je suis loin d'avoir c' qu'il faut pour payer l'Anglais. A part quelques milliers de dollars, j' possède rien d'autre que ma maison, mes terres, et vous autres, mes négros.

Il va nous vendre, pressentit George.

— Mais même avec tout ça, j'arrive pas à la moitié de c' que j' dois à ce nom de Dieu d'enfant d'putain! Alors, il m'a fait une proposition, poursuivit le maître d'une voix hésitante. Comme il estime beaucoup c' que t'as fait avec nos coqs... (Le maître respira un grand coup, tandis que George retenait son souffle.) ... et puisqu'il a perdu son entraîneur y a pas longtemps, ça l'amuserait d'en remmener un de par ici — un négro. (Devant le regard incrédule de George, le maître se mit à parler plus sèchement.) Enfin, histoire d'arranger les choses, il me tiendra quitte moyennant tout c' que j'ai en liquide, une hypothèque sur la maison et tes services en Angleterre — juste le temps de lui former un bon entraîneur. Il dit que ça n'ira pas chercher plus de deux ans. (George était incapable d'articuler un mot. Et d'ailleurs, qu'aurait-il eu à objecter? Après tout, il n'était que l'esclave du maître.) Et tu sais c' que je vais faire, pour compenser c' que t'as perdu ? D'abord, je te donne ma parole de m'occuper de ta femme et de tes enfants pendant que tu seras au loin. Et le jour où tu rentres... (M'sieu Lea tira un papier de sa poche et le déplia sous le nez de Chicken George.) Tu sais c' que c'est ? Je l'ai rédigé hier soir : c'est ton acte d'émancipation, mon garçon! Il va rester dans mon coffre jusqu'à ton retour, à t'attendre...

La rage au cœur, George jeta les yeux sur la feuille blanche remplie de signes mystérieux. Puis, en s'efforçant de parler calmement, il répondit au maître :

— J'allais tous nous rach'ter, maître. Et maint'nant qu' j'ai plus rien, vous m'envoyez d' l'aut' côté d' l'eau, sans ma femme, sans mes enfants. Et pourquoi qu' vous leur donnez pas leur liberté, *à eux,* et puis après à moi, quand je r'viendrai ?

— Dis donc, c'est pas à toi de me dire ce que j'ai à faire, mon garçon ! rétorqua le maître d'un air mauvais. J'en offre déjà trop, seulement, avec les nègres, c'est jamais assez. Mais je te conseille de tenir ta langue, hein ! Ça serait pas que t'as été chez moi toute ta vie que je te vendrais, et plus vite que ça !

— Vous êtes là à parler d' ma vie, maître, mais quoi qu' vous en faites à c't' heure ?

— Rassemble ce que tu veux emporter, répondit le maître d'un ton dur. Tu pars samedi pour l'Angleterre.

92

Chicken George parti, la chance parut abandonner m'sieu Lea. Et chez lui le cœur n'y était plus vraiment. Mais aussi bien se heurtait-il à trop de difficultés. Trois jours après avoir confié la charge des coqs à P'tit George, il le surprenait déjà à négliger de remplir les augets des cochets. Le rondouillard P'tit George renvoyé aux champs avec perte et fracas, c'était au benjamin, Lewis, qu'étaient revenues ces fonctions. Avec ses dix-huit ans, ce n'était plus un gamin, mais il était totalement inexpérimenté. M'sieu Lea devait donc assumer seul la mise en forme et l'entraînement des combattants.

Lewis, qui accompagnait le maître aux rencontres, racontait qu'il avait entendu dire ouvertement que Tom Lea cherchait à emprunter de l'argent pour parier.

— Et y en a pas beaucoup qui discutent avec le maître. Les gens, ils lui disent deux ou trois mots ou ils lui font un signe et puis ils s' défilent comme s'il avait la peste.

— Oui, c'est la peste d'être pauv' commc Job, dit Matilda.

— Il s'ra jamais qu'un p'tit Blanc de rien du tout! conclut Sœur Sarah.

Tout le quartier des esclaves savait que m'sieu Lea s'était mis à boire plus qu'immodérément et qu'il se consolait ainsi journellement de ses déboires, entre deux prises de bec avec la maîtresse.

— C't homme-là, l'est dev'nu un vrai poison, confia mam'zelle Malizy d'un air lugubre, à l'occasion d'une veillée. Le soir, il s' ramène mauvais comme une teigne, et si la maîtresse ose seul'ment le r'garder c'est des jurons et des braillements à n'en plus finir. Alors, quand il est pas là, elle arrête pas d' pleurer et d' gémir qu'elle veut plus entendre parler des poulets!

Matilda l'écoutait sombrement : elle aussi avait tant prié et tant pleuré, mais c'était à cause du départ de George. Elle regardait ses enfants — deux filles adolescentes, six grands fils adultes, dont trois déjà avec femme et enfants. Elle aurait voulu que Tom, le forgeron, donnât son avis. Mais la voix qui s'éleva fut celle de Lilly Sue, la femme de Virgile — et bientôt la mère de son enfant, à en juger par son gros ventre. Comme la plantation Curry, à laquelle elle appartenait, était peu éloignée, elle était venue passer la veillée dans sa belle-famille.

— Moi, j' connais pas c' maître-là aussi bien qu' vous, dit-elle d'un ton plein d'inquiétude, mais j' sens qu'il mijote quèq' chose de terrib'.

Un silence pesant s'installa, nul n'osant exprimer tout haut ses propres appréhensions.

Le lendemain, après le petit déjeuner, mam'zelle Malizy entra avec précipitation dans l'atelier de Tom.

— Faut seller l' cheval du maître et y am'ner au pied du perron, le pressa-t-elle, visiblement au bord des larmes. Lambine pas, Seigneur Dieu ! L'est en train d' dégoiser des abominations à c'te pauv' maîtresse !

Tom s'exécuta promptement, et il venait juste de laisser l'animal devant la grande maison lorsque le maître sortit en titubant, le visage empourpré par l'alcool ; et, se mettant en selle à grand-peine, il partit au galop en maintenant un équilibre précaire.

Par une fenêtre entrebâillée parvenaient à Tom les sanglots de la maîtresse. Gêné pour elle, il s'empressa de regagner son atelier et il commençait juste à redresser un soc tordu lorsque mam'zelle Malizy fit une réapparition.

— Écoute bien c' que j' te dis, Tom, l' maître, il voudrait se supprimer qu'il s'y prendrait pas autrement, pasque faut pas oublier qu'il va sur ses quatre-vingts ans !

— Si vous voulez savoir c' que j' pense, mam'zelle Malizy, c'est justement c' qu'il a dans l'idée.

Le maître revint vers le milieu de l'après-midi, flanqué d'un autre Blanc à cheval, et, de leurs postes d'observation respectifs — la cuisine et la forge — mam'zelle Malizy et Tom constatèrent avec étonnement qu'au lieu de mettre pied à terre et d'aller se rafraîchir dans la grande maison les deux hommes se dirigeaient directement vers l'enclos des coqs. A peine une demi-heure plus tard, le visiteur repartait à toute bride, le visage furibond et coinçant sous son bras une poulette reproductrice gloussante d'indignation.

A la veillée, les esclaves apprirent par Lewis ce qui s'était passé.

— J'ai fait semblant d' travailler en entendant les ch'vaux, et puis j' suis tout d' suite allé m' cacher derrière un buisson. Z'ont discuté comme des perdus pendant un bon bout d' temps et les v'là qui s' mettent d'accord sur cent dollars pour une poulette qu'était en train d' couver. L'homme, il compte les billets, l' maître il les r'compte et il les fourre dans sa poche.

Mais v'là qu' ça commence à chauffer, pasque l'homme il disait qu' les œufs ils allaient avec la bestiole. Alors, l' maître il part à jurer comme un fou, il attrape la poule et il écrase tous les œufs à grands coups d' talon ! J' voyais l' moment où ils allaient s'empoigner, mais d'un seul coup l' bonhomme il y prend la bestiole des mains, il saute sur son ch'val et le v'là parti en criant qu' si l' maître il était pas si vieux, il y aurait pété l' crâne !

Dans le quartier des esclaves, le malaise n'arrêtait pas de grandir, et le tour effrayant que risquaient de prendre les événements empoisonnait même le repos nocturne. Pendant tout l'été et la majeure partie de l'automne 1855, ce fut instinctivement vers Tom que toute la famille tournait ses regards dès que le maître faisait une nouvelle crise, ou qu'il effectuait un déplacement inusité, comme pour lui demander ce qu'il fallait faire ou penser : mais Tom restait muet.

En novembre, pourtant, le maître dut avoir au moins un sujet de satisfaction avec l'abondance de la récolte de coton et de tabac, dont les esclaves n'ignoraient pas qu'il avait tiré un bon prix. Un samedi, au crépuscule, Matilda se posta derrière la fenêtre de sa case et guetta la forge de Tom : dès qu'elle vit le dernier client sortir, elle se hâta d'aller retrouver son fils. Tom ne pouvait se méprendre à son expression : elle avait quelque chose de particulier à lui dire.

— Tom, ça fait un moment que j' réfléchis. Tous les six, vous êtes des hommes, à c't' heure. Toi, t'es pas mon aîné, mais moi, j' sais qu' t'es l' plus raisonnab'. En plus, t'es quand même forgeron, alors qu'eux, c'est jamais qu' des Noirs des champs. On a besoin d'un chef de famille nous aut', d'puis huit mois qu' ton père est plus là — enfin, jusqu'à c' qu'il revienne.

C'était vraiment prendre Tom au dépourvu — lui qui s'était toujours tenu en retrait, qui n'avait même jamais été vraiment lié avec ses frères, ne serait-ce qu'à cause de ses années d'apprentissage loin de la plantation Lea. Et, depuis son retour, il s'était confiné dans son atelier, tandis que les autres peinaient aux champs. C'était tout juste si les ponts n'étaient pas coupés entre lui et ses aînés, Virgile, Ashford et P'tit George, pour des raisons par ailleurs différentes. A vingt-sept ans, Virgile passait ses moindres instants de liberté dans la plantation voisine, où vivaient sa femme Lilly Sue et leur fils Urie — un nourrisson. Entre le cadet, Ashford, et Tom, il n'y avait jamais eu d'affection fraternelle. Pour ne rien arranger, Ashford était tombé éperdument amoureux d'une fille qu'il ne pouvait épouser parce que le maître de cette dernière refusait son consentement en traitant Ahsford de négro « faraud », ce qui n'allait sûrement pas lui adoucir le caractère. Quant à P'tit George, à vingt-quatre ans, c'était déjà un gros rondouillard épris de la cuisinière d'une plantation voisine, qui aurait pu être sa mère — ce qui faisait dire à la famille qu'il ferait *n'importe quoi* pour avoir le ventre plein.

Mais, ce qui bouleversait le plus Tom, c'était que s'il déférait au vœu de Matilda, il aurait, en tant que chef de famille, à servir d'intermédiaire entre les siens et m'sieu Lea — alors qu'il s'était toujours efforcé de réduire au minimum leurs contacts. De son côté d'ailleurs, une fois la forge installée, le maître avait paru respecter tout autant la réserve de Tom que sa compétence, qui attirait une clientèle grandissante. M'sieu Lea encaissait directement le prix des travaux effectués par Tom et, tous les dimanches, il lui donnait deux dollars.

Le naturel taciturne de Tom se doublait d'une grande propension à la réflexion. Mais nul n'aurait pu imaginer que, depuis plus de deux ans, il n'arrêtait pas de retourner dans sa tête les passionnantes descriptions de son père sur les possibilités offertes aux Noirs affranchis « là-haut dans l' Nord ». Il avait même un moment songé très sérieusement à proposer à toute la « famille » un projet de fuite collective vers le Nord, au lieu d'attendre interminablement d'avoir amassé de quoi se racheter. Il avait pourtant dû abandonner cette idée en songeant à l'âge de grand-maman Kizzy — largement la soixantaine — et à celui de Sœur Sarah et de mam'zelle Malizy — soixante-dix ans bien comptés. Sans doute auraient-elles été justement les trois plus déterminées à tenter l'aventure, mais celle-ci risquait de leur être fatale.

Plus récemment, les réflexions de Tom l'avaient amené à penser que les pertes du maître, à la suite des derniers combats, dépassaient encore ce qu'il osait en avouer. Les déboires, l'âge, l'alcool se lisaient chaque jour un peu plus sur son visage creusé, ses traits hagards. Tom trouvait d'ailleurs la confirmation de ses sombres pressentiments dans le fait que le maître avait vendu la moitié de ses volatiles — des bêtes issues d'un demi-siècle de savant élevage.

Quand vint Noël, puis le Nouvel An 1856, une lourde chappe semblait s'être appesantie, non seulement sur le quartier des esclaves, mais sur la plantation tout entière. Au début du printemps, se présenta à la grande maison un cavalier en qui mam'zelle Malizy crut déceler un nouvel acheteur de coqs. Mais elle fut prise d'appréhension devant le souriant accueil du maître. M'sieu Lea bavarda aimablement avec l'homme tandis que celui-ci mettait pied à terre, cria à P'tit George de s'occuper du cheval et de l'installer à l'écurie pour la nuit, puis il fit à son hôte les honneurs de la grande maison.

Mam'zelle Malizy n'avait pas encore servi le dîner que déjà des interrogations angoissées résonnaient dans le quartier des esclaves.

— Quoi qu' c'est-y c't' homme-là ?... J' l'avais encore jamais vu !... Ya beau temps que l' maître il avait plus des manières comme ça !...

Chacun se rongeait en attendant le compte rendu de mam'zelle Malizy. Mais celle-ci dut avouer, en rentrant, qu'elle ne savait pratiquement rien. Sans doute les deux hommes n'avaient-ils pas voulu discuter devant la maîtresse. En tout cas, l'œil fuyant du visiteur ne lui disait rien qui vaille, c'était sûrement un personnage faux, essayant de se faire passer pour ce qu'il n'était pas. Tous les yeux du quartier des esclaves restèrent tournés vers la grande maison. La lueur dansante d'une lampe leur apprit que la maîtresse montait se mettre au lit, mais le salon était toujours éclairé lorsqu'ils durent se résoudre à se coucher — car la cloche du réveil tintait à l'aube.

Avant le petit déjeuner, Matilda réussit à prendre Tom à part.

— J'ai pas pu t' le dire hier soir, pasque j' voulais pas alarmer les autres, mais j' sais par mam'zelle Malizy que l' maître il doit payer deux billets de sa 'pothèque sur la maison, et il en a pas l' premier cent ! Pour moi, c' Blanc-là, c'est un marchand d' nègres !

— Pour moi aussi, répondit Tom. Mais tu vois, mammy, ça fait un moment que je m' demande si on s'rait p't-êt' pas mieux chez un aut' maître. Pourvu qu'on soye tous ensemb', hein ? C'est ça qui m' tourmente le plus.

Mais leur conversation fut interrompue par l'arrivée des autres.

Après avoir fait honneur au solide petit déjeuner que leur servit mam'zelle Malizy — la maîtresse étant retenue dans sa chambre par une migraine — le maître et son hôte se mirent à arpenter la grande cour en discutant d'une manière apparemment confidentielle. Puis ils se rendirent dans la forge, où ils restèrent plusieurs minutes à regarder Tom fabriquer des gonds. A l'aide de ses longues tenailles, il sortit du foyer deux plaques de fer amenées au rouge et les replia en deux autour du pivot fixé dans l'enclume, pour arrondir la partie destinée à recevoir la fiche. Puis il y perça à intervalles réguliers trois trous de fixation et termina son ouvrage en évidant les plaques au burin, pour leur donner le dessin en H qu'avait commandé le client. A aucun moment Tom n'avait paru se préoccuper de ses deux spectateurs, et ce fut finalement m'sieu Lea qui rompit le silence.

— C'est un excellent forgeron, je ne crains pas de le dire.

L'homme se contenta d'approuver d'un grognement et se mit à inspecter les lieux en s'arrêtant devant divers spécimens du travail de Tom disséminés dans le petit atelier. Soudain, il demanda à Tom :

— Quel âge ça te fait, mon garçon ?

— Bientôt vingt-trois ans, m'sieu.

— Combien t'as de p'tits ?

— J' suis pas marié, m'sieu.

— Un grand gaillard comme toi n'a pas besoin d'être marié pour faire des p'tits dans tous les coins. (Tom ne répondit rien, en pensant à tous les petits dont les Blancs peuplaient les quartiers des esclaves.) Tu ne serais pas un de ces nègres religieux ?

— L' maître a dû vous dire qu'on est une famille, nous, ici, répondit Tom qui voyait bien où l'homme voulait en venir avec ses questions. Y a ma mammy, ma grand-mammy, mes frères et mes sœurs. On a tous appris à croire au Seigneur et à la Bible, m'sieu.

— Lequel de vous lit la Bible aux autres ? rétorqua l'homme avec un regard méfiant.

Il n'était surtout pas question d'avouer à cet homme que sa mère et sa grand-mère savaient lire. Aussi, Tom rusa :

— D'puis qu'on est gamins on entend les histoires de l'Écriture, alors on les connaît par cœur.

La réponse parut satisfaire l'homme, qui revint à ses premières préoccupations.

— Crois-tu que tu serais de taille à faire ce travail

dans une propriété beaucoup plus grande que celle-ci ?

Et voilà ! Toutes les craintes de Tom étaient confirmées. Mais il lui fallait absolument savoir si la vente envisagée comprenait aussi sa famille. Alors, il rusa de nouveau :

— Ben, m'sieu, moi et les aut', on est tous bons pour la culture et on sait faire à peu près tout c' que les maîtres ont besoin...

Mais déjà le maître et son hôte s'en allaient nonchalamment vers les champs.

— Quoi qu'ils ont dit, Tom ? demanda mam'zelle Malizy, venue aux nouvelles. La maîtresse, elle ose même pas me r'garder en face.

— Sûr qu'y a une vente qui s' mijote, répondit Tom en s'efforçant au calme, mais j' sais pas si c'est nous tous ou juste moi. (Mam'zelle Malizy éclata en sanglots.) Y a p't-êt' pas d' quoi pleurer, mam'zelle Malizy ! dit Tom. S' pourrait bien qu'on soye mieux chez un aut' maître, comme j'ai dit à mammy !

Au retour des champs, les frères de Tom arboraient des mines lugubres, les femmes se lamentaient ou pleuraient. Le maître et son visiteur étaient également venus les voir à l'ouvrage, et les questions de l'homme ne leur laissaient aucun doute : il cherchait à estimer sa marchandise.

Alors, le quartier des esclaves s'abandonna à un bruyant désespoir, qui se transforma progressivement en un tumulte dont les échos durent secouer la grande maison. Les hommes n'étaient pas moins éperdus que les femmes. Les esclaves s'empoignaient, s'étreignaient en hurlant, en tremblant, en sanglotant, en clamant qu'ils allaient être à jamais séparés.

— Seigneur, délivre-nous de *c' maaaal !* implorait Matilda d'une voix perçante.

Au matin, en allant sonner la cloche, Tom avait le pressentiment d'une catastrophe imminente.

Mam'zelle Malizy rejoignit la cuisine de la grande

maison pour préparer le petit déjeuner, mais dix minutes plus tard elle était de retour dans le quartier des esclaves, son vieux visage noir inondé de larmes :

— L' maître il dit qu' personne doit s'en aller. Il veut trouver tout l' monde ici quand il aura fini d' manger...

Oncle Pompée, le doyen à demi impotent, fut amené sur une chaise, et le petit groupe terrifié des esclaves attendit. M'sieu Lea et son hôte sortirent par l'arrière de la grande maison. Le maître avait dû boire encore plus que de coutume, car il arriva en titubant devant les Noirs et se mit à les haranguer d'une langue embarrassée :

— Dites donc, les négros, comme vous n'arrêtez pas de fourrer votre nez dans mes affaires, vous savez très bien que la plantation est fichue. J'ai plus les moyens de vous entretenir, alors, faut que je vende...

D'un geste courroucé, l'autre homme mit fin aux clameurs qui s'élevaient :

— Fermez-la ! Vous n'allez pas recommencer le boucan de cette nuit ! Je ne suis pas un simple marchand de nègres, moi, dit-il en leur jetant des regards furibonds. Je représente une maison sérieuse, une des meilleures de la profession. Nous avons des succursales à Richmond, Charleston, Memphis et La Nouvelle Orléans et nous transportons les négros par bateaux...

— Dites, m'sieu, on va tous être vendus ensemble ? s'écria Matilda.

— Allez-vous la fermer, non ? Vous le verrez bien ! Quand je pense que votre maître est un vrai gentleman, que votre maîtresse est en train de pleurer toutes les larmes de son corps à cause de vos vilains museaux noirs ! Ils n'auraient qu'à vous vendre séparément pour en tirer plus, *beaucoup* plus ! Rien que des petites garces comme vous, poursuivit-il en se tournant vers P'tite Kizzy et Mary, ça pourrait déjà porter des négrillons qui iraient chercher au bas mot dans les quatre cents dollars. Et toi, dit-il à Matilda, tu n'es plus de la première jeunesse, mais tu dis que tu connais bien la cuisine : dans le Sud, à l'heure qu'il est, une bonne cuisinière vaut facilement dans les douze à quinze cents dollars. Un forgeron capable, je dirai deux mille cinq cents à trois mille, et des travailleurs des champs dans la force de l'âge, de neuf cents à mille dollars, conclut-il en regardant successivement Tom et ses frères. (Le marchand s'interrompit, pour donner plus de force à ce qui allait suivre.) Mais vous pouvez dire que vous avez une fameuse chance ! Votre maîtresse *insiste* pour que vous soyez tous vendus ensemble, et votre maître la soutient !

— Merci, maîtresse ! Merci, Jésus ! s'écria grand-mammy Kizzy.

— Loué soit le Seigneur ! hurla Matilda.

— *La ferme !* vociféra le marchand d'esclaves. J'ai essayé de leur montrer leur intérêt, mais ils s'entêtent. Et il se trouve que nous avons justement un acquéreur : une plantation de tabac pas très loin d'ici ! Ce qu'ils cherchent, c'est une famille de Noirs qui veulent rester ensemble, sans ces histoires de s'ensauver et tout ça, et puis qui sachent faire tout ce qu'il faut dans une plantation. Comme ça, vous ne passerez pas en adjudication, et comme il paraît que vous vous tiendrez tranquilles, il n'y aura pas besoin de vous enchaîner. Seulement, attention ! conclut-il d'un ton coupant, à partir de maintenant, vous êtes *mes* négros jusqu'au moment où vous arriverez à destination. Je vous donne quatre jours pour rassembler vos affaires. Samedi prochain je viendrai avec des chariots pour vous emmener dans le comté d'Alamance.

Ce fut Virgile qui réagit le premier, en demandant d'une voix blanche :

— Et ma Lilly Sue et mon gamin ? Ils sont à la plantation Curry, eux aut' ! Dites, m'sieu, vous allez-t-y les ach'ter ?

— Et puis grand-mammy Kizzy, Sœur Sarah, mam'zelle Malizy, Oncle Pompée, vous en avez pas parlé de c'te famille-là..., s'empressa d'ajouter Tom.

— Parce qu'il faudrait que j'achète une garce que mon négro a culbutée sous prétexte qu'il va se sentir *seul !* s'écria le négrier d'un ton sarcastique. Quant à des vieux débris qui ne peuvent même plus se traîner, et encore moins travailler, ils sont tout simplement *invendables !* M. Lea est déjà bien assez bon de les garder ici !

Aussitôt éclatèrent clameurs et pleurs, mais grand-mère Kizzy bondit et vint se planter devant le maître.

— Déjà qu' vous avez envoyé vot' fils de l'aut' côté d' l'eau, et maint'nant j' vais même plus avoir mes p'tits-enfants !

Le maître détourna vivement la tête et Kizzy chancela ; les jeunes s'empressèrent de la soutenir, tandis que mam'zelle Malizy, Sœur Sarah et Oncle Pompée se répandaient en bruyantes lamentations :

— Maître, c'est ma famille, j'ai qu'eux aut', moi !... Moi aussi, maître ! Près d' cinquante ans qu'on était tous ensemble !...

Le pauvre impotent restait cloué sur sa chaise, le visage inondé de larmes, remuant les lèvres en une prière muette.

— *La ferme !* vociféra le négrier. Et ne me le faites pas répéter, hein ! Vous allez voir un peu si je sais dresser les négros, moi !

Tom tourna les yeux vers le maître, et pendant un instant leurs regards se rencontrèrent. En pesant soigneusement ses mots, Tom lui dit, d'une voix rauque d'émotion :

— Maître, nous on est affligés de vot' déveine, et on sait bien qu' vous nous vendez pasque vous pouvez pas faire autrement...

— C'est vrai, ça, répondit m'sieu Lea d'une voix à peine perceptible, moi, j'ai rien contre vous autres. Je dirai même que vous avez été des bons nègres, et puis vous êtes presque tous nés chez moi...

— Maître, implora doucement Tom, si ces gens du comté d'Alamance ils veulent pas ach'ter nos vieux, y aurait-y moyen que j' les rachète, moi ? C't' homme a dit qu'ils allaient pas chercher gros. Si l' nouveau maître il voulait bien que j' fasse le forgeron au-dehors, p't-êt' bien dans ce ch'min d' fer, et puis qu' mes frères ils se louent, on pourrait vous envoyer p'tit à p'tit la somme que vous d'manderiez d' not' grand-mammy et d' nos trois vieux. (Tom suppliait d'une voix étranglée par les larmes.) Après tout c' qu'on a passé ensemble, c'est trop dur d'être séparés, maître...

— Entendu, répondit le maître d'un ton plus sec, tu me donnes trois cents dollars de chacun et tu les auras !

Mais, levant soudain le bras, il coupa court à la joie qu'il voyait poindre chez les esclaves.

— Hé là ! *Attention !* Je ne les lâcherai que quand j'aurai l'argent !

Aussitôt le désespoir s'empara des Noirs, tandis que Tom répondait d'une voix blanche :

— On s'attendait pas à ça d' vous, maître, après tout c' que vous avez dit.

— Eh bien, le marchand, dépêchez-vous de m'en débarrasser ! lança brutalement le maître en repartant précipitamment vers la grande maison.

Alors, le quartier des esclaves s'abandonna à sa douleur. Tous se pressaient, en pleurs, autour de grand-mammy Kizzy pour l'étreindre, l'embrasser, la couvrir de caresses. Rassemblant tout son courage, elle s'efforça de les réconforter :

— Vous en faites donc pas comme ça. On va attendre que George il r'vienne, moi et Sarah, mam' zelle Malizy et Pompée. Ça fait déjà deux ans passés, alors, y en a plus pour longtemps. Et s'il a pas l'argent pour nous rach'ter, Tom et les garçons ils y arriv'ront bien...

— Oui, ma'me, on y arriv'ra ! dit Ashford, la gorge serrée.

— Mais y a surtout une chose que vous d'vez pas oublier, si vous avez des p'tits avant qu'on s' revoie, c'est d' leur raconter d'où qu'ils viennent : ma mammy Bell, mon papa africain qui s'app'lait Kounta Kinté et qu'est leur grand-papa à eux. Faut leur parler d' moi, et d' mon George, et d' vous aut' aussi. Faut leur parler de tout c' qu'on a enduré, et puis comment on a changé d' maîtres. Faut leur dire *qui on est !*

Toutes les voix s'élevèrent :

— Oui, grand-mammy, tu peux être sûre qu'on l' f'ra !... *Jamais* on n'oubliera...

— Allez ! Faut plus pleurer ! J' vous dis d'arrêter, qu' vous êtes en train de m' noyer !

C'est à peine si la famille vit passer les quatre jours accordés pour les préparatifs du départ. Le samedi matin, ils étaient tous debout avant le jour et, se tenant par la main, ils contemplèrent en silence le lever du soleil. Lorsque les chariots arrivèrent, quelqu'un demanda, au milieu des ultimes embrassades :

— Pourquoi qu'il est pas là, Oncle Pompée ?

— L' pauv' malheureux, il a dit hier soir qu'il aurait pas l' courage de vous r'garder vous en aller, répondit mam'zelle Malizy.

— J' vais y faire un bécot, moi ! s'écria P'tite Kizzy en courant vers la case du vieillard. (Mais à peine était-elle entrée qu'elle poussa un cri déchirant :) Oh ! Seigneur Dieu !

Les esclaves se précipitèrent. Cloué dans son fauteuil, Oncle Pompée avait cessé de vivre.

93

Ce fut seulement le dimanche suivant, une fois le maître et la maîtresse partis au temple, que les esclaves purent enfin échanger leurs impresions sur la plantation Murray.

— J' voudrais pas parler trop vite, hein ! dit Matilda en regardant sa couvée réunie autour d'elle, mais pendant que j' faisais ma cuisine on a pas mal discuté, avec la maîtresse. Z'ont l'air d'être de bons chrétiens. J' crois qu'on va être bien mieux ici que chez m'sieu Lea, sauf que vot' grand-mammy et les aut' ils sont toujours là-bas, et qu' vot' papa il est pas revenu. Quoi qu' vous en pensez, vous aut' ?

— Pour moi, ce m'sieu Murray il sait pas trop faire marcher une plantation, et il s'y connaît pas plus avec les esclaves, répondit Virgile.

— Tu sais, ils viennent de la ville ; z'avaient une boutique à Burlington, et la propriété ici, c'est l'oncle du maître qui leur a laissée.

— Il m'a déjà bien répété dix fois qu'il y fallait un régisseur blanc, poursuivit Virgile. Et j' me suis tué à y dire de né pas gâcher son argent comme ça, qu' c'était encore cinq ou six négros des champs qu'il y manquait, et qu'un régisseur blanc il chang'rait rien à rien. J'y ai dit qu'il nous laisse faire, qu'on est très capab' pour le tabac...

— Plus souvent que j' resterais, tiens, avec un rien-du-tout d' régisseur blanc dans l' dos ! s'indigna Ashford.

— M'sieu Murray, il a dit qu'il allait attendre de voir comment on s' débrouille, poursuivit Virgile en ignorant charitablement l'intempestive sortie d'Ashford. J' l'ai supplié pour qu'il achète ma Lilly Sue et mon gamin, j'ai dit qu'elle travaill'rait aussi dur que nous. Faut voir, qu'il a répondu, mais comme il avait dû prendre une 'pothèque sur la grande maison pour avoir de quoi nous ach'ter nous aut', ça dépendrait de c' qu'y tir'rait du tabac c't' année. Alors, va falloir en mettre un coup ! Et si on veut pas que c't' idée d' régisseur blanc elle le r'prenne, y a qu'à s'activer quand on l' verra s'am'ner. Et même j' vous houspil-l'rai un peu d'vant lui, ajouta-t-il en regardant spécialement Ashford, mais vous saurez bien pourquoi, hein ?

— Tiens donc ! éclata Ashford, l' négro à son maître, pas vrai ! J'en connais déjà un aut' comme toi !

Tom tressaillit, mais il réussit à garder son calme et feignit d'ignorer l'allusion. En revanche, Virgile redressa sa haute taille et rétorqua, hors de lui :

— Écoute bien c' que j' te dis, mon garçon, çui-là qui s'entend jamais avec *personne*, c'est qu'il a quèq' chose de dérangé ! Un d' ces jours, ça pourrait causer du grabuge, tu sais. Et si c'est avec moi, j'aime autant te dire qu'y en a un des deux qui r'partira sur une civière !

— Mais vous allez pas taire vos becs, non ? lança Matilda en roulant des yeux furieux. Et toi, Tom, dit-elle pour détourner la conversation, j'ai vu que l' maître il allait t' parler dans l'atelier. Quoi qu' t'en penses ?

— J' pense que t'as raison, on d'vrait être mieux ici, nous aut'. Mais c'est à nous d' s'y prend' comme y faut. L' maître, c'est pas d' la racaille blanche, mais, d'un aut' côté, les négros il sait pas les manier. Moi, j' crois qu'il s' donne des airs d'être plus dur qu'il est pour qu'on aille pas penser qu'il est trop bonasse, et d' là son histoire de régisseur blanc. M'est avis qu'on a déjà mammy qui s'occupe de la maîtresse, eh bien, nous aut', faut s'occuper du maître, pour y mettre dans la tête de nous laisser faire comme on veut.

Des murmures d'approbation s'élevèrent et Matilda, toute à sa joie de voir l'avenir prometteur qui se dessinait pour les siens, y ajouta encore une ou deux touches :

— On va faire de not' mieux pour prêt-suader m'sieu Murray d'ach'ter Lilly Sue et Urie. Pour vot' papa, ça dépend pas d' nous, y a qu'à l'attend'. Un d' ces jours, on l' verra s'am'ner...

— Avec son écharpe verte au vent et son m'lon noir sur l'oreille ! l'interrompit Mary en lançant son rire perlé.

— 'Xactement, fifille ! répondit Matilda en souriant avec les autres. Et j' vous ai pas encore dit pour grand-mère Kizzy, Sarah et Malizy : la maîtresse a promis de m' donner un coup d' main ! Quand j'y ai raconté not' séparation, on pleurait toutes les deux comme des fontaines. Bien sûr, même dans sa position elle est pas capab' de faire ach'ter au maître trois vieilles femmes qui valent plus rien, mais elle va l' pousser à laisser Tom et les aut' louer leurs services. Alors, mettez-vous bien dans la tête qu'ici on travaille pas juste pour un maître, mais pour arriver à réuniter not' famille.

Forte de ces résolutions, la famille inaugura les semailles de 1856. Le maître put constater que Virgile menait rondement ses frères et sœurs pour faire fructifier la terre au maximum, ce qui laissait présager une prometteuse récolte de tabac. Pour sa part, Tom s'affairait à remettre en état la propriété, fabriquant ses propres outils, la plupart des instruments aratoires, ainsi que quantité d'ustensiles domestiques ou d'objets décoratifs, tirant parti du moindre morceau de ferraille depuis longtemps abandonné à la rouille et aux orties. Quant à Matilda, elle veillait au ménage et à la cuisine avec un soin et une compétence qui lui valaient la haute estime du maître et de la maîtresse.

Presque tous les dimanches après-midi, les Murray recevaient des visites : planteurs du comté venus leur souhaiter la bienvenue, ou vieux amis de Burlington, de Graham, de Haw River, de Mebane. En leur faisant faire le tour du propriétaire, les Murray ne manquaient jamais de désigner à leur admiration tout ce qu'ils devaient à l'habileté de Tom. Après cela, les invités avaient presque tous quelque chose à faire exécuter ou réparer par Tom, et m'sieu Murray y consentait, visiblement fier du succès de son forgeron. Aussi la maîtresse n'eut-elle pas à insister auprès de m'sieu Murray pour qu'il autorisât Tom à louer ses services, car la rumeur populaire ne tarda pas à lui faire une réputation dans le comté d'Alamance. Et ce fut bientôt un défilé quotidien dans la plantation Murray : des esclaves apportaient à Tom outils et objets à réparer ; des Blancs venaient lui demander, croquis en main, d'exécuter tel ornement de ferronnerie ; ou encore des clients sollicitaient de m'sieu Murray la délivrance d'un laissez-passer pour Tom, afin qu'il vienne effectuer un ouvrage dans leur plantation ou leur maison de ville. Dès 1857, Tom travaillait de l'aube à la nuit — sauf le dimanche. Les clients réglaient directement m'sieu Murray selon un barème assez précis : il fallait compter quatorze cents le fer pour le ferrage d'un cheval, d'une mule ou d'un bœuf ; un bandage de roue : trente-sept cents ; réparation d'une fourche : dix-huit cents ; aiguisage d'une pioche : six cents. Les travaux de ferronnerie à façon étaient estimés en fonction de leur importance : par exemple, cinq dollars pour une grille d'entrée décorée d'un motif de feuilles de chêne. Tous les dimanches, m'sieu Murray remettait à Tom dix pour cent des sommes qu'il avait encaissées. Tom confiait alors l'intégralité de son gain à Matilda, qui en emplissait progressivement des bocaux de verre qu'elle enfouissait dans la terre — en des lieux qu'ils étaient seuls à connaître.

Les travailleurs des champs avaient congé à partir du samedi à midi. P'tite Kizzy et Mary — dix-neuf et dix-sept ans — ne perdaient pas une minute : elles se lavaient des pieds à la tête dans un baquet, tressaient leurs cheveux crépus en dures petites nattes retenues par un lien, se lustraient le visage avec de la cire d'abeille. Et elles faisaient leur entrée dans la forge, avec leurs robes de cotonnade fraîchement empesées, apportant une cruche d'eau ou de citronnade. Après avoir servi Tom, elles offraient à boire au petit groupe d'esclaves qui ne manquaient jamais d'être réunis là, à attendre tel objet promis par Tom pour la fin de la semaine. Et Tom s'égayait en entendant l'esprit de repartie dont faisaient preuve ses sœurs — et toujours avec de jolis garçons ! Aussi ne fut-il pas surpris d'entendre, un samedi soir, Matilda les tancer d'importance :

— J' suis pas aveugle, non ! J' vous vois p't-êt' pas remuer d' l'arrière-train au milieu d' ces hommes ?

P'tite Kizzy contre-attaqua avec feu :

— Dis donc, mammy, on est des femmes, nous ! Y avait *jaaaamais* d'hommes chez m'sieu Lea !

Matilda s'en tira en marmonnant, mais Tom sentit qu'elle avait volontairement exagéré la semonce. Il en reçut la confirmation peu après, lorsque ce fut à son tour d'être interpellé par sa mère :

— Sous ton nez, qu' ça s' passe, et toi tu dis rien ! Tu pourrais au moins faire attention qu'elles tirent pas l' mauvais numéro, non ?

Mais la famille n'était pas revenue de ses surprises, car ce ne fut pas cette aguicheuse de P'tite Kizzy qui annonça la première qu'elle voulait sauter le balai, mais Mary, la « raisonnable ». Elle avait fixé son choix sur un palefrenier d'une plantation toute proche de la petite agglomération de Mebane.

— Mammy, tu voudrais pas t' mêler de prêt-suader l' maître de pas d'mander trop cher de moi quand l' maître à Nicodème il offrira d' m'ach'ter ? Comme ça, on pourrait habiter ensemb', nous deux.

Matilda réserva sa réponse, et la pauvre Mary s'en fut en pleurant toutes les larmes de son corps.

— Seigneur ! Ça s' mélange dans ma tête, confia Matilda à Tom. J' suis contente pour la gamine, pasque j' vois bien qu'elle est heureuse. Mais j' peux pas m' faire à c't' idée qu'elle soye vendue encore une fois.

— Faut pas parler comme ça, mammy. Moi, j' voudrais sûr'ment pas qu' ma femme elle soye dans une aut' plantation ! T'as qu'à r'garder Virgile. L'en est *malade* que sa Lilly Sue elle est restée là-bas.

— Mais y a pas que c'te Mary, mon garçon. J' parle pas de toi ni d' Virgile, mais prends tes frères : tous les dimanches que Dieu fait, les v'là partis à courailler !

— Dis donc, mammy ! On est des hommes, non ? l'interrompit sèchement Tom.

— J' discute pas d' ça, mon garçon. Seul'ment, on voulait réuniter not' famille, hein ? Et elle est justement en train de s' désuniter !

Tom ne trouvait pas de mots pour réconforter Matilda. Il savait qu'entre la perspective du départ de ses enfants et l'absence de Chicken George, qui se prolongeait bien au-delà du délai prévu, elle n'avait que trop de sujets de tristesse.

— Tiens, puisqu'on est en train d' penser à grand-mammy, Sœur Sarah et mam'zelle Malizy, dit-il pour changer de sujet de conversation, combien qu'on a d' côté, mammy ?

— Ça, je l' sais à un cent près : quat'-vingt-sept dollars et cinquante-deux cents.

— Faudrait qu' j'arrive à m' faire plus d'argent.

— Et puis qu' Virgile et les aut', ils contributent un peu plus !

— Ils sont pas fautifs. C'est pas facile de trouver à s' louer pour les cultures, avec les négros 'mancipés qui s' tuent à l'ouvrage pasque s'ils ont pas leurs vingt-cinq cents par jour ils crèvent de faim ! Moi, j' vais en mettre un coup ! Avec ça qu'elles se font pas jeunes, hein ?

— Ta grand-mammy doit avoir dans les soixante-dix ans, et Sarah et Malizy en ont près d' quat'-vingts. Et tu sais c' que ça m' fait penser ? Ta grand-mammy elle racontait qu' son papa africain il comptait son âge en mettant des cailloux dans une gourde. Eh bien, y a longtemps qu'il a dû s'arrêter d' compter, si elle, ça lui fait soixante-dix ans ! Il est plus de c' monde et la mammy Bell non plus, pauv' malheureux !

— Eh oui ! Des fois, c'est comme si j' les connaissais, tell'ment qu'on m'en a parlé. Mais j' voudrais savoir à quoi ils ressemblaient.

La mère et le fils s'absorbèrent chacun dans ses pensées. N'était-ce pas le moment, s'interrogeait Tom, de parler d'un sujet qu'il avait jusque-là soigneusement dissimulé, mais qui prenait à présent une tournure prometteuse ?

— Y a un moment, tu m'as d'mandé si j' voulais me marier, hein, mammy ?

— Oui, mon garçon ! répondit Matilda d'un air de joyeuse attente.

Tom aurait donné n'importe quoi pour ravaler ses paroles, mais il était trop tard.

— Ben, j'ai un peu parlé avec une fille...

— C'est pas Dieu possib', Tom ; quelle fille ?

— Tu la connais pas. Son nom c'est Irène, mais y en a qui l'appellent Reinie. Elle est à ce m'sieu Edwin Holt, domestik' à la grande maison.

— Tu veux dire à c' grand m'sieu Holt que j'ai entendu l' maître et la maîtresse en parler ? Çui qu'a la grosse filature au bord de l'Alamance ?

— Oui, ma'me.

— Alors, c'est la grande maison où t'as fait les jolies grilles pour les f'nêtres ?

— Oui, ma'me, répondit Tom d'une petite voix.

— *Seigneur !* s'écria Matilda d'un air extasié. Y en a enfin une qu'a passé le licou à mon sauvage ! Oh ! Tom ! j' suis-t-y heureuse ! balbutia-t-elle en se jetant sur lui pour l'embrasser. Tu sais, l' maître, il *te* l'achèt'ra, tu peux y compter. Allez, dis-moi un peu comment qu'elle est ?

Devant les yeux de Matilda s'allongeait déjà toute une rangée de gros gâteaux de noces — les plus beaux qu'elle aurait jamais confectionnés de sa vie...

94

Quelques mois plus tôt, à peine rentré de l'office dominical avec la maîtresse, m'sieu Murray avait demandé à Matilda d'aller quérir Tom.

L'expression et le ton du maître trahissaient sa satisfaction. Il venait de recevoir un billet de M. Edwin Holt, le propriétaire de la grande filature de coton, dit-il à Tom. Sa femme avait eu l'occasion d'admirer une ferronnerie d'art qu'il avait exécutée, et elle souhaitait lui confier l'exécution de grilles pour les fenêtres de sa propriété des « Caroubiers », selon un modèle qu'elle avait dessiné elle-même.

Le lendemain matin, m'sieu Murray remit un laissez-passer à Tom, lui expliqua le chemin à suivre et lui prêta une mule — car la propriété Holt était assez éloignée.

Le jardinier noir qui l'accueillit le fit attendre au bas du perron. Bientôt parut ma'me Holt. Elle avait déjà vu des pièces exécutées par Tom, dit-elle, et elle tenait à l'en féliciter. Puis elle lui montra ses croquis : elle voulait des grilles imitant un treillage abondamment garni de plantes grimpantes.

— J' crois que j' pourrai y arriver, ma'me, dit Tom après avoir examiné soigneusement le modèle. J' vais faire tout mon possib'. Mais, étant donné la complexité du dessin, ainsi que le nombre et la variété des fenêtres, il ne comptait pas en avoir fini avant deux mois. Ma'me Holt parut trouver ce délai très raisonnable et, confiant ses croquis à Tom, elle le laissa à sa toute première tâche : mesurer très précisément chaque baie.

Au début de l'après-midi, alors qu'il venait d'attaquer les fenêtres de l'étage, qui donnaient sur une véranda, il eut soudain l'impression qu'on le regardait. Tournant les yeux, il aperçut dans l'encadrement de la fenêtre suivante une véritable beauté à la peau cuivrée. Bien prise dans son simple uniforme de domestique, les cheveux tirés en un gros chignon, elle secouait son chiffon à meubles tout en dévisageant Tom d'un œil amical. Seule la réserve naturelle de Tom l'empêcha de montrer sa stupéfaction, et il s'empressa de se découvrir en balbutiant :

— B'jour, mam'zelle !

— B'jour à toi ! répondit-elle avec un lumineux sourire.

L'instant d'après elle avait disparu.

Pendant tout le chemin du retour, Tom ne put détacher sa pensée de la jeune fille. Il s'aperçut soudainement qu'il ne savait pas comment elle s'appelait. Elle avait tout au plus dix-neuf ou vingt ans. Mais une fille aussi jolie devait déjà être mariée, ou au moins promise...

Il ne fallut pas plus de six jours à Tom pour exécuter tous ses encadrements de fenêtres — simple travail d'assemblage, par soudure, d'épaisses lames de fer préalablement coupées aux dimensions. Mais ensuite commencèrent les difficultés. En passant dans des filières de plus en plus étroites des barres de fer chauffées à blanc, il obtenait bien des tiges aussi minces que celles du lierre ou du chèvrefeuille. Seulement, il n'arrivait pas à reproduire les courbes fluides des végétaux. Alors, au lieu de s'acharner inutilement, il prit le temps d'aller voir les plantes elles-mêmes, d'étudier de près leurs gracieux rejets, la souple torsion de leurs tiges. Maintenant, il sentait qu'il saurait mieux les imiter.

Tous les jours, m'sieu Murray devait apaiser des clients dépités, en expliquant que Tom ne pouvait procéder qu'aux réparations absolument pressantes, car il exécutait un important ouvrage pour M. Edwin Holt — annonce à laquelle résistaient peu d'indignations. M'sieu Murray et sa femme suivaient attentivement les progrès du travail de Tom, et ils amenaient même leurs visiteurs à la forge, si bien qu'ils étaient parfois huit ou dix à le regarder œuvrer.

Dès qu'il avait vu les dessins de ma'me Holt, Tom s'était douté que le plus difficile serait de faire les feuilles. Alors, fort de sa première expérience, il reprit ses promenades dans la nature, contemplant chaque feuille, la fixant dans sa mémoire. Puis il passa à l'exécution. Martelant de sa lourde masse carrée des petits morceaux de métal cuits et recuits, il obtint d'abord de minces lames dont il découpa les bord à la cisaille. Ensuite vint l'étape la plus délicate : la mise en forme au marteau à emboutir. La moindre maladresse pouvait tout gâcher : le four porté à un trop haut point d'incandescence, un martelage trop appuyé.

Restait encore le travail de soudure pour le dessin des nervures et la fixation des feuilles sur les tiges. Mais, cette fois, Tom était content : il n'y en avait pas deux pareilles, exactement comme dans la nature. Il ne restait plus, après cela, qu'à monter les foisonnantes grilles sur les encadrements.

— On dirait qu' c'est des vraies plantes ! s'écria Matilda en contemplant avec révérence l'œuvre de Tom.

Enthousiasmée, P'tite Kizzy parut en oublier pendant un moment les trois jolis-cœurs qui tournaient autour d'elle. Les frères de Tom eux-mêmes ne cachèrent pas leur admiration. Le maître et la maîtresse se montraient à la fois heureux et fiers de posséder un tel forgeron.

Et Tom retourna pour la seconde fois à la propriété Holt, cette fois avec le chariot chargé de grilles. Ma'me Holt lui réserva un accueil plus que chaleureux. Et, lorsqu'il eut soumis une grille à son approbation, elle se répandit en exclamations, battit des mains et finit par appeler sa fille et ses grands fils, qui rivalisèrent aussitôt d'éloges avec leur mère.

Deux heures plus tard, les grilles du rez-de-chaussée étaient déjà en place ; entre les membres de la famille Holt et plusieurs esclaves qui avaient dû se passer le mot, les admirateurs ne manquaient pas. Mais où était-*elle ?* Un des fils Holt conduisit Tom à l'étage, mais c'est à peine s'il jeta un coup d'œil au grand vestibule ciré, au majestueux escalier. C'était justement en mesurant les fenêtres qui donnaient sur la véranda qu'il l'avait vue. Qui était-elle, où était-elle, quelles étaient ses fonctions ? Il ne pouvait questionner personne. Il était si déçu qu'il travailla avec une sorte de fureur. Le mieux était d'en avoir fini au plus vite et de filer.

Il en était à sa troisième grille lorsque des pas précipités résonnèrent dans l'escalier : et voici qu'elle était devant lui, tout essoufflée. Tom ne pouvait pas articuler un mot.

— B'jour, m'sieu Murray !

Évidemment, elle ne pouvait savoir qu'il s'appelait Tom « Lea », elle lui donnait le nom de son maître.

— B'jour, mam'zelle Holt ! répondit-il en tortillant son chapeau de paille.

— J'étais au fumoir à fumer d' la viande. J' viens seul'ment d' savoir vot' venue... Oh ! c'est-y beau ! s'exclama-t-elle brusquement en découvrant une grille. Y a ma'me Emily, en bas, qu'arrête pas d' parler d' vous.

Tom remarqua qu'elle avait les cheveux serrés dans un foulard, à la façon des Noires des champs.

— J' croyais qu' vous étiez femme de chamb'.

— Ça m' plaît pas d'être toujours à la même besogne, et les maîtres, ils me laissent faire. Mais c'est pas tout ça, hein ! faut que j' m'en r'tourne. J'ai mon ouvrage, et vous aussi...

Tom ne pouvait pas la laisser partir sans savoir son nom.

— Irène. Mais on m'appelle Reinie. Et vous ?

— Moi, c'est Tom.

Et voilà, maintenant elle allait partir. Alors, Tom risqua le tout pour le tout :

— Mam'zelle Irène, vous avez-t-y une connaissance ?

Elle le dévisagea longuement, avec intensité. Il se serait battu d'avoir été aussi maladroit.

— M'sieu Murray, c' que j' pense, moi, j' le dis tout droit. Quand j'ai vu qu' vous étiez si peu hardi, l'aut' fois, je m' suis d'mandé qu'une chose : va-t-y seul'ment rev'nir me voir ?

Tom faillit en tomber de tout son haut.

Dès lors, il avait commencé à demander des laissez-passer au maître pour sortir le dimanche. M'sieu Murray lui prêtait aussi la carriole et la mule. Tom avait un prétexte tout trouvé auprès de sa famille : il courait les routes pour ramasser des vieux métaux, déchets ou objets de rebut. Comme Irène habitait loin — quatre bonnes heures aller et retour — il ne manquait jamais, en variant ses itinéraires, de ramener une moisson qui rendait ses randonnées plausibles.

Dans la propriété Holt, le quartier des esclaves réservait un chaleureux accueil à Tom.

— Tu sais pourquoi ils t'aiment, les gens ? lui expliqua Irène à sa façon naïvement directe. C'est pasqu'au lieu d'en installer avec tout c' que tu sais faire, t'es timide comme c'est pas possib'.

Tom emmenait Irène dans la carriole. Et puis ils faisaient halte et se promenaient — après avoir mis la mule à paître, au bout d'une longe.

— Mon papa, c'est un Indien. Ma mammy disait qu'il s'appelait Hillian. C'est à cause de lui qu' j'ai c'te couleur, expliqua un jour Irène. Comme elle avait une vraie carne de maître, elle s'est ensauvée. Mais v'là qu' des Indiens, ils l'attrapent dans les bois, et puis ils la ramènent dans leur village. Alors, elle s'est mise avec mon papa, et c'est comme ça que j' suis née. Seul'ment, quand j'étais encore qu'une p'tite misère, y a des Blancs qu'ont attaqué l' village et tué tout plein d' monde. Mais ma mammy, ils l'ont ram'née à son maître. Il y a flanqué une rossée terrib', qu'elle disait, et puis il l'a vendue à un négrier. Mais on a eu la chance d'être ach'tées par m'sieu Holt — eux, c'est des gens d' qualité, enfin, pour c' qu' est des maîtres, hein ! C'était elle qui f'sait tout le linge. Mais, y a p't-êt quat' ans, l'a été emportée par une sale maladie. Moi, à c't' heure, j'ai dix-huit ans — dix-neuf au Nouvel An. Et toi, quel âge que t'as ?

— Vingt-quat'.

Tom dressa un court portrait de sa famille, ajoutant qu'en raison de leur arrivée récente ils étaient dépaysés, en Caroline du Nord.

— J'en sais pas mal sur le coin, à cause que les Holt c'est du grand monde, alors, il en défile des invités, et moi, j' suis pas sourde. Paraît qu' les arrière-grands-pères des Blancs du comté d'Alamance, ils sont v'nus d' Pennsylvanie avant c'te guerre d'Indépendance. Avant, y avait guère que des Indiens Sissipaws dans l' coin, mais z'ont été massacrés par les soldats de c't' Angleterre. Alors, les Anglais qui m'naient les colonies, ils ont mis c' morceau d' Caroline du Nord en vente à moins de deux cents l'acre, pour ceux-là qu'arrivaient plus à s' caser en Pennsylvanie. Et v'là tout c' monde qu'entasse ses affaires dans des chariots bâchés pour se ram'ner par ici. Y avait des quakers, des presbytériens écossais, des luthériens allemands. Et les v'là à défricher et à planter, mais z'avaient plutôt des p'tites fermes et ça a toujours continué comme ça. Alors, dans l' coin, on connaît pas tell'ment la grande plantation avec des masses de négros.

Tom attendait impatiemment ce moment du dimanche où ils se retrouveraien tous les deux, sur les routes de campagne bordées de champs de blé, de maïs, de tabac et de coton, où tranchait parfois la tache verte des rangées de pommiers ou de pêchers. De temps à autre, il sautait à bas du chariot pour ramasser un morceau de ferraille, lorsque ce n'était pas au tour d'Irène, qui avait aperçu sa fleur préférée : la rose sauvage.

Irène semblait tout connaître de ce qu'ils rencontraient : entrepôt, église, école, cantine ambulante.

— C'est à force d'entend' le maître raconter à ses invités c' que ceux d' sa famille ils ont fait dans l' comté d'Alamance ; z'ont fait presque tout.

Lors de leur premier dimanche ensemble, elle avait d'ailleurs tenu à montrer à Tom la filature Holt, sur les bords de l'Alamance — signe irréfutable de sa prééminence.

Tom se fatiguait d'entendre à tout propos Irène encenser le maître et sa famille. Ainsi, ce samedi où ils s'étaient aventurés à Graham, le chef-lieu du comté :

— L'année de c'te grande ruée vers l'or en Californie, le père du maître l'a été un des gros bonnets qu'ont ach'té l' terrain et fait bâtir c'te ville qu'est dev'nue le chef-lieu.

Le samedi suivant, comme ils passaient devant une grosse pierre commémorative au bord de la route de Salisbury, Irène reprit la litanie :

— C'est là qu'y a eu c'te bataille d'Alamance, juste sur la plantation au grand-père du maître. Les gens, ils en pouvaient plus de c' que ce roi leur f'sait supporter, alors ils ont tiré sur les habits rouges. L' maître, il dit que c'te bataille a été l' père-lude à la guerre d'Indépendance qu'est v'nue cinq ans après.

Pour sa part, Matilda commençait à s'énerver sérieusement. Elle en avait assez de ce secret qui s'éternisait.

— Quoi qu' tu cherches, hein ? Tu veux pas la montrer, ton Indienne ? (Dissimulant son irritation, Tom balbutia quelques mots indistincts. Matilda en fut si exaspérée qu'elle frappa un grand coup :) Ça s'rait-y qu'elle est trop bien pour nous à cause que ses maîtres c'est du si beau monde ?

Pour la première fois de sa vie, Tom tourna les talons et s'en fut sans répondre à sa mère. Et pourtant, comme il aurait voulu pouvoir confier à quelqu'un le doute qui s'était emparé de lui : devait-il continuer à fréquenter Irène ? Il lui vouait un profond amour — de cela, il était sûr. N'avait-elle pas tout pour lui plaire ? Charme, malice, finesse — et sa beauté de sang-mêlé ! Mais, à sa façon réfléchie, Tom avait décelé deux questions d'importance qui risquaient d'entacher leur union.

La première tenait à ce que lui-même n'avait jamais pu se départir à l'égard des Blancs — m'sieu et ma'me Murray compris — d'un reste de méfiance, les aimer sans aucune restriction, tandis qu'Irène semblait adorer, sinon révérer, ses maîtres. C'était donc là un point sur lequel ils ne pourraient s'entendre totalement.

La seconde, et peut-être la plus épineuse, c'était l'attachement qu'avaient les Holt pour Irène — trait qui s'observait parfois chez les riches planteurs à l'égard de leurs domestiques. Il savait qu'il ne pourrait jamais supporter d'être uni à une femme vivant dans une autre plantation, situation impliquant, entre autres, la honte toujours renouvelée de devoir solliciter des maîtres l'autorisation d'aller rendre ses devoirs conjugaux.

Tom allait jusqu'à se demander si la seule issue

honorable, aussi douloureuse fût-elle, ne serait pas la rupture pure et simple.

Le dimanche suivant, au cours de leur promenade en chariot, Irène lui demanda d'un ton inquiet :

— Quoi qui va pas, Tom ?

— Rien du tout, répondit-il laconiquement.

Au bout d'un moment, elle revint à la charge avec son habituelle franchise :

— Écoute, si tu veux rien dire, j' te force pas, mais j' vois bien qu' t'es tourmenté.

Et voilà ! songeait Tom. Alors que ce qu'il admirait le plus, parmi les qualités d'Irène, c'était sa franchise et sa droiture, lui-même, depuis des mois, n'avait été que dissimulation. Il lui avait caché ce qu'il pensait véritablement, sous le fallacieux prétexte qu'ils risquaient d'en souffrir l'un et l'autre. Cette situation — et l'amertume qu'il en concevait — ne pouvait se prolonger.

Alors, il demanda à Irène, sur le ton de la conversation :

— J' te l'avais raconté, pour mon frère Virgile, qu' sa femme elle était chez un aut' maître quand m'sieu Lea il nous a vendus ?

Depuis peu, justement, Virgile avait retrouvé Lilly Sue et Urie, car m'sieu Murray, cédant aux instances de Tom, avait fait le voyage jusqu'au comté de Caswell pour les acquérir. Mais, comme la question n'était pas là, il choisit de taire cette partie de l'histoire.

— Ben, tu vois, une supposition qu' ça m' viendrait à l'idée d' penser à marier quelqu'un..., moi, j' pourrais pas si qu'on d'vrait pas habiter dans la même plantation.

— *Et moi non plus,* tiens ! lança Irène avec un tel emportement qu'il faillit en lâcher les guides.

— Quoi qu' t'as dit ?

— Pareil que toi, t'as bien entendu !

Tom ne pouvait plus reculer.

— Tu sais bien qu' ma'me et m'sieu Holt ils voudront jamais t' vendre !

— Ils voudront quand j' voudrai ! répondit calmement Irène.

— Mais quoi qu' tu racontes ? demanda Tom, qui se sentait vaciller.

— Sauf ton respect, c'est pas tes affaires, c'est les miennes.

— Ben, si tu te f'sais vendre, on pourrait...

Les mots étaient sortis de sa bouche presque malgré lui.

— Quand tu voudras...

Tom réfléchissait fiévreusement. Les Holt n'allaient-ils pas exiger une somme énorme pour une telle perle ?

— Faut d'mander à ton maître si il veut m'ach'ter, reprit Irène.

— Il voudra, répondit Tom avec une feinte assurance. Mais faudrait savoir combien tu pourrais aller chercher. L'a besoin d'avoir une idée, l' maître.

— Dis-y d' faire une offre convenab', ça suffira.

Stupéfait, Tom contemplait Irène. Et Irène contemplait Tom.

— Tom Murray, des fois, t'es 'xaspérant ! Tu m' l'aurais d'mandé que j' te l'aurais dit dès l' premier jour ! D'puis l' temps qu' j'attends qu' tu t' décides ! Attends un peu qu'on soye ensemb', tu verras si j'y fais pas des entailles dans ta tête de bois !

C'est à peine si Tom sentit les coups que faisaient pleuvoir les petits poings sur sa tête, sur ses épaules : pour la première fois de sa vie, il étreignait une femme...

95

Au bruit de sanglots qui montaient du vestibule, ma'me Holt se précipita, anxieuse : Irène gisait dans un coin, prostrée, en pleurs.

— Qu'y a-t-il, Irène ? (Ma'me Émily se pencha et secoua sa malheureuse femme de chambre.) Allons, veux-tu bien te relever. Qu'est-ce qu'il y a ?

Irène se releva et, chancelante, elle avoua d'une voix mouillée à la maîtresse son amour pour Tom, son désir d'être unie à lui, plutôt que de devoir résister sans fin aux pressantes avances de certains jeunes maîtres. Cédant à la fiévreuse insistance de ma'me Holt, elle cita deux noms.

Le soir même, les Holt prenaient le sage parti de vendre Irène au plus vite — justement, M. Murray avait fait une offre.

Mais, comme m'sieu et ma'me Holt aimaient sincèrement Irène et estimaient hautement Tom, ils insistèrent pour que leur mariage ait lieu aux « Caroubiers ». Les maisonnées blanches et noires des Holt et des Murray se retrouvèrent sur la pelouse devant la grande maison, et ce fut m'sieu Holt lui-même qui conduisit Irène devant le pasteur.

Mais le moment peut-être le plus émouvant pour la jeune épousée fut celui où le marié lui offrit la plus délicate rose de fer qui se pût voir, amoureusement travaillée dans un métal pur et comme vivant... Tandis que les invités l'admiraient à l'envi, Irène dit, dans un souffle :

— J'ai jamais rien vu d' si beau, Tom ! C'te rose, elle me quitt'ra jamais. Et moi, avec toi, ça s'ra pareil !

Les Blancs, radieux, rentrèrent dîner dans la grande maison, tandis que les Noirs s'installaient autour de la longue table dressée dans la cour, et sur laquelle s'étalait un véritable festin. Après son troisième verre de vin vieux, Matilda confia à Irène, d'une langue légèrement incertaine :

— On peut dire que ta mère t'a réussie ! Et moi qui croyais qu' mon Tom aurait jamais l' courage de proposer l' mariage à une fille...

Mais Irène l'interrompit d'une voix sonore :

— Il l'a pas proposé !

Une tempête de rires salua sa déclaration.

Depuis le mariage, disait-on en riant autour de Tom, son marteau semblait chanter sur l'enclume. Et, de fait, nul ne l'avait jamais connu aussi souriant ni aussi communicatif. Et il redoublait encore d'activité. Lorsqu'il ne s'agissait que d'une petite réparation ou d'un affûtage d'outil, il l'exécutait sur-le-champ, pour éviter au client de revenir. Certains esclaves s'asseyaient sur des billots pour attendre, mais la plupart préféraient rester debout, à discuter par petits groupes. Les Blancs, eux, s'installaient de l'autre côté, sur des bancs rustiques que Tom avait confectionnés lui-même et judicieusement plantés à une distance qui lui permettait, tout en travaillant, d'entendre leurs propos — à leur insu, bien entendu. Les Blancs trompaient leur attente en fumant, en tailladant un bout de bois, en faisant de temps en temps honneur à leur flasque de poche — mais surtout en discutant, eux aussi. La cour de l'atelier devenait un lieu de rencontre, où l'on trouvait toujours quelqu'un à qui parler — et ainsi Tom pouvait-il nourrir les veillées du quartier des esclaves de menues nouvelles quotidiennes, occasionnellement relevées de « grandes nouvelles ».

Ainsi cette campagne anti-esclavagiste qui n'arrêtait pas de se développer, à cause des abolitionnistes du Nord, que les Blancs vomissaient.

— Ils disent que c' président Buchanan f'rait mieux de t'nir au large c'te sale bande d'amis des Noirs, sans ça, l'aura pas un parte-rizan dans l' Sud.

Mais leur plus féroce haine, les Blancs la réservaient à « m'sieu Abraham Lincoln, qu'à parlé d'affranchir les esclaves... ».

— Y a pas plus vrai, dit Irène. Ça doit être l'année dernière, tiens, qu'on disait qu' si il la fermait pas, l'allait perci-piter l' Nord dans une guerre contre l' Sud !

— Mon maître d'avant, l'était comme possédé ! s'écria Lilly Sue. Avec ses longues jambes et ses bras qui y vont jusqu'aux g'noux, qu'il disait, et puis sa vilaine face poilue, personne irait parier s'il ressemble plus à un gorille ou à un singe ! L'était-y pas né dans une cabane de rondins, et comme c'était tout pauv' comme Job, ça mangeait du putois et d' l'ours, et quand ça en avait pas attrapé, ça t' fendait les bûches pour faire les clôtures — du labeur de nègre, quoi !

— T'as pas dit que m'sieu Lincoln, c'était un avocat à c't' heure ? demanda P'tite Kizzy.

— J' m'en moque pas mal, moi, de c' qu'ils disent, les Blancs ! déclara Matilda. Pour les r'tourner comme ça, faut que ce m'sieu Lincoln il nous fasse du bien à nous aut'. A c' que j'entends, ça s'rait un peu comme Moïse qu'il voulait libérer les enfants d'Israël !

— Pour moi, il ira jamais assez vite ! conclut Irène.

De même que Lilly Sue, Irène avait été achetée par m'sieu Murray pour travailler aux champs. Seulement, elle était très vite arrivée à se faire fabriquer un métier à tisser par Tom — était-il capable de lui refuser quelque chose ? Alors, la nuit, bien après l'heure du coucher des esclaves, montaient les *clic-clac* réguliers du métier. Bientôt Tom arborait — d'un air un peu gêné — une chemise tissée, taillée et cousue par sa femme.

— C'est ma mammy qui m'a appris à faire ça, répondait modestement Irène lorsqu'on la complimentait.

Et voici qu'elle se mit à carder, filer, tisser, tailler et

coudre de pimpantes robes pour Lilly Sue et P'tite Kizzy. Cette dernière rayonnait dans sa parure neuve, d'autant plus qu'après avoir fait tourner maintes têtes elle venait de s'attacher un nouveau soupirant : Amos, homme à toutes mains dans l'hôtel de la Compagnie des chemins de fer de Caroline du Nord, tout récemment édifié à proximité des ateliers de réparation.

Irène fit ensuite des chemises pour chacun de ses beaux-frères — même ce grognon d'Ashford en fut touché. Matilda et elle-même ne vinrent qu'en dernier : tabliers, blouses et bonnets assortis. Ou plutôt en avant-dernier, car il y eut encore la robe et la chemise qu'elle confectionna pour ma'me et m'sieu Murray, et qui les comblèrent d'autant plus d'aise qu'elles provenaient du coton de leur plantation. Radieuse, la maîtresse essaya aussitôt la robe et tourna sur elle-même pour la faire admirer à Matilda — non moins ravie qu'elle.

— Je ne comprendrai jamais pourquoi les Holt nous ont vendu Irène à un prix si modéré, remarqua-t-elle.

— Pour moi, répondit Matilda qui savait le fin mot de l'histoire par Irène, c'est à cause qu'ils estimaient tell'ment mon Tom.

Aimant beaucoup les couleurs, Irène ramassait plantes et fleurs pour teindre ses tissus. Et voici qu'au début de l'automne 1859 tous les étendoirs à linge de la plantation Murray se constellèrent, en fin de semaine, de pièces d'étoffe où dominait, parmi les rouges, les verts, les bleus, les pourpres et les marrons, certain jaune dont elle avait le secret. Et, petit à petit, Irène abandonna les travaux des champs sans que quiconque semblât s'en formaliser. Tout le monde, depuis les maîtres jusqu'à cette petite vermine d'Urie — qui allait sur ses quatre ans — paraissait sensible au fait qu'elle parait la vie quotidienne d'un nouvel éclat.

— Pour moi, si j' tenais tant à Tom, c'est pasque tous les deux on aime tell'ment fabriquer des choses pour les gens, confia-t-elle à Matilda, un soir d'octobre où le froid les avait réunies devant l'âtre. (Et elle ajouta, en jetant à sa belle-mère un malin regard en dessous :) Comme je connais Tom, c'est pas la peine de vous d'mander s'il vous a dit qu'on fabriquait aut' chose...

Déjà Matilda était debout, poussant des cris de joie, la serrant dans ses bras.

— Fais-moi une p'tite gamine, mon chou, une mignonne que j' pourrai bercer et pomponner !

Pendant tout l'hiver, alors que sa grossesse avançait, Irène déploya une incroyable activité. Il n'était pas un endroit de la grande maison ou du quartier des esclaves qu'elle n'embellît d'un ouvrage de ses mains. Tapis tissés à partir de chutes de tissu ; bougies de couleur parfumées, pour les fêtes de fin d'année ; peignes de corne ; récipients, louches ou nids d'oiseaux taillés dans des gourdes. Elle tint à décharger entièrement Matilda de la lessive et du repassage. Et, comme elle glissait dans le linge des feuilles de rose séchées ou des brins de basilic, tous les Murray, blancs et noirs, avaient le plaisir d'endosser des vêtements imprégnés d'une discrète senteur.

Au mois de février, Matilda enrôla Irène dans une conspiration à laquelle participait aussi Ashford, pour une fois coopératif. Après lui avoir exposé son plan, Matilda exigea le secret :

— Va surtout pas en toucher un traît' mot à Tom, l'est tell'ment conv'nab', *lui !*

Mais Irène ne voyait, pour sa part, aucune objection à jouer le rôle qui lui était assigné. Dès qu'elle eut l'occasion de se trouver seule à seule avec P'tite Kizzy, elle lança avec le plus grand sérieux :

— Faut que j' te dise quèq' chose qui m'est v'nu aux oreilles. C't' Ashford dégoise qu'y aurait une fille de toute beauté qu'aurait l'œil sur Amos, et c'est déjà pas mal embringué. Ashford, il sait ça à cause que sa connaissance, elle est dans la même plantation que c'te fille. Paraîtrait qu'il va la voir les soirs de s'maine — toi, c'est jamais qu' les dimanches, hein ? A c' qu'elle clame, y en aurait plus pour longtemps avant qu'il saute le balai avec elle, Amos...

Matilda fut plus que satisfaite d'apprendre que P'tite Kizzy avait aussitôt gobé l'hameçon : il était temps, pour elle, de se ranger, et Amos était un soupirant sérieux et solide.

Lorsque celui-ci arriva, le dimanche suivant, Tom lui-même laissa paraître son étonnement devant l'accueil de P'tite Kizzy. Jamais on ne l'avait vue aussi vive, enjouée, mutine même à l'égard de ce taciturne Amos qu'elle avait, jusque-là, toujours paru trouver suprêmement assommant. Il ne fallut encore que quelques dimanches du même genre pour que la jeune fille confessât à Irène — son idole — qu'elle était amoureuse. Irène transmit dûment l'information à Matilda, qui s'en montra ravie.

Mais les dimanches défilaient, et il n'était toujours pas question de mariage.

— A c't' heure, j'suis pas tranquille, confia Matilda à Irène. Ils vont fricoter ensemble, ça c'est sûr. T'as qu'à voir, dès qu'il s'amène, les v'là partis tous les deux, et ça s' parle tout bas, et ça s' rapproche. Et j'ai deux raisons de m' tourmenter. Ça peut finir qu'elle se r'trouve avec un gros ventre avant d' l'avoir marié. Mais va savoir aussi si c' garçon, qu'a l'habitude des ch'mins d' fer et des gens qui voyagent, il y a pas mis en tête de s'ensauver dans l' Nord ! L'est capab' de tout, c'te gamine !

Le dimanche suivant, à peine Amos était-il arrivé que Matilda servait un gros gâteau fourré et un cruchon de citronnade. Sans doute ne cuisinait-elle pas aussi bien que P'tite Kizzy, s'exclama-t-elle avec volubilité, mais Amos allait tout de même lui faire le plaisir de manger une tranche de son gâteau et de bavarder un peu, non ?

Amos n'avait d'autre choix que de s'exécuter, tandis que P'tite Kizzy ravalait son indignation sur un regard comminatoire de Tom. Tout en goûtant, la famille échangeait de menus propos auxquels Amos ne s'associait guère que par quelques monosyllabes. Au bout d'un moment, P'tite Kizzy n'y tint plus : les siens ne se doutaient pas de toutes les choses intéressantes que son galant avait à raconter !

— Amos, dis un peu c' que c'est qu' ces grands poteaux et puis ces fils que les Blancs du ch'min d' fer ils viennent d'agencer !

— J' sais pas si j'arriv'rai à descriter ces machins, prévint Amos. Z'avaient planté des grands poteaux, et l' mois dernier, v'là qu'ils tendent plein d' fils d'un faîte à l'aut'...

— A quoi qu' c'est bon ? l'interrompit Matilda.

— Attends donc, mammy ! grogna P'tite Kizzy.

— Z'appellent ça du té-lé-gra-phe, ma'me. Les fils, ils arrivent jusqu'à la gare et là, y a un employé qu'a d'vant lui un drôle d'engin avec une p'tite manivelle sur le flanc. Des fois il le fait marcher avec son doigt, mais les trois quarts du temps c't' engin il fait clic-clic tout seul. Et les Blancs, z'en sont tout échauffés. Tous les matins, y en a un paquet qui s' ramènent à la gare, et puis ils attendent que c'te machine fasse son boucan. Ils disent que c'est des nouvelles qu'arrivent de partout sur les fils...

— Attends, Amos, dit Tom de son ton réfléchi, tu dis qu' ça donne des nouvelles avec des clic-clic ? Y a rien qui parle ?

— Oui, m'sieu Tom, c'est comme un gros criquet. J' sais pas comment il s'y prend, l'homme de la gare, mais lui il en tire des paroles. Et, après, il va les répéter aux Blancs qu'attendent.

— C'est-y Dieu possible c' qu'ils font, ces Blancs !

s'écria Matilda en regardant Amos avec de grands yeux.

— M'sieu Tom, reprit Amos, visiblement plus à l'aise, vous avez-t-y vu les ateliers d' réparation qu'ils ont dans ce ch'min d' fer ?

— Non, mon garçon, répondit Tom, qui appréciait décidément de plus en plus le choix de sa sœur. On est passés d'vant, avec ma femme, mais j'y suis jamais rentré.

— Moi j'ai pu, pasque j' porte à manger d'puis l'hôtel aux hommes qui travaillent là-d'dans. Y a douze ateliers, hein ! mais c'est à la forge qu'y a l' plus d' besogne. Y a les gros essieux à r'dresser, toutes sortes de réparations sur les trains, et aussi plein d' pièces à fabriquer pour les faire marcher. Z'ont des grues aussi grosses que des troncs d'arbre là-d'dans, des foyers qu'on pourrait y faire rôtir d'un seul coup deux trois bœufs, des enclumes qui pèsent jusqu'à des huit cents livres !

— Combien elle pèse, ton enclume à toi, Tom ? demanda Irène.

— Dans les deux cents livres, et c'est pas tout l' monde qu'est capab' de la soul'ver.

— Amos, et ton hôtel neuf où tu travailles, raconte un peu ! demanda P'tite Kizzy.

— Eh là ! C'est pas *mon* hôtel, répondit plaisamment Amos, mais j' voudrais bien qu' ça l' soye ! Une vraie mine d'or, que c'est. Et d' penser que l' président d' la Compagnie il a mis à la tête de ça mam'zelle Nancy Hillard, c' qu'a piqué tous les hommes qui guignaient la place. C'est elle qui m'a engagé, pasque j'avais toujours travaillé chez ses parents. Eh bien, c't' hôtel, il a trente chambres, et six toilettes dans la cour de derrière. Pour un dollar de la journée, les gens ils ont la chambre, avec lavabo et serviette, les trois repas et un fauteuil sous la véranda. Des fois, mam'zelle Nancy elle grogne que les ouvriers du ch'min d' fer ils lui massacrent ses draps avec la graisse et la suie, et puis, après, elle dit qu'au fond ils dépensent tout c' qu'ils gagnent au village de la Compagnie, si bien qu' faut pas s' plaindre !

— Dis donc ! Et tous ces gens des trains qu' vous les faites manger, hein ! glissa P'tite Kizzy, insatiable.

— Oui, et croyez-moi qu' c'est pas l' moment d' lambiner, reprit Amos avec un sourire. Y a deux trains d' voyageurs par jour, un dans chaque sens. Quand ils arrivent à McLeansville ou à Hillsboro, s'lon qu'ils vont vers l'est ou l'ouest, l' chef de train il télégraphie à l'hôtel combien qu'ils sont en tout, avec les passagers et les employés. Et quand l' train entre en gare on est tous là à s'occuper d'eux. Y a des grandes tables où qu'ils ont à choisir : des cailles, du jambon, du poulet, du lapin, du bœuf, une pagaille de légumes, de salades, et une table rien qu'avec des desserts ! Z'ont vingt minutes pour se lester l'estomac et puis tout l' monde remonte et l' train r'part !

P'tit George, tout chaviré par ces visions de tables croulant sous les plats, s'écria avec une sincère admiration :

— J' me s'rais jamais douté qu' tu voyais tant d' choses dans ta journée, Amos !

— Mam'zelle Nancy, elle dit qu' le ch'min d' fer c'est une chose rapitale, remarqua Amos avec modestie. Une fois qu' les lignes comme-n'iqueront, rien s'ra plus jamais pareil.

96

Chicken George s'était engagé à toute bride dans le chemin de la plantation. Et soudain il stoppa net son cheval, dont la robe était trempée d'écume. Oui, c'était bien *là,* mais quelle vision incroyable! Derrière un foisonnement d'herbes folles, la façade de la grande maison, jadis crème, n'était plus que lèpre grise ; là où des vitres manquaient, les châssis des fenêtres étaient bourrés de chiffons; l'un des côtés de la toiture s'affaissait dangereusement. Les champs environnants étaient en friche, et les clôtures effondrées.

Comme frappé d'hébétude, il poussa son cheval au milieu des hautes herbes. Il s'arrêta une nouvelle fois en découvrant la véranda de guingois, les marches du perron brisées et là-bas, dans le quartier des esclaves, les toits des cases éventrés. Il mit pied à terre et conduisit son cheval jusque dans l'arrière-cour sans voir un chat, un chien, un poulet.

Brusquement Chicken George aperçut un être humain, une femme informe, le buste ployé en avant. Assise sur un billot, elle équeutait des épinards dont elle jetait le vert dans une vieille cuvette rouillée. Ce ne pouvait être que mam'zelle Malizy, mais il n'arrivait pas à accepter cette idée, et il ne put retenir une exclamation incrédule.

Mam'zelle Malizy redressa la tête, le vit, mais ne parut pas le reconnaître. Il courut vers elle en criant :

— *Mam'zelle Malizy !* et puis s'arrêta court...

Il voyait qu'elle fouillait sa mémoire... Et soudain, elle se redressa lourdement en balbutiant :

— George, tu s'rais pas George, mon garçon ?

— Oui, mam'zelle Malizy ! répondit-il d'une voix étranglée en se jetant sur elle, en serrant dans ses bras le gros corps flasque.

— Seigneur Dieu ! Où qu' t'étais-t-y donc passé ? Avant, t'étais là tout l' temps !

Devant son air hébété, George se demanda si elle mesurait que cinq ans avaient passé.

— J'étais d' l'aut' côté d' l'eau, dans c't' Angleterre, mam'zelle Malizy. A cause des poulets, vous savez ? Mais où qu'ils sont, dites, mammy, ma femme, mes p'tits ?

Le vieux visage demeurait totalement inexpressif, comme vidé à jamais de toute émotion.

— Y a quasiment plus personne ici. Ils sont tous partis. Reste que l' maître et moi...

— Ils sont partis *où,* mam'zelle Malizy ?

— Ta mammy... Kizzy qu'elle s'app'lait..., l'est là-bas, dit-elle en montrant la petite saulaie derrière le quartier des esclaves.

George sentit les sanglots lui monter aux lèvres.

— Sarah, elle y est aussi... et la maîtresse, elle est sous la p'louse — t'as dû passer d'vant en arrivant.

— Mam'zelle Malizy, où qu'ils sont, hein, Matilda, et mes enfants ?

— Tilda, ah ! oui. Une bonne fille que c'était. Avec une tripotée de p'tits. Mais tu sais donc pas qu'y a beau temps qu' le maître les a vendus ?

— Les a vendus *où,* mam'zelle Malizy ? aboya George. Et l' maître, où qu'il est ?

— Dans la grande maison. A c't' heure, il doit dormir ; l'est toujours soûl, alors il s' lève tard... et j' te braille que j'y fasse à manger..., mais j'ai rien, moi, à cuisiner... T'as pas apporté quèq' chose, mon garçon ?

Mais déjà George avait tourné les talons et traversait en trombe la cuisine dévastée, le vestibule aux murs écaillés, le salon malodorant ; il s'arrêta au pied du petit escalier et hurla :

— M'SIEU LEA !

Il allait monter lorsqu'il entendit du bruit. Et bientôt émergea de la chambre à droite du palier un personnage hirsute, qui le contemplait par-dessus la rampe. Malgré sa colère, George fut bouleversé par cette apparition : hâve, pas rasé, malpropre, le maître n'était plus que l'ombre de lui-même.

— *M'sieur Lea !* se risqua-t-il enfin à appeler.

— *George !* (Le vieillard eut un haut-le-corps.) *George !*

Déjà il s'était précipité dans l'escalier et descendait

les marches d'un pas chancelant. Quand il arriva en bas, les deux hommes restèrent un instant plantés l'un devant l'autre. Chicken George contemplait le visage émacié, les yeux chassieux. Soudain un rire aigu secoua le maître et il se précipita sur George, les bras ouverts. Mais celui-ci esquiva l'étreinte et, saisissant les mains osseuses de m'sieu Lea, il les serra vigoureusement.

— Je suis si content de te revoir, George ! Qu'est-ce qui s'est passé ? Il y a beau temps que tu aurais dû rentrer !

— Oui, m'sieu ! Mais lord Russell vient seul'ment de m' lâcher. Et j'ai encore eu huit jours de bateau, d'puis Richmond.

— Viens donc dans la cuisine ! Tiens, assieds-toi, dit le vieillard en poussant deux chaises branlantes devant la table. LIZY !

— Me v'là, maître, répondit Malizy depuis la cour.

— Tu sais, elle a plus sa tête...

— Maître, où elle est, ma famille ?

— Avant de discuter, on va boire un coup ! Tu te rends compte qu'on a *jamais* bu un coup ensemble ! Ça me fait tellement plaisir que tu sois revenu... Enfin, quelqu'un à qui parler...

— J' suis pas là pour parler, maître. Où qu'elle est, ma famille ?

— LIZY !

La grosse masse de Malizy était apparue sur le seuil de la cuisine. Elle dénicha la bonbonne, la mit sur la table avec deux verres et ressortit sans paraître avoir remarqué la présence des deux hommes.

— Pour ta mère, j'ai eu de la peine. Mais c'était l'âge, hein ? Elle est partie très vite. On l'a mise dans une belle fosse...

M'sieu Lea remplissait les verres.

En un éclair, Chicken George comprit qu'il n'avait pas changé : il faisait exprès de ne pas parler de

Matilda et des enfants. Il fallait s'en méfier comme d'un serpent... et, surtout, ne pas le fâcher.

— Maître, vous avez-t-y oublié c' que vous m'avez dit quand j' suis parti ? Que vous m' donn'riez ma liberté dès que j' s'rais rev'nu. Eh bien, j' suis rev'nu !

M'sieu Lea semblait devenu soudainement sourd. Il remplit de nouveau le verre de Chicken George et le sien.

— A ta santé, mon garçon ! A ton retour !

Chicken George but à sa propre santé. L'alcool lui brûlait l'estomac, mais il lui donnait du cœur au ventre. Il avait besoin de ce coup de fouet... Et, puisqu'il fallait ruser, il allait ruser.

— J' sais par Malizy c' malheur qu' vous avez eu d' perdre la maîtresse.

— Un matin, elle s'est pas réveillée, expliqua m'sieu Lea en finissant de lamper son verre. Ça m'a fait quèq' chose. Depuis ce fameux tournoi, elle me faisait une vie infernale. Mais quand même... on aime pas voir partir les gens. Enfin, de toute façon, on partira tous, ajouta-t-il dans un hoquet.

Il est pas encore aussi gâteux qu' Malizy, mais il en est pas loin, pensait George. Il fallait y aller carrément.

— Ma Tilda et les p'tits, mam'zelle Malizy elle dit qu' vous les avez vendus...

— J'avais pas le choix. La malchance, rien que la malchance ! Les terres, c'est pareil, il a fallu que j' les vende, et mes poulets aussi, ils y ont passé ! (George allait exploser, mais m'sieu Lea était remonté.) Aujourd'hui, c'est la dèche complète. Avec Malizy, on mange que c' que l'on peut ramasser ou attraper, et ça s'arrête là. Mais tu sais, pour moi, c'est pas la première fois, trompetta-t-il. Moi, je suis né pauvre ! Mais maintenant que t'es là, toi et moi, on peut remettre les choses en marche. Tous les deux, on doit y arriver, mon garçon !

La seule réponse qu'aurait pu donner Chicken

George aurait été d'étrangler le maître. Mais il portait dans ses moelles l'idée du châtiment auquel s'expose le Noir qui attaque un Blanc. Pourtant, le maître aurait pu difficilement se méprendre à son ton.

— Maître, quand qu' vous m'avez fait partir, vous avez donné vot' parole de me 'manciper ! Et quoi que j' trouve en rev'nant : ma famille qu'est vendue. Y m' faut mon acte, maître, et j' veux savoir où qu'ils sont, ma femme et mes enfants !

— Je te l'ai pas dit ? Chez un planteur de tabac du comté d'Alamance, un nommé Murray, tout près des ateliers du chemin de fer. Et je te conseille d'y mettre une sourdine, mon garçon, ajouta m'sieu Lea, l'œil mauvais.

Le comté d'Alamance... le nom du planteur : Murray..., les ateliers du chemin de fer... Chicken George gravait ces mots dans sa mémoire. Il pouvait bien, à présent, manifester quelque contrition :

— Maître, faut pas vous fâcher. Je m' suis un peu emporté, mais c'est pas mon genre...

Bon ! M'sieu Lea se calmait... *Faut qu' j'y tire c' papier qui m' libère.* — Chicken George n'avait plus que cette seule pensée.

— Les revers que j'ai eus, mon garçon — le maître s'avachissait peu à peu sur la table. Tu m'écoutes, oui ? Au plus bas, que j'ai été ! Et je parle pas seulement de l'argent, hein !

— Oui, m'sieu.

— J'ai passé de *sales moments !* Ces enfants d' putain qui me ricanaient dans le dos. Mais il est pas fini, Tom Lea ! Maintenant que t'es là, on va un peu leur montrer. On recommence avec les poulets, hein ! J'ai quatre-vingt-trois ans, et puis après ?... On va les ratisser, mon garçon !

— Maître...

— T'as quel âge, mon garçon, je sais plus très bien...

— J' vais sur mes cinquante-cinq ans, maître.

— C'est pas vrai ! Moi qui t'ai vu naître ! Une petite misère de négro tout ridé, jaune comme paille. C'est moi qui t'ai appelé George !

George refusant la nouvelle rasade qu'il lui offrait, m'sieu Lea se versa seul à boire et regarda autour de lui, comme pour s'assurer qu'ils étaient bien seuls.

— Je les ai quand même eus, tous autant qu'ils sont. Ils croient que je suis à sec, mais j'ai de l'argent. Personne le trouvera. Il est bien caché. Et tu sais à qui il reviendra quand j'y serai plus ? Et pas seulement ça ! J'ai encore dix bons acres de terre, et la terre, c'est un capital, hein ? Eh bien, tout c' que j'ai, c'est *toi* qu'en hériteras, parce que t'es mon *sang !*

Le cœur comme dans un étau, George restait muet. *Pour raconter des trucs comme ça,* pensait-il, *faut qu'il soye à bout.*

— Reste avec moi, George, même rien qu'un petit moment. Je sais que t'es pas homme à laisser tomber ceux qui t'ont poussé dans le monde... (*Il me l'avait montré, c't acte de 'mancipation ; je l' mets dans mon coffre, qu'il avait dit...* Il n'y avait qu'un moyen pour réussir à lui soutirer ce papier : le griser.) Tu te rappelles, quand je t'ai signé cette passe pour que t'ailles courir la gueuse tout ton soûl ? T'étais un chaud lapin, hein !

— Oui, m'sieu ! Un chaud lapin, maître !

— Moi, je m'en privais pas non plus quand on faisait nos voyages. Toi et moi, c'était la fine équipe, pas vrai ?

Les voyages, les tournois, les fredaines... George se secoua brusquement. Il avait failli se laisser prendre à l'évocation de ces souvenirs. Et, en plus, le whisky lui tournait un peu la tête. Ce n'était pourtant pas le moment d'oublier son objectif ! Saisissant la bonbonne, il se servit un doigt d'alcool, referma la main autour de son verre pour ne pas éveiller les soupçons de m'sieu Lea, et lui versa une grande rasade.

— A vot' santé, maître ! Et j' crains pas de dire qu'y en a pas d' meilleur que vous !

M'sieu Lea avala son verre d'un trait.

— Tiens, remets-moi ça. A la santé du meilleur négro que j'aie eu ! (Il commençait à parler d'une voix pâteuse.) Tu m'as rien dit de c't Anglais... C'était comment, déjà, son nom ?

— Lord Russell, maître. L'a tell'ment d'argent qu'il sait pas quoi en faire. Rien qu' pour un tournoi, l'a au bas mot quat' cents bestioles qu'il a qu'à choisir dedans. (George marqua volontairement une pause.) Mais question de s'y connaît', il vous vient pas à la ch'ville, maître.

— Tu parles sérieusement ?

— Déjà, l'est pas aussi malin. Et puis, vous êtes un *homme,* vous ! Lui, il a la fortune et la chance, rien d'aut'. L'a pas vot' *classe,* maître...

M'sieu Lea, qui dodelinait de la tête, sursauta et regarda George d'un œil incertain. *Où qu'il peut être caché, son coffre ?* Dire que tout le reste de la vie de Chicken George dépendait de ce morceau de papier couvert de signes incompréhensibles.

— Maître, j' boirais bien encore un coup.

— Mais sers-toi donc, mon garçon, autant que tu veux...

Une nouvelle fois, les deux hommes vidèrent leur verre.

Chicken George luttait contre les fumées de l'alcool. Voyant m'sieu Lea piquer du nez vers la table, il se redressa. *L'a l'air d'avoir son compte à c't' heure.* Il repoussa silencieusement sa chaise et attendit encore un instant. Puis il se dirigea vers la porte et s'arrêta sur le seuil.

— Maître !... Maître !... siffla-t-il entre ses dents.

Vautré sur la table, m'sieu Lea ne répondit pas. A pas feutrés, Chicken George fit le tour du rez-de-chaussée, fouillant chaque meuble. Puis il gravit l'escalier quatre à quatre, en pestant contre ses craquements.

Arrivé en haut, quelque chose le retint d'abord malgré lui : tout de même, il allait entrer dans la chambre d'un Blanc ! Mais, en voyant le désordre qui y régnait, il se trouva brusquement dégrisé. Une odeur fétide le prit à la gorge : whisky éventé, urine, sueur, vêtements souillés. Comme un possédé, il se mit à chercher, secouant les hardes, inspectant les tiroirs, déplaçant les objets. *C'est p't-êt' sous son lit ?* Il se jeta à genoux, s'aplatit : le coffre était là !

Déjà il dégringolait l'escalier, traversait le vestibule, sortait en quatre enjambées. Il passa sur le côté de la maison, s'arrêta pour essayer de forcer la serrure de la lourde boîte métallique, mais celle-ci résistait. Il songea un instant à s'enfuir avec le coffre. Mais non ! Si l'acte n'était pas dedans, c'en serait fini de lui — à jamais.

Soudain, ses yeux tombèrent sur le billot à fendre le bois — la vieille hache était toujours à côté. La serrure céda au premier choc. Du coffre s'échappèrent des billets, des pièces, des papiers... et l'acte était là, il le reconnut au premier coup d'œil.

— Quoi qu' tu fais, mon garçon ?

Chicken George sursauta violemment. Mais ce n'était que mam'zelle Malizy, trônant sur son rondin, les yeux dans le vague.

— Faut que j'file, mam'zelle Malizy.

— Te gêne pas pour moi, mon garçon...

— J' donn'rai l' bonjour pour vous à Tilda et aux p'tits.

— Bien obligée...

— Adieu, ma'me...

George étreignit tendrement la pauvre vieille. *J' devrais aller sur les tombes.* Mais, au fond, mieux valait le souvenir qu'il avait de mammy Kizzy et Sœur Sarah vivantes. Pour la dernière fois, Chicken George embrassa du regard ces lieux où il était né, où il avait vécu. Les joues inondées de larmes, il se mit à courir, sauta sur son cheval et partit au galop, sans se retourner.

97

Irène ramassait des plantes odorantes dans un enclos que longeait la grand-route. Le martèlement d'un cheval au galop lui fit lever la tête. Elle étouffa un cri : le cavalier portait une écharpe verte et un melon noir, orné d'une souple plume de coq. Elle se précipita dans sa direction en faisant de grands signes et en criant :

— *Chicken George ! Chicken George !*

Le cavalier vint se ranger tout contre la clôture. Trempé de sueur, son cheval soufflait avec peine.

— Je t' connais, fillette ? demanda-t-il à Irène en lui rendant son sourire.

— Non, m'sieu. On s'est jamais vus, mais j' vous aurais r'connu n'importe où, tell'ment que Tom, mammy Tilda et tout' la famille ils parlent de vous.

— Tu veux dire ma Tilda, mon Tom ?

— Oui, m'sieu. Vot' femme et mon mari — l' père de mon p'tit !

— Z'avez un *p'tit,* toi et Tom ? dit George qui revenait difficilement de sa surprise.

Irène hocha affirmativement la tête. D'un air radieux, elle montra son ventre :

— Il s'ra là dans un mois !

— Seigneur Dieu tout-puissant ! Comment tu t'appelles ?

— Irène, m'sieu.

Tandis que Chicken George continuait jusqu'à l'allée

d'entrée, la jeune femme s'en fut aussi vite que le lui permettait son état et, arrivée à portée de voix du champ où travaillaient Virgile, Ashford, P'tit George, James, Lewis, P'tite Kizzy et Lilly Sue, elle les appela à pleins poumons. P'tite Kizzy accourut vers elle et repartit avec encore plus de précipitation pour annoncer l'incroyable nouvelle. Et ce fut la ruée vers le quartier des esclaves où Matilda et Tom venaient juste d'accueillir Chicken George. Ils se bousculaient autour de leur père, l'ahurissant de cris de joie, l'étouffant de baisers, au point qu'il faillit demander grâce.

— Faut mieux que j' vous dise d'abord les mauvaises nouvelles ! parvint-il enfin à articuler.

Et il leur apprit la mort de grand-mammy Kizzy et de Sœur Sarah.

— La vieille ma'me Lea aussi, l'a passé...

Lorsque leur chagrin se fut un peu apaisé, Chicken George décrivit le triste état de la pauvre Malizy, puis il raconta sa séance avec m'sieu Lea et brandit triomphalement son acte d'émancipation. Il fallut tout de même s'interrompre pour dîner, mais à la veillée le cercle se reforma autour de Chicken George. Que de choses n'avait-il pas à rapporter sur « c't' Angleterre » où il avait passé près de cinq ans !

— Mais j' crois qu' ça m' prendrait bien encore une aut' année si j' me mettais dans la tête de raconter tout c' que j'ai vu et tout c' que j'ai fait d' l'aut' côté d' l'eau !

Il n'en fit pas moins un tableau rapide de ce milieu dans lequel il avait débarqué. Sir C. Eric Russell possédait une grande fortune et faisait figure dans le monde ; ses coqs — superbes bêtes de race — sortaient vainqueurs de toutes les rencontres ; Chicken George lui-même, en tant qu'entraîneur noir venu d'Amérique, n'avait pas suscité un mince intérêt chez les adeptes des combats de coqs ; ne voyait-on pas, en Angleterre, des dames de qualité aller à la promenade avec des négrillons africains vêtus de soie ou de velours et retenus, en guise de laisse, par une chaîne d'or passée à leur cou ?

— J'irai pas dire que j' suis pas content d'avoir vu tant d' choses. Mais Dieu sait si j' me suis langui d' vous aut'.

— C'est pour ça qu'au lieu des deux ans t'es resté plus d' quat' ! répliqua vertement Matilda.

— La vieille a pas changé, hein ? lança George aux enfants amusés.

— Ah ! ouiche, la vieille ! T'as pas r'gardé ta tignasse grise, non ?

— C'est pas moi qu'a pas voulu rentrer, dit George en riant de l'air faussement indigné de Matilda. Une fois qu' j'ai eu fait mes deux ans, j' l'ai r'mémorisé à lord Russell. Mais v'là qu'un p'tit moment après il vient m' dire que j'y entraînais si bien ses poulets, et puis que l' garçon blanc qui m'aidait l'était pas fini d' former, qu'il voulait m' garder encore un an — l'allait envoyer d' l'argent à m'sieu Lea pour qu'il m' laisse. Fou furieux, qu' j'en étais, mais quoi qu' j'aurais pu faire, hein ? Alors, j'y ai d'mandé d' bien insister dans sa lettre à m'sieu Lea qu'il vous dise c' qu'arrivait.

— L'en a pas dit un mot ! s'écria Matilda.

— Pour sûr, c'est là qu'il nous a vendus, ajouta Tom.

— Alors, c'est pas moi l' fautif, non ? rétorqua George d'un air de dignité offensée.

Il avait finalement obtenu de lord Russell la promesse formelle de ne pas repousser son départ au-delà d'une autre année. De l'aveu de ce dernier, l'entraînement de Chicken George avait amené ses coqs à un rare point de perfection, et dès que son assistant blanc serait parfaitement au point, il pourrait prendre la relève. Enfin, ce jour était venu.

— Et croyez-moi qu'y a pas beaucoup d' négros qu'ont eu comme moi deux pleines voitures d' ces Anglais pour me m'ner jusqu'au port — Southampton, que c'était. J' peux pas vous dire la nuée d' navires qu'y avait là-d'dans. Moi, j' devais voyager dans l'entrepont — c'est lord Russell qu'avait tout arrangé. Seigneur ! La frousse de ma vie qu' j'ai eue ! On était à peine engagés qu' ça commence à monter et à descendre et à ruer comme un ch'val sauvage ! J' m'égosillais d' prières, moi ! poursuivit-il en ignorant le regard noir de Matilda. Comme si c't' océan il voulait nous éventrer ! Mais, une fois calmé, ça a bien été jusqu'à New York...

— New York ! s'écria P'tite Kizzy. Quoi qu' t'as fait là-haut, papa ?

— Attends, fillette, j' peux pas aller plus vite que l' violon ! Ce lord Russell, il avait donné d' l'argent à un officier d' not' bateau, pour qu'il me mette sur un aut' qu'allait à Richmond. Mais v'là que c' bateau d' Richmond, il partait pas avant cinq six jours. Alors, je m' suis baladé dans New York à voir comment ça s' passait là-d'dans, à écouter...

— Où t'habitais ? glissa Matilda.

— Dans une pension pour gens d' couleur, ça veut dire les négros. J'allais pas rester à la rue avec l'argent que j' rapporte ! Lord Russell, c'est pas un rapiat, lui ! J'ai pas mal discuté avec des négros affranchis, hein ! Y en a une tripotée qu'arrivent tout juste à pas crever d' faim, plus mal lotis qu' nous aut' qu'ils sont. Mais y en a qu'ont la belle vie ! Z'ont un commerce à eux, ou une place bien payée. Ceux qu'ont les moyens, ils s'achètent une maison, mais c'est rare ; z'habitent plutôt dans des logements, qu'ils appellent ça, en donnant d' l'argent tous les mois. Y en a même qu'envoient leurs p'tits à l'école et tout ça. Mais c' qui les 'xaspère, c'est c'te nuée d' Blancs qu'ont 'migré...

— C'est les abolitionnaires ? le coupa P'tite Kizzy.

— Qui c'est qui raconte, toi ou moi ? C'est pas d' ceux-là que j' parle. Les abolitionnaires, c'est des Blancs qu'ont été dans c' pays au moins aussi longtemps qu' les négros. Ceux que j' dis, moi ça s' déverse par pleins bateaux à New York et même dans tout l' Nord. C'est surtout des Irlandais, qu'on les comprend seul'ment pas, et puis des gens d'aut' sortes, qui parlent même pas anglais. Paraît que l' premier mot qu'ils apprennent à bafouiller en descendant du bateau c'est « négro », et en un rien d' temps ils braillent que les négros leur prennent *leurs* boulots ! Sont tout l' temps en train d' chercher la bagarre et d' rameuter l' monde — pire que les p'tits Blancs, qu'ils sont !

— Seigneur ! Tout c' que j' demande c'est qu'ils s' ramènent pas par ici ! dit Irène.

— Dites donc, à c' train-là, il m' faudra la s'maine pour raconter seul'ment la *moitié* de c' qu'est arrivé sur c' bateau qui m'a am'né à Richmond...

— Toi qu'aimes tant courir, pourquoi t'as pris l' bateau ?

— Mais j'aurai donc jamais d' repos avec c'te femme ! On s' ramène après des années, et on s' fait houspiller comme si qu'on était parti d' la veille ! lança Chicken George d'un ton légèrement agacé.

Tom s'empressa d'intervenir :

— T'as ach'té ton ch'val à Richmond ?

— 'Xactement ! Soixante-dix dollars ! C'te jument, elle pète le feu. Un négro affranchi doit pas avoir un canasson, que j' me suis dit. Et j' te l'ai m'né un train d'enfer jusque chez m'sieu Lea...

Pendant toute la semaine, Chicken George alla voir les uns et les autres à leur ouvrage ; mais, aux champs, les semailles du début avril ne laissaient guère de temps pour bavarder ; à la forge, Tom était débordé ; quant à Matilda et Irène — cette dernière au huitième mois de sa grossesse — leurs sourires gênés montraient amplement qu'elles avaient trop à faire pour perdre leur temps avec lui. Il essaya bien, à plusieurs reprises, d'engager la conversation avec Tom pendant que celui-ci travaillait, mais à chaque fois il sentait que son arrivée modifiait l'ambiance. Les esclaves en train d'attendre devenaient visiblement nerveux devant la réaction des Blancs qui interrompaient brusquement leurs discussions, crachaient de façon bien évidente et s'agitaient sur leurs bancs de rondins en contemplant d'un œil lourd de suspicion ce Noir osant arborer écharpe verte et melon noir.

A deux reprises, Tom surprit m'sieu Murray à rebrousser chemin alors qu'il était presque arrivé à la forge, et il ne s'en étonna pas. Matilda lui avait rapporté que lorsque les Murray avaient appris l'arrivée de Chicken George, « z'avaient l'air contents pour nous, mais, après, les v'là partis à discuter tout bas et dès qu' j'entre ils s'arrêtent ».

Chicken George étant « libre », quelle pouvait être sa situation dans la plantation Murray ? Qu'allait-il faire ? Ces questions tracassaient tous les membres de la famille, à l'exception d'un seul : Urie, dont les quatre ans nourrissaient d'autres préoccupations.

— T'es mon grand-papa, toi ?

Urie avait sauté sur l'occasion qui lui était donnée de parler directement à cet homme étrange, dont l'arrivée avait suscité un tel émoi chez les adultes.

— *Quoi ?* sursauta Chicken George, qui errait dans le quartier des esclaves, ulcéré de se sentir repoussé par tous.

Il contempla l'enfant qui levait vers lui de grands yeux arrondis de curiosité.

— Oui, il paraît. C'est comment, ton nom ?

— Urie, m'sieu. Où qu' c'est-y qu' tu travailles ?

— Quoi qu' tu racontes ? Qui c'est qui t'a dit de m' demander ça ?

— Personne, c'est moi tout seul.

Chicken George décida de lui dire la vérité.

— J' travaille nulle part. J' suis libre.

— C'est quoi, libre ?

— C'est quand on appartient plus à personne.

Chicken George lut dans les yeux d'Urie que cela

dépassait sa compréhension. Que dire qui fût à la portée d'un si jeune enfant ?

— Tu sais d'où tu viens ?

— Moi, m'sieu ? D'où que j' viens ?

Ainsi, l'on n'avait pas instruit cet enfant de ses origines, ou on l'avait fait dans des termes qui n'avaient pu se graver dans son souvenir.

— Viens avec moi, mon garçon. (Ouvrant la marche, Urie sur ses talons, Chicken George se dirigea vers la case de Matilda.) Maint'nant, tu vas t' mettre sur c'te chaise et écouter c' que je t' raconte. Faudra pas tout l' temps poser des questions, hein ?

— Oui, m'sieur.

— Ton papa c'est not' fils, à grand-mammy Tilda et à moi. T'as compris ?

— Mon papa, c'est vot' p'tit.

— Très bien. T'es pas si bête que tu parais. Ma mammy à moi, elle s'app'lait Kizzy. A toi, c'est ton arrière-grand-mère Kizzy, t'entends ?

— Oui, m'sieu, 'rière-grand-mère Kizzy.

— Et sa mammy à elle, elle s'app'lait Bell.

— S'app'lait Bell.

— Bien, mon garçon, grogna Chicken George. Et le papa de Kizzy, il s'app'lait Kounta Kinté...

— Kounta Kinté.

— Ça y est ! Alors, Kounta Kinté et Bell, c'est tes arrière-arrière-grands-parents.

Une bonne heure plus tard, Matilda fit irruption dans la case, affolée par la disparition d'Urie. Et elle trouva le petit-fils s'efforçant de répéter, sous la conduite de son grand-père, des mots tels que « Kounta Kinté », et « ko », et « Kamby Bolongo ». Alors elle s'installa et écouta Chicken George conter à un Urie fasciné l'histoire de son arrière-arrière-grand-père africain : il était allé aux abords du village, afin de couper un tronc pour faire un tambour ; il avait été assailli, battu, enlevé par quatre hommes... « et un bateau y a fait traverser la grande eau jusqu'à un endroit qui s'appelle Naplis, et là, un m'sieu John Waller l'a ach'té et emm'né dans sa plantation qu'était au comté de Spotsylvanie, Virginie »...

Le lundi suivant, Chicken George accompagna Tom pour le réapprovisionnement à Graham, le chef-lieu du comté. Dans le chariot, ils n'échangèrent pas un mot, chacun absorbé par ses pensées. Puis ils firent la tournée des boutiques, et le père se plut à remarquer la réserve et la dignité de ce garçon de vingt-sept ans dans ses rapports avec les commerçants blancs. Pour terminer, ils passèrent à la graineterie, qui venait d'être reprise, lui apprit Tom, par un dénommé J. D. Cates, ancien shérif du comté.

Sans paraître remarquer leur présence, le corpulent Cates s'affaira à servir ses quelques clients blancs. Tom fut saisi d'un pressentiment en le voyant surveiller du coin de l'œil Chicken George, qui circulait avec aplomb dans la boutique en examinant les marchandises. Songeant à battre en retraite, il se dirigeait vers son père lorsque Cates lui intima sans ménagement :

— Dis donc, mon garçon, porte-moi donc une mesure d'eau de ce seau, là-bas !

Cates attachait sur Tom un regard dangereusement insultant. Tom se raidit comme sous un coup de fouet, mais, sans rien en laisser paraître, il exécuta l'ordre du Blanc. Cates avala l'eau d'un trait, sans quitter des yeux Chicken George qui restait rivé à sa place en secouant lentement la tête. Et le Blanc lui tendit la mesure :

— J'ai encore soif !

A gestes mesurés, Chicken George plongea la main dans sa poche, en tira son acte d'émancipation et le tendit à Cates. Celui-ci le déplia et en prit connaissance.

— Qu'est-ce que tu fais dans notre comté ? demanda-t-il d'un ton sec.

— C'est mon papa, s'empressa de dire Tom. Il vient juste d'être 'mancipé.

— Il vit avec vous dans la plantation Murray ?

— Oui, m'sieu.

Prenant à témoin sa clientèle blanche, Cates s'écria :

— M. Murray devrait tout de même connaître le code de cet État.

Ignorant ce qu'il voulait dire par là, Tom et George restèrent muets. Soudain, Cates se fit presque aimable.

— Eh bien, en rentrant, dites donc à M. Murray que j'irai lui causer dans pas longtemps.

Sous les rires des Blancs, le père et le fils se hâtèrent de sortir.

Le lendemain après-midi, Cates se présenta à la grande maison. Quelques minutes plus tard, Irène accourait à la forge.

— Mammy Tilda, elle dit que l' maître et ce Blanc ils sont à discuter sous la véranda. Ou plutôt que l' Blanc il arrête pas d' parler et l' maître il est tout l' temps en train d'hocher la tête.

— Ça va, mon chou, répondit Tom. Aye pas peur et r'tourne donc voir.

Une demi-heure plus tard elle vint rapporter que le Blanc était parti et que le maître et la maîtresse restaient à chuchoter entre eux. Mais rien ne se passa jusqu'au dîner, que Matilda servit dans un silence contraint. Enfin, au moment où elle apportait le dessert et le café, m'sieu Murray lui dit d'une voix blanche :

— Matilda, préviens ton mari que j'ai à lui parler. Qu'il me rejoigne sous la véranda.

Elle trouva Chicken George à la forge. Il accueillit son message avec un rire forcé.

— J' me d'mande si c'est pas pour m' faire y dégotter quèq' bons coqs.

Il noua son écharpe, inclina son melon sur l'oreille et partit d'un pas conquérant vers la grande maison.

M'sieu Murray l'attendait sous la véranda, assis dans un rocking-chair. Chicken George s'arrêta au bas des marches.

— Tilda dit qu' vous voulez m' parler, m'sieu.

— Oui, George. Et je vais te dire franchement les choses. Ma femme et moi, nous n'avons qu'à nous louer de ta famille...

— Oui, m'sieu, l'interrompit George, et eux aut' ils vous mettent au-d'ssus de tout, maître !

— Mais il y a malheureusement une question qui doit être résolue, reprit fermement le maître. Hier, à Burlington, tu as vu l'ancien shérif du comté, M. J.D. Cates ?

— Oui, m'sieu.

— Et tu sais sans doute qu'il m'a rendu visite aujourd'hui. Il m'a informé qu'une loi de Caroline du Nord prescrit que les Noirs émancipés ne peuvent demeurer plus de soixante jours dans l'État ; après ce délai, ils doivent redevenir esclaves.

Incapable d'articuler un mot, Chicken George regardait m'sieu Murray, les yeux écarquillés.

— Crois bien que j'en suis désolé, mon garçon. Je sais combien cela doit te paraître injuste.

— Ça vous paraît-y juste à vous, m'sieu Murray ?

Le maître hésita.

— A vrai dire, non. Seulement, la loi est la loi. Mais sache que si tu décides de rester ici, tu y seras bien traité. Je t'en donne ma parole.

— J'ai vot' parole, m'sieu Murray ? répondit George en regardant le maître d'un œil éteint.

Cette nuit-là, dans le lit, George et Matilda se prirent par la main et restèrent longtemps sans rien dire, à contempler le plafond.

— Tu sais, Tilda, murmura enfin George, j' crois que j' vais pas m'en aller. J'en ai ma claque de circuler.

— Non, George, dis pas ça. T'es l' premier qu'est libre, de nous aut'. Faut qu' tu *restes* libre, qu'on aye un 'mancipé dans la famille. Tu peux pas r'commencer à être esclave.

Et les époux fondirent en larmes.

Deux jours plus tard, Matilda était encore trop éprouvée pour aller dîner chez Tom et Irène, aussi Chicken George se rendit-il seul dans leur petite case. Comme ils parlaient du bébé qui allait naître — la grossesse d'Irène touchant presque à son terme — Chicken George se fit solennel :

— Faudra tout lui raconter sur not' famille, à ce p'tit, vous m'entendez ?

— Papa, tous mes enfants ils sauront not' histoire. J' parie qu' si j'y manquais, grand-mammy Kizzy r'viendrait m' tirer par les pieds, dit Tom avec un sourire forcé.

Ils restèrent tous les trois à contempler le feu. Enfin, Chicken George rompit le silence :

— On a compté avec Tilda. J'ai encore quarante jours à tirer d'après c'te loi. Mais, partir pour partir, j'aime autant qu' ce soye tout d' suite.

Bondissant sur ses pieds, il étreignit farouchement Tom et Irène.

— Je r'viendrai, lança-t-il d'une voix rauque. Vous laissez surtout pas aller, vous aut' !

Et Chicken George se précipita dans la nuit.

98

On était au début novembre 1860, et Tom se hâtait de terminer l'ultime pièce de sa journée. Puis il étouffa le foyer et regagna sa case où Irène était en train de donner le sein à Maria Jane, leur fillette de dix-huit mois. Les époux n'échangèrent pas un mot de tout le dîner, car Tom semblait absorbé dans ses pensées. Puis ils allèrent passer la veillée chez Matilda, où la famille au grand complet épluchait des noix de hickory tout en bavardant. Matilda et Irène — qui était de nouveau enceinte — en avaient fait une ample moisson pour les gâteaux de Noël et du Nouvel An.

Tom écoutait les propos échangés sans mot dire — et même, apparemment, sans les entendre. Et puis, à un moment où la conversation languissait, il prit la parole :

— J' vous ai déjà dit pas mal de fois c' que les Blancs, à la forge, pouvaient sacrer et écumer à cause de ce m'sieu Lincoln ? Vous les auriez-t-y entendus à c't' heure qu'il est président. Ils disent que dans c'te Maison-Blanche il f'ra plus rien qu'au dette-rimant du Sud et d' ceux qu'ont des négros.

— C'est sûr que l' maître il arrête pas de 'spliquer à la maîtresse que si l' Nord et l' Sud z'arrivent pas à s' met' d'accord, y aura du grabuge, glissa Matilda.

— Aut' chose qu'ils racontent, poursuivit Tom, c'est qu'y a beaucoup plus d' monde qu'on croit qu'est contre l'esclavage. Et c'est pas seul'ment dans l' Nord. Et v'là c' qui m'a trotté dans la tête toute la journée : c'est p't-êt' trop fort à croire, mais s' pourrait qu'un jour y ait plus d'esclaves.

— C'est pas nous qu'on verra ça, lança sombrement Ashford.

— Mais la p'tite, c'est pas dit, rétorqua Virgile en montrant Maria Jane.

— J' donn'rais cher pour y croire, mais pour moi ça risque pas, remarqua Irène. Rien qu'en comptant tous les esclaves du Sud au prix des Noirs des champs, à huit ou neuf cents dollars pièce, ça fait plus d'argent que l' Seigneur en a jamais vu ! Et, en plus, c'est nous qu'on fait tout l' travail. Les Blancs, ils abandonn'ront jamais tout ça.

— En tout cas, pas sans grabuge, dit Ashford. Et comme nous aut' on est pas autant qu'eux, on peut pas espérer gagner.

— Mais si tu prends tout l' pays, remarqua Tom, y a autant d' Blancs qui veulent pas d' l'esclavage que d' Blancs qu'en veulent.

— L' malheur, c'est qu' ceux-là qu'en veulent pas, ils sont pas là où qu'on est, nous aut', observa Virgile.

— Ben, si ça finit par la bagarre, comme dit Ashford, v'là une chose qui pourrait changer plus vite qu'on croit, conclut Tom.

Un soir du début décembre, peu de temps après le retour des Murray qui étaient allés dîner dans une plantation voisine, Matilda fit irruption chez Tom et Irène.

— Quoi qu' ça veut dire « cesse-et-sion » ? (Devant leur geste d'ignorance, elle poursuivit :) Eh bien, c'est c' que vient juste de faire la Caroline du Sud. L' maître, il en parle comme si qu'ils se r'tiraient des États-Unités.

— Comment qu'ils peuvent se r'tirer d'un pays qu'ils sont d'dans ? demanda Tom.

— Les Blancs, c'est capab' de tout, rétorqua Irène.

Tom leur cacha que, de toute la journée, les Blancs venus à la forge n'avaient pas décoléré, disant qu'ils préféraient « patauger jusqu'aux g'noux dans l' sang » plutôt que de céder devant le Nord sur la question des « droits des États » et sur celle du droit à posséder des esclaves. Il se limita à leur dire :

— J' crois bien qu' c'est vrai qu'il va y avoir la guerre.

— Seigneur Dieu ! Et où qu'elle va s' passer, Tom ?

— Mammy, y a pas un endroit pour les guerres, ça peut arriver partout.

— Tout c' que je d'mande, c'est qu' ça vienne pas par ici !

— Vous m' f'rez jamais avaler qu' des Blancs iraient en tuer d'aut' à cause des Noirs, lança sarcastiquement Irène.

Pourtant, au fil des jours, Tom n'eut que trop

d'occasions de surprendre des propos prouvant qu'il avait raison. Il n'en rapportait d'ailleurs qu'une partie à sa famille, afin de ne pas l'alarmer inutilement. Lui-même n'arrivait pas encore à démêler s'il redoutait ce qui allait se passer ou s'il le souhaitait. Mais il sentait bien que l'inquiétude gagnait les siens devant l'animation inhabituelle régnant sur la grand-route : jamais ils n'avaient assisté à un tel va-et-vient de cavaliers et de buggies, de plus en plus pressés, de plus en plus nombreux. C'était à présent tous les jours que quelqu'un remontait le chemin de la plantation pour venir parler à m'sieu Murray. Et Matilda avait toujours à épousseter ou à laver le sol dans les parages. Aussi, en quelques semaines, la famille en vint-elle à oser croire, sur la foi des discours furieux ou apeurés des Blancs, que *s'il y avait* une guerre — et si les « Yankees » étaient victorieux — l'affranchissement pourrait devenir réalité.

Les Noirs qui apportaient de l'ouvrage à Tom n'arrêtaient plus de l'entretenir de la nouvelle attitude de leurs maîtres : regards soupçonneux, conciliabules — certains allaient jusqu'à épeler les mots même devant leurs plus vieux, leurs plus intimes serviteurs.

— Sont-y bizarres quand t'es là, mammy ? demanda Tom à Matilda.

— Si tu veux dire à chuchoter ou à épeler ou des trucs comme ça, non, répondit Matilda. Mais j' peux pas entrer sans qu'ils parlent des récoltes ou des dîners où qu'ils sont invités.

— L' mieux, pour nous aut', c'est d'avoir l'air godiche, observa Tom, comme si qu'on avait jamais entendu parler de c' qui s' passe.

Matilda réfléchit à l'attitude préconisée par Tom — et choisit d'aller à l'encontre. Un soir, après avoir servi leur dessert aux Murray, elle revint dans la salle à manger et s'écria en se tordant les mains :

— Seigneur, m'sieu et ma'me, faites 'scuse, mais

mes p'tits et moi on arrête plus d'entend' parler d' ces Yankees, et ça nous fait une peur terrib', alors, si ça allait mal, nous, on espère que vous nous laiss'rez pas arriver d' misères.

Le maître et la maîtresse semblaient soulagés.

— Vous avez certainement raison d'avoir peur, dit la maîtresse, car ces Yankees ne sont assurément pas vos amis !

— Mais ne t'inquiète donc pas, la rassura m'sieu Murray, tout ira bien.

Tom lui-même ne put s'empêcher de rire en entendant Matilda décrire la scène. Il égaya d'ailleurs sa famille en relatant de quelle façon un garçon d'écurie de Melville s'était tiré du même pas. Comme son maître lui demandait quel parti il prendrait si la guerre éclatait, il avait répondu :

— Z'avez déjà vu deux chiens s' bagarrer autour d'un os, maître. Eh bien, les négros, c'est nous qu'on est l'os !

Noël et le Nouvel An survinrent, mais on ne songeait guère aux réjouissances dans le comté d'Alamance. Tom apprit par ses clients qu'à tour de rôle les États du Sud se séparaient de l'Union — d'abord le Mississippi, puis la Floride, l'Alabama, la Géorgie et la Louisiane, rien que pendant le mois de janvier 1861 ; et, le 1er février, le Texas. Ces États du Sud avaient alors formé une « Confédération » qui s'était donné pour président un certain Jefferson Davis. A son exemple, un grand nombre de membres du Congrès — sénateurs et représentants — ainsi que des militaires de haut grade, démissionnaient et regagnaient le Sud.

Pour ce qui était du comté d'Alamance, le vieux juge Ruffin de Haw River se rendit à Washington afin de participer à une grande conférence de paix. Hélas ! il en revint quelques jours plus tard porteur d'une triste nouvelle : la conférence avait échoué et s'était même terminée par de violentes altercations entre les jeunes délégués du Nord et du Sud.

Tom apprit par un cocher noir, qui le tenait lui-même du concierge du tribunal du comté d'Alamance, que les Blancs de la région avaient pris part à une vaste réunion — près de quatorze cents personnes. Tom savait que m'sieu Murray y avait assisté. A cette occasion, l'ancien maître d'Irène, m'sieu Holt, et d'autres Blancs non moins éminents avaient bruyamment adjuré l'assistance d'éviter à tout prix la guerre, et asseñé de grands coups de poing sur les tables en qualifiant de « traîtres » ceux qui voulaient entrer dans la Confédération. Le concierge avait ajouté qu'ils avaient désigné un m'sieu Giles Mebane pour aller porter à une convention de Caroline du Nord, réunie sur la question de la sécession, le vote du comté d'Alamance : quatre à un en faveur du maintien de l'État au sein de l'Union.

La famille commençait à avoir du mal à enregistrer tous les événements que Tom ou Matilda rapportaient à chaque veillée. Ainsi y avait-il eu par exemple, en une seule journée du mois de mars : l'entrée en fonction du président Lincoln ; la grande cérémonie de Montgomery, Alabama, pour la présentation du drapeau confédéré ; l'abolition de la traite des esclaves africains par le président de la Confédération, Jeff Davis. Sachant qu'il était partisan de l'esclavage, la famille ne parvenait pas à comprendre le sens de cette décision. Quelques jours plus tard, l'inquiétude monta encore singulièrement avec l'annonce que la législature de Caroline du Nord décrétait l'enrôlement immédiat de vingt mille volontaires.

Le vendredi 12 avril 1861, m'sieu Murray partit de bon matin pour Mebane, où les Blancs devaient tenir une réunion. Lewis, James, Ashford, P'tite Kizzy et Lilly Sue étaient en train de repiquer le tabac lorsque leur attention fut attirée par le nombre inhabituel de cavaliers blancs qui sillonnaient la route à toute allure. L'un d'eux ralentit au passage et leur montra le poing en vociférant des mots indistincts. Alors, Virgile envoya P'tite Kizzy prévenir Tom, Matilda et Irène qu'il avait dû arriver quelque chose de grave.

— J' vais aller voir avec la mule, dit Tom.

— Tom, t'as pas d' laissez-passer ! lui cria Virgile en le voyant galoper dans le chemin.

— Tant pis, j' tente le coup ! hurla Tom.

En débouchant sur la grande route, il se trouva pris dans un véritable tourbillon. Il était évident que les cavaliers couraient aux nouvelles — c'est-à-dire au bureau du télégraphe. En dépassant des petits Blancs et des Noirs courant, eux aussi — mais à pied — Tom *sut* que le pire avait dû arriver, et son cœur se serra en arrivant en vue de la gare devant laquelle se bousculait une énorme foule.

Il fit halte, attacha sa mule et décrivit un grand cercle pour contourner la masse gesticulante des Blancs, qui levaient le nez vers les fils comme si les nouvelles allaient en tomber directement. Arrivé de l'autre côté, il se mêla au petit groupe jacassant des Noirs et tendit l'oreille :

— M'sieu Linnecolon, il va s' battre à cause de nous à c't' heure... V'là que l' Seigneur s'occupe final'ment de nous aut' négros... J' peux pas y croire... Libres, Seigneur, libres !...

Un vieillard apprit à Tom la raison du tumulte. L'artillerie de la Caroline du Sud pilonnait la garnison fédérale du Fort Sumter, dans la baie de Charleston. Le président Davis avait ordonné la prise de vingt-neuf bases militaires de l'Union dans le Sud. C'était la guerre.

Deux jours plus tard, le Fort Sumter tombait. Tom apprit qu'on employait un millier d'esclaves à boucher les accès du port de Charleston avec des sacs de sable. Après avoir informé le président Lincoln que la Caroline du Nord ne lui fournirait aucun renfort de troupes, le gouverneur de l'État, John Ellis, avait engagé sous la bannière de la Confédération des milliers d'hommes armés de fusils. Le président Davis avait demandé à tous les Blancs du Sud entre dix-huit et trente-cinq ans de prendre un engagement volontaire de trois ans, et ordonné aux planteurs de mettre gratuitement à la disposition de l'armée sudiste un dixième de leurs effectifs d'esclaves mâles, notamment pour les travaux du génie. Le général Robert E. Lee avait démissionné de l'armée des États-Unis pour prendre la tête de l'armée de la Virginie. Et l'on racontait qu'en prévision d'une invasion sudiste, tous les bâtiments gouvernementaux de Washington étaient gardés par la troupe et protégés par des chevaux de frise et des murs de ciment.

Dans tout le comté d'Alamance, les Blancs se pressaient pour s'enrôler. Un palefrenier noir raconta à Tom que dans sa plantation le maître avait recommandé à son domestique de confiance :

— Je compte sur toi pour veiller sur la maîtresse et les enfants jusqu'à mon retour.

Et beaucoup de Blancs du voisinage vinrent faire ferrer leurs chevaux avant de rejoindre, à Mebane, la « compagnie Hawfields » qui était en train de se former ; une fois complète, celle-ci serait emmenée par chemin de fer à Charlotte pour y faire ses classes. Un cocher noir qui avait conduit ses maîtres pour le départ de leur fils aîné décrivit la scène à Tom : les femmes en larmes, les jeunes gens penchés aux portières, emplissant l'air des cris de ralliement des Sudistes, ou vociférant qu'ils seraient rentrés pour le petit déjeuner après avoir culbuté ces maudits Yankees.

— Le p'tit maître, dit le cocher, l'avait son uniforme gris tout neuf, et il pleurait aussi fort que l' maître et la maîtresse, z'étaient là tous les trois à s'embrasser, à se t'nir dans les bras ; et puis après ils sont restés à se r'garder en s'raclant la gorge et en r'niflant. Et c'est pas la peine que j' raconte des histoires, ben moi aussi j' suis parti à pleurer !

99

Cette nuit-là, à la lueur de la lampe, Tom demeura assis à côté du lit, abandonnant sa main à Irène qui l'agrippait convulsivement au fur et à mesure que les douleurs se rapprochaient. Elle lança soudain un cri perçant et il se précipita pour chercher sa mère. Mais Matilda, qui ne dormait pas, avait été alertée par le cri et elle accourait déjà, en secouant au passage P'tite Kizzy et Lilly Sue, aux yeux tout embrumés de sommeil :

— Grouillez donc à faire bouillir de l'eau, allez ouste !

Ce fut bientôt le branle-bas dans tout le quartier des esclaves, et les cinq frères de Tom se mirent à arpenter la cour avec lui, en tressaillant à chaque hurlement d'Irène. Enfin, à l'aube, monta le vagissement d'un nouveau-né, et les autres entourèrent Tom, lui tapant dans le dos, lui serrant la main. Et bientôt Matilda se montra sur le seuil pour annoncer avec un large sourire :

— Tom, ça vous fait une aut' p'tite !

Au bout d'un moment commença le défilé — Tom en tête — auprès d'Irène, épuisée mais souriante, et du poupon au minuscule minois chiffonné. Matilda avait annoncé la nouvelle à la grande maison et, dès qu'ils eurent pris leur petit déjeuner, m'sieu et ma'me Murray s'empressèrent de venir voir le second bébé né sur leur plantation. Irène voulait l'appeler Ellen, comme sa propre mère, et Tom accepta bien volontiers. Il était si heureux d'être père pour la deuxième fois qu'il ne se souvint que beaucoup plus tard qu'il avait souhaité avoir un garçon.

Mais l'exaltation de cette naissance céda bientôt le pas devant la triste réalité des événements qui se précipitaient. Tout en ferrant chevaux et mules, en fabriquant et en réparant outils et instruments, Tom s'efforçait de surprendre les moindres renseignements qu'échangeaient ses clients blancs. Il régnait parmi eux une atmosphère de jubilation, car les Confédérés allaient de victoire en victoire — ce qui était au contraire source de déception pour Tom. Comme il le raconta à sa famille, il y eut particulièrement cette bataille du « Bull Run », après laquelle les Blancs s'étaient abandonnés à leur allégresse, jetant leurs chapeaux en l'air, s'envoyant des bourrades, hurlant à pleins poumons : « Les Yankees qu'on a pas laissés morts ou blessés, z'ont pas d'mandé leur reste ! » et aussi : « Dès qu' nos gars s'amènent, les Yankees, ils détalent ! » Les mêmes transports de joie saluèrent les lourdes pertes des Yankees à « Wilson's Creek », dans le Missouri, et, peu après, à « Ball's Bluff », en Virginie, où l'on releva notamment, au milieu de centaines de morts, le corps criblé de balles d'un général qui avait été un intime du président Lincoln. A la fin de l'année 1861 — le comté d'Alamance ayant déjà envoyé au feu douze compagnies — Tom ne rapportait plus aux siens qu'une toute petite partie de ce qu'il avait appris, pour ne pas augmenter encore leur désarroi. Tous leurs espoirs de liberté n'étaient-ils pas déjà anéantis ?

Au printemps 1862, Tom aperçut, un après-midi, un cavalier en uniforme gris d'officier de la Confédération qui s'engageait dans le chemin de la plantation Murray. Sa silhouette lui sembla vaguement familière et il sursauta en reconnaissant, dans l'homme qui s'approchait, l'ancien shérif Cates, le responsable de l'exil de

Chicken George ! Que venait-il encore faire dans la grande maison ? Matilda accourut bientôt à la forge, le visage ravagé d'inquiétude.

— L' maître te d'mande, Tom. L'est en train de discuter avec ce moins-que-rien de m'sieu Cates, le grain'tier. Quoi qu' tu crois qu'il te veut ?

Tom avait déjà retourné dans sa tête une foule d'éventualités. N'avait-il pas notamment appris de ces clients blancs que beaucoup de planteurs emmenaient leurs esclaves au combat avec eux, tandis que d'autres offraient à l'armée les services de ceux qui possédaient un métier : charpentier, bourrelier, maréchal-ferrant ? Il s'efforça pourtant de répondre calmement :

— J'en sais rien, mammy. On verra bien.

— Tom, tu reconnais le major Cates ? dit m'sieu Murray.

— Oui, m'sieu, répondit Tom sans lever les yeux vers Cates, dont il sentait le regard peser sur lui.

— Le major Cates commande une nouvelle unité de cavalerie qui est à l'instruction près d'ici, et ils ont besoin de toi pour ferrer les chevaux.

— Maître, ça veut-y dire que j' vas à la guerre ? demanda Tom d'une voix enrouée.

Ce fut Cates qui répondit d'un ton méprisant :

— Plus souvent que j'emmènerais des négros au combat, pour les voir détaler dès qu'une balle leur siffle aux oreilles ! On a besoin de toi pour ferrer les chevaux qui font l'exercice, c'est tout !

— Oui, m'sieu, dit Tom avec soulagement.

— Nous nous sommes entendus, le major et moi, expliqua m'sieu Murray. Tu travailleras une semaine sur deux pour sa cavalerie pendant toute la durée de la guerre, qui d'ailleurs ne semble pas devoir s'éterniser. Et quand voulez-vous qu'il commence ? ajouta-t-il en se tournant vers le major Cates.

— Demain matin, si vous n'y voyez pas d'inconvénient.

— Mais certainement, c'est notre devoir envers le Sud, répondit m'sieu Murray, qui semblait heureux de pouvoir contribuer à l'effort de gucrre.

— J'espère qu'il saura remplir sa tâche, ajouta Cates. L'armée, c'est pas une plantation où on se la coule douce.

— Tom sait très bien faire face à ses obligations, dit m'sieu Murray en regardant Tom d'un air confiant. Ce soir, je lui rédigerai un laissez-passer et, demain matin, il prendra une mule et ira se présenter devant vous.

— Parfait, s'écria Cates, qui ajouta, à l'intention de Tom : Pour les fers, on a c' qu'il faut, mais amène tes outils. Et tu sais qu'il faudra grouiller ! On a pas de temps à perdre !

— Oui, m'sieu.

Le lendemain matin, Tom se mit en route après avoir chargé sur la mule un attirail portatif de maréchal-ferrant. En arrivant aux abords de la base de cavalerie, il remarqua que, là où s'élevaient précédemment des petits bois clairsemés, se dressaient à présent d'impeccables rangées de tentes. En se rapprochant encore, il entendit le son du clairon, les décharges des fusils. Soudain, un guetteur à cheval déboucha du camp :

— Qu'est-ce que tu fous là, négro ? C'est un terrain militaire, ici !

— L' major Cates m'a dit de v'nir ferrer les ch'vaux, répondit nerveusement Tom.

— Ah ! bon. La cavalerie, c'est par là, dit le guetteur en faisant un geste du bras. Saute un peu, si tu veux pas être canardé !

Tom poussa la mule et arriva bientôt au sommet d'une légère éminence. De là, il pouvait contempler quatre rangées de cavaliers à l'exercice et distinguer, derrière les officiers vociférant les ordres, le major Cates sur un cheval piaffant. Il se rendit compte que le major avait remarqué son arrivée, au signe que ce dernier fit à un cavalier qui se précipita vers Tom.

— C'est toi, le négro maréchal-ferrant ?

— Oui, m'sieu.

— Pose ton matériel par là — c'est les tentes des ordures, dit le soldat. Dès qu' t'auras monté tes outils, on t'envoie les chevaux.

La première semaine que Tom passa au service de la cavalerie confédérée ne fut qu'un interminable défilé de chevaux. De l'aube à la nuit tombée il ferrait sans discontinuer, au point que les sabots formaient une grisaille devant ses yeux. En outre, les propos des jeunes soldats de cavalerie ne laissaient aucun doute : les Yankees sortaient vaincus de la moindre rencontre. Aussi fut-ce un Tom triste et découragé qui regagna la plantation Murray pour sa semaine « civile ».

Il trouva les femmes bouleversées. Urie était demeuré introuvable depuis la veille au soir. Enfin, peu avant le retour de Tom, Matilda l'avait déniché, pleurnichant de peur et de faim, sous la véranda de la grande maison.

— J' voulais juste entendre c' que l' maître et la maîtresse ils disaient sur les négros qu'on leur donne la liberté, mais là-d'ssous j'entendais rien, avait-il expliqué entre deux reniflements.

Après avoir aidé Matilda et Irène à réconforter Lilly Sue, qui n'en était pas à sa première alerte avec son étrange fils, Tom raconta sa première semaine au camp.

— Du peu qu' je sais, c'est pas bien parti pour nous aut', conclut-il.

Irène essaya d'adoucir l'amertume générale en remarquant :

— Comme j'ai jamais été libre, ça va pas tell'ment me manquer.

Mais Matilda dit d'un air inquiet :

— Encore heureux si on se r'trouve pas pire qu'avant !

C'est à peine si Tom vit passer sa semaine à la plantation Murray. Et, en retournant au camp, il se sentait envahi de sombres pressentiments. La troisième nuit, alors qu'il n'arrivait pas à trouver le sommeil, il entendit un bruit qui semblait venir des tentes voisines, où étaient entreposés les fûts à ordures. Il chercha sa masse à tâtons et sortit pour aller voir. A la clarté de la lune, il distingua une silhouette humaine qui sortait d'une tente à ordures en portant ses mains à la bouche. En se rapprochant sans bruit, il eut la surprise de découvrir un maigre adolescent blanc. Ils s'entre-regardèrent pendant un instant, et soudain le jeune Blanc détala. Mais il n'avait couvert que quelques mètres lorsqu'il trébucha à grand fracas dans quelque chose, et Tom eut encore le temps de le voir se relever avant de disparaître dans la nuit. Au bruit, des gardes accoururent avec leurs fusils et leurs lanternes et ils s'arrêtèrent net en voyant Tom armé de sa masse.

— Tu barbotais, hein, négro ?

Il n'était surtout pas question de nier ouvertement — cela équivalait à traiter un Blanc de menteur, situation beaucoup plus dangereuse que d'être surpris à voler. Tom balbutia :

— J'ai entendu quèq' chose et j' suis sorti et c'était un Blanc dans les ordures, m'sieu, et l'a détalé.

Les gardes se mirent à ricaner.

— Tu crois qu'on va gober ça, négro ? dit l'un d'eux. Le major Cates a dit de te tenir à l'œil ! Attends un peu qu'il s' réveille, tiens !

L'autre garde ordonna :

— Jette ta masse, mon garçon !

Instinctivement, la main de Tom serra plus fort le manche. L'homme lui pointa son arme sur le ventre. Tom lâcha la masse, qui heurta le sol avec un bruit mat.

Les gardes le poussèrent devant eux jusqu'à un

espace dégagé au milieu duquel s'élevait une grande tente et le remirent au factionnaire en armes.

— On était de ronde, et on a trouvé ce négro en train de barboter, expliquèrent-ils. On lui aurait fait son affaire, mais le major a dit que s'il y avait du louche avec lui, il s'en occuperait personnellement. On reviendra quand le major sera levé !

La sentinelle aboya :

— Au sol, et sur le dos, négro. Si tu fais un geste, je tire.

Tom s'allongea et resta immobile sur la terre froide. Il essayait d'imaginer ce qui allait arriver, retournait des idées de fuite, pesait les conséquences. Dès le lever du jour, les gardes revinrent se planter devant la tente et l'un d'eux cria à voix forte :

— Les hommes de ronde, major !

— Qu'est-ce que c'est ? gronda une voix à l'intérieur.

— Le forgeron noir, major, on l'a pris à voler cette nuit !

Le major Cates sortit brusquement et contempla Tom d'un œil à la fois mauvais et satisfait.

— Alors, négro, on vole malgré ses grands airs ! Tu sais comment on traite ça dans l'armée ?

Aussitôt, Tom débita l'histoire tout d'une traite. Il fallait que le major le croie !

— L'avait méchamment faim, m'sieu, pour fourrager dans les ordures..., conclut-il.

— Un Blanc qui mangeait des ordures ! Non, mais ! Il faudrait pas que je te connaisse ! Ton bon-à-rien d'affranchi de père, j'en suis venu à bout, mais tu m'avais filé entre les doigts. Seulement le règlement militaire n'est pas fait pour rien, hein ?

Non ! Ce n'était pas possible ! Cates s'emparait d'un fouet accroché au pommeau d'une selle. Tom regarda autour de lui, cherchant une issue, mais les trois gardes braquèrent leurs fusils sur lui. Cates s'approcha, le visage déformé par la fureur, et la lanière cingla les épaules de Tom... encore... et encore...

Titubant de rage et d'humiliation, Tom regagna l'aire du ferrage des chevaux, ramassa son sac d'outils, bondit sur la mule et fila à toute bride, pour ne s'arrêter que devant la grande maison. Quand il eut raconté toute l'histoire à m'sieu Murray, celui-ci était rouge de colère, et il hocha la tête d'un air approbateur lorsque Tom conclut :

— Tant pis si ça fait vilain, maître, j'y r'tournerai jamais.

— Tu n'as pas trop mal, Tom ? demanda m'sieu Murray.

— A la peau, non, maître, mais au cœur, oui.

— Tom, je t'en donne ma parole, que le major vienne nous faire des ennuis, et j'irai jusqu'au général commandant en chef si nécessaire. Je ne peux te dire à quel point je suis désolé de ce qui s'est passé. Reprends ton travail à la forge. Mais écoute-moi encore, poursuivit le maître d'un ton hésitant, bien que tu ne sois pas l'aîné, ma femme et moi te considérons comme le chef de famille. Et nous tenons à ce que tu dises aux tiens que nous ne souhaitons qu'une chose : finir tous ensemble le reste de nos jours, une fois matés ces Yankees. Ce ne sont pas des hommes, mais des diables !

Au printemps 1862, Irène fut de nouveau grosse. En attendant les nouvelles colportées par ses clients blancs, Tom avait l'impression que le comté d'Alamance était l'unique havre de paix dans un pays ravagé par la guerre. A la bataille de Shiloh, où Yankees et Confédérés avaient perdu de part et d'autre quelque quarante mille tués et blessés, les survivants devaient se frayer un chemin parmi les cadavres, et il avait fallu procéder à tant d'amputations que les membres coupés formaient un énorme tas dans la cour d'un hôpital du Mississippi proche du champ de bataille. Si l'issue de cet engagement était demeurée incertaine, partout ailleurs les Yankees étaient défaits. Il n'était pas possible de se tromper à la jubilation des Blancs après la deuxième bataille du Bull Run : la déroute des Yankees, avec deux de leurs généraux tués au feu, leur repli en désordre sur Washington, d'où s'enfuyait la population civile tandis que les fonctionnaires fortifiaient les bâtiments gouvernementaux, que le Trésor et les caisses de la Banque de l'Union étaient expédiés par bateau à New York, qu'une canonnière restait ancrée sur le Potomac, toutes chaudières allumées, prête à évacuer le président Lincoln et son cabinet. Et, à peine deux semaines plus tard, les forces confédérées, sous la conduite du général Stonewall Jackson, faisaient onze mille prisonniers yankees à Harpers Ferry.

— Tom, faut arrêter de m' raconter toutes les horreurs de c'te guerre, demanda Irène un soir de septembre où il venait de lui décrire l'affrontement meurtrier d'Antietam : deux rangées d'hommes face à face, sur une longueur de plus de trois milles. J' suis en train d' porter not' troisième enfant, moi, et c'est pas bon d'entendre parler que de combats et de morts...

Au même instant, ils tournèrent tous les deux la tête vers la porte : il leur semblait avoir entendu un léger grattement. Mais non, ce n'était qu'une idée. Pourtant voici que le bruit se répétait — quelqu'un frappait à tout petits coups. Irène alla ouvrir. Tom sourcilla en entendant une voix pleurarde de Blanc :

— Faites excuse. Vous auriez pas quèq' chose à manger ? J'ai faim.

Tom se retourna et faillit tomber à la renverse : c'était l'adolescent blanc qu'il avait surpris à fouiller les ordures du camp de la cavalerie. Il se reprit aussitôt et resta en alerte, soupçonnant un piège, tandis que sa femme, sans se douter de rien, répondait :

— On a rien qu' des galettes de maïs.

— Grand merci, ça fait deux jours que j'ai rien mangé.

Après tout, ce n'était qu'une bizarre coïncidence, se dit Tom en se levant pour aller à la porte.

— Alors, on mendie à c't' heure ? lança-t-il à l'adolescent.

Celui-ci le regardait d'un air intrigué, et soudain ses yeux s'arrondirent de surprise. Aussitôt, il disparut dans la nuit, laissant Irène stupéfaite — et sa stupéfaction redoubla lorsque Tom lui apprit que ce garçon était le visiteur nocturne du camp.

Dès la veillée du lendemain, tout le quartier des esclaves était au courant de l'incroyable incident, car Matilda raconta que, juste après le petit déjeuner, « un jeunot de p'tit Blanc, tout efflanqué », s'était dressé devant la porte grillagée de la cuisine, en lui demandant à manger d'une voix pitoyable. Elle lui avait donné un bol de ragoût froid, ce dont il l'avait remerciée avec effusion avant de filer ; un peu plus tard, elle avait trouvé sur le pas de la porte le bol soigneusement récuré. Tom la mit en garde :

— Comme tu y as donné à manger, l'a pas dû quitter l' coin. Il doit dormir dans les bois. Et faut s' méfier, hein ! L'est capab' de nous mettre dans la mélasse en un rien d' temps !

— La vraie vérité qu' tu dis là, s'écria Matilda. Et tu sais c' que j' vais faire, s'il ramène son museau ? J'y fais croire que j'y prépare un casse-croûte et pendant c' temps-là j' cours rameuter l' maître.

Le lendemain matin, le piège fonctionna parfaitement. M'sieu Murray sortit par le perron et fit le tour de la maison, tandis que Matilda regagnait précipitamment sa cuisine pour assister aux événements.

— Qu'est-ce que tu fais là ? demanda le maître en arrivant brusquement devant l'adolescent.

Mais celui-ci ne perdit aucunement contenance.

— Monsieur, j'en peux plus de trimarder avec le

ventre vide. Je fais rien d' mal, et vos négros ont eu c'te bonté de m' donner un peu de nourriture.

Après un instant d'hésitation, m'sieu Murray répondit :

— C'est une triste situation, j'en conviens. Mais les temps sont durs, et nous ne pouvons nourrir une bouche supplémentaire. Il faut t'en aller.

— Monsieur, me renvoyez pas ! implora le jeune homme. Mettez-moi à n'importe quelle besogne, juste pour ma pitance. C'est pas l' travail qui m' fait peur.

— Mais je n'ai rien à te confier. Mes nègres suffisent aux cultures.

— Justement, j'ai jamais rien connu d'autre que les cultures, moi. J' me démènerai plus dur que vos négros, monsieur, rien que pour manger à ma faim, insista le garçon.

— Comment t'appelles-tu, et d'où viens-tu ?

— George Johnson, monsieur. De Caroline du Sud. La guerre a tout ravagé chez nous. J'ai voulu m'enrôler, mais j'étais trop jeune. J' viens d'avoir seize ans. Nos champs sont nus comme la main, tout est coupé — jusqu'aux lapins qu'ont décampé. Et moi j'ai fait pareil. J' me disais que ça pouvait pas être pire, dans un autre endroit. Mais, à part vos négros, personne m'a seulement donné un quignon d' pain !

Matilda sentait que le maître était ému, mais jamais elle n'aurait pu imaginer sa réponse.

— Serais-tu capable de faire le régisseur ?

— J'ai jamais essayé, dit l'adolescent d'une voix incertaine. Mais, comme je vous ai dit, j'ai pas peur du boulot.

Matilda se rapprocha de la porte grillagée pour mieux entendre. Et la suite du dialogue l'horrifia.

— J'avais toujours songé à prendre un régisseur, bien que mes nègres me donnent entière satisfaction pour les cultures. Je t'offre uniquement le vivre et le couvert — et on verra !

— Monsieur..., faites excuse, j' sais pas votre nom...

— Murray...

— Eh bien ! Vous v'là avec un régisseur, monsieur Murray !

Matilda entendit le petit rire du maître.

— Il y a un appentis vide derrière l'écurie. Tu peux t'y installer. Où sont tes affaires ?

— Mes affaires j' les ai sur le dos, répondit George Johnson.

Dans la famille, la nouvelle fit l'effet d'un coup de tonnerre.

— J' pouvais pas en croire mes oreilles ! s'écria Matilda.

Les autres explosaient littéralement.

— L'est dev'nu fou, l' maître !... On f'sait-y pas marcher les choses tout seuls, non ? Mais c'est un Blanc, alors... Attends seul'ment qu'on s'en mêle, tu verras si ça tourne pas au vinaigre avec son p'tit Blanc !

En arrivant aux champs, le lendemain matin, ils trouvèrent l'imposteur qui les y avait précédés, et son attitude désarma vite leur fureur. George Johnson, un adolescent blanc efflanqué et hâve, vint au-devant d'eux. Les joues empourprées, avalant difficilement sa salive, il fit un bref discours :

— J' sais bien qu' vous êtes montés contre moi, et j' peux pas vous en vouloir. Mais attendez donc un peu d' voir c' qui s' passe. Moi, j'ai jamais eu affaire à des négros, mais j' me figure que noir ou blanc, c'est qu'une couleur. Faut voir c' que fait l' bonhomme, hein ? Et j' me dis une bonne chose : vous m'avez donné à manger quand j'avais faim, et y a une tripotée de Blancs qui peuvent pas en dire autant. M. Murray veut s'offrir un régisseur. Moi, je f'rai pas long feu si vous prenez idée de m' chercher des noises, seulement, attention au prochain !

Comme nul d'entre eux ne trouvait à lui répondre, il

ne leur restait plus qu'à se mettre à l'ouvrage. George Johnson lui-même s'y lança avec fougue — visiblement désireux de prouver sa sincérité.

La troisième fille de Tom et d'Irène — Viney — vint au monde à peine une semaine après l'arrivée du « régisseur ». Aux champs, celui-ci s'installait hardiment à côté des « négros » pour déjeuner, sans paraître remarquer qu'Ashford se levait aussitôt à grand fracas et allait s'asseoir plus loin.

— Si vous voulez savoir c' que j'y connais, au métier d' régisseur, avoua George Johnson à la famille, c'est rien du tout ! Alors faut m'aider, pour que M. Murray aille pas penser que j' fais pas l'affaire.

Le soir, à la veillée, les esclaves n'évoquèrent pas sans amusement l'idée qu'ils allaient « former » leur régisseur, et ils convinrent que la responsabilité en revenait de droit à Virgile, puisqu'il avait de tout temps dirigé les travaux des champs.

— D'abord, faut changer d' manières, expliqua Virgile. Comme on est assez d' monde pour voir quand l' maître il arrive, on vous f'ra un signe. Alors là, faut prend' du champ, pasque les Blancs, et surtout les régisseurs, z'ont pas à rester trop près des négros.

— Chez moi, en Caroline du Sud, ce s'rait plutôt les négros qui restent pas trop près des Blancs !

— Eh bien, c'est des négros malins ! L'aut' chose, c'est d' faire croire au maître que ses négros travaillent plus dur avec un régisseur. Faut hurler « Allez ouste, les négros, à l'ouvrage ! » et des trucs comme ça. Et puis, d'vant l' maître ou d'aut' Blancs, perdez vot' façon d' nous app'ler par not' nom, tâchez moyen aussi d' gronder, d' sacrer, d' paraître bien mauvais, pour montrer au maître que vous avez d' la poigne !

Lorsque m'sieu Murray vint voir les travaux des champs, George Johnson se surpassa : vociférations, jurons, menaces, tout y était.

— Eh bien, comment s'en tirent-ils ? demanda le maître.

— Pour des négros qui besognaient seuls, faut pas s' plaindre, répondit George Johnson avec suffisance, mais attendez voir une ou deux semaines, que j' les aie bien r'pris en main.

A la veillée, les esclaves se tinrent les côtes de rire en singeant George Johnson. Et, quand le calme fut revenu, il leur raconta simplement ce qu'avait été sa vie jusque-là : il n'avait jamais connu que la misère, et, pour finir, la guerre avait ravagé leurs maigres terres et dispersé les siens ; alors, il était parti dans un autre État, en quête d'une existence meilleure.

— Pour moi, on en trouv'ra jamais un aut' Blanc comme ça, à dire les choses tout droit, sans raconter des histoires, observa Virgile en résumant le sentiment général de la famille.

— Vous l'avez à la bonne, ce vieux George, lança Matilda.

Les rires reprirent, tant l'idée d'appeler « Vieux George » un garçon aussi jeune semblait comique. Mais Matilda avait tout à fait raison. Aussi incroyable que ce fût, ils s'étaient sincèrement attachés à leur « régisseur ».

100

L'affrontement entre le Nord et le Sud piétinait. Aucun des adversaires ne paraissait capable de mener une action décisive. Tom commençait à percevoir un certain découragement dans les conversations de ses clients. Et il se reprenait à rêver de l'émancipation.

Un soir, Vieux George annonça d'un air mystérieux :

— M. Murray m' laisse partir parce que j'ai une

affaire à arranger. Mais je vais me dépêcher de r'venir.

Le lendemain, il quittait la plantation, et les supputations allèrent bon train dans le quartier des esclaves. Pouvait-il s'agir d'une affaire de famille ? Mais non ! Il semblait avoir rompu les ponts avec les siens. A moins qu'il ne se soit engagé dans l'armée. Allons donc ! Ce Vieux George était trop pacifique pour ça ! Ashford, toujours malveillant, suggéra qu'il avait pris le large, maintenant qu'il s'était remplumé. Alors là, la famille se récria unanimement. Oser accuser ce Vieux George d'ingratitude !

Un bon mois s'était écoulé lorsque, un dimanche, Vieux George réintégra la plantation. Son arrivée fut saluée par des cris de joie — ou plutôt *leur* arrivée. Car il ramenait avec lui une petite créature timide, aussi maigre et hâve qu'il l'avait été lui-même. Et la rondeur de son ventre indiquait une grossesse presque arrivée à terme.

— V'là ma femme, Martha, annonça Vieux George. On s'était mariés juste avant que j' parte, et j' devais aller la r'chercher quand j'aurais trouvé d' la besogne et un toit. J'en avais pas parlé parce que c'était déjà assez difficile de s' faire embaucher tout seul, alors, avec une femme ! (Il sourit à Martha.) Tu les salues pas ?

Martha salua chacun à tour de rôle et se lança dans ce qui, pour elle, devait être un long discours :

— George m'a énormément parlé d' vous.

Remarquant le regard que jetait Matilda sur le ventre de sa femme, Vieux George s'empressa de se justifier :

— Je savais pas que c't' enfant était en train, quand j' suis parti. Mais j'avais tout l' temps l'idée que j' devais aller la chercher. Et voilà qu'elle était grosse !

La frêle Martha et le Vieux George semblaient si parfaitement appariés que tous les cœurs étaient émus devant le jeune couple.

— Vous l'avez même pas dit au maître ? demanda Irène.

— Non, même pas. J'y ai dit comme à vous, qu' j'avais à arranger une affaire. S'il veut pas d'elle, on s'en ira.

— L' maître est pas comme ça ! dit Irène, et Matilda lui fit écho :

— Non, l'est pas homme à ça !

— Dès que j' le verrai, j' lui racont'rai tout.

Mais Matilda préféra prendre les devants et en informer ma'me Murray, non sans dramatiser la situation.

— Avec sa pauv' p'tite femme, ils s' mangent les sangs que l' maître va les chasser pasqu'il en avait pas parlé avant. Avec ça qu'elle est pas loin d'avoir son p'tit.

— Bien entendu, c'est à mon mari de décider, mais je suis sûre qu'il ne va pas les chasser...

— Pensez qu'elle a pas plus d' treize ou quatorze ans, ma'me, et c' bébé qu'arrive, et à part nous aut' et les maîtres, ils ont personne.

— Je t'ai dit que la décision revenait à M. Murray. Mais je suis certaine qu'ils pourront rester.

Bien entendu, m'sieu Murray ne songea pas un instant à chasser les Johnson. Matilda et Irène déchargèrent Martha de toute tâche domestique, car la frêle créature était à bout de forces. Maigre et affaiblie comme elle l'était, elle risquait malheureusement d'avoir un accouchement difficile.

Deux semaines après son arrivée, elle fut prise des douleurs vers midi. Depuis l'appentis, derrière l'écurie, ses hurlements retentirent dans le quartier des esclaves pendant toute la nuit et jusqu'au midi suivant. Matilda et Irène ne la quittèrent pas d'une minute. Mais, lorsque cette dernière sortit, son visage décomposé apprit le malheur au Vieux George, avant qu'elle ait pu former les mots :

— J' crois que mam'zelle Martha, elle s'en tir'ra. Le bébé, c'était une gamine — mais elle a pas vécu.

101

Le Jour de l'An 1863, Matilda fit irruption dans le quartier des esclaves, folle de joie.

— Vous avez vu c' Blanc qu'arrivait, hein ? Vous allez pas l' *croire !* L'est là à discuter avec le maître de c' que l' fil du télégraphe il a fait savoir : l' président Lincoln il a signé une « Proclamation de 'Mancipation », et ça nous donne la *liberté !*

Cette nouvelle galvanisa les Murray noirs comme des millions de leurs semblables, qui s'abandonnaient à leur exultation — à l'abri des murs de leurs cases. Mais les semaines passèrent et la joyeuse attente de la liberté diminua, dépérit et vira finalement au désespoir lorsqu'il apparut que la décision du président Lincoln avait encore renforcé la haine que lui portait la Confédération chaque jour plus ravagée, plus exsangue.

Dans le quartier des esclaves de la plantation Murray, tout espoir fut abandonné pendant près de deux ans, malgré quelques annonces de grandes victoires remportées par les Yankees, dont la prise d'Atlanta. Et puis, à la fin 1864, Tom rentra tout excité. Les clients blancs racontaient que des milliers et des milliers de Yankees sanguinaires et pillards avançaient en Géorgie sur un front large de cinq milles, sous la conduite de ce fou de général Sherman. Et l'espoir d'être un jour libres se raviva une fois de plus dans la famille, soutenu par les bulletins quotidiens de Tom.

— Ces Yankees, ils laissent rien d'bout. Les Blancs, ils jurent qu'ils brûlent les récoltes, les grandes maisons, les écuries, les étables. Ils abattent les mules et ils font rôtir les vaches pour manger. Tout c' qu'ils peuvent pas brûler ou manger, ils le rasent, et ils prennent tout c' qu'ils sont capab' de charrier. Paraîtrait qu'y a des tripotées d' négros dans tous les coins, pasqu'ils abandonnent les plantations pour suivre les Yankees, que c' général Sherman l'en est v'nu à les supplier de r'tourner d'où qu'ils viennent !

Et puis, peu de temps après la marche triomphale des Yankees jusqu'à la mer, survint le nouvelle de la chute de Charleston, celle de la prise de Richmond par le général Grant et finalement, en avril 1865, l'ultime information rapportée par un Tom haletant :

— L' général Lee, il s'est rendu avec toute l'armée d' la Confédération ! L' Sud, il capitule !

Rien n'aurait pu retenir les esclaves : traversant au trot la pelouse devant la grande maison, ils descendirent l'allée d'entrée jusqu'à la route et se mêlèrent aux centaines de Noirs qui s'abandonnaient à leur joie : bondissant, criant, chantant, prêchant, priant :

— Libres, Seigneur, libres !... Merci, Dieu tout-puissant... Enfin libres !

Mais il ne fallut que quelques jours pour que l'exultation soit remplacée par la douleur et le deuil : le président Lincoln avait été assassiné. *Horreur des horreurs !* hurlait Matilda tandis que toute la famille sanglotait autour d'elle, comme sanglotaient des millions de Noirs qui avaient révéré le président Lincoln comme leur Moïse à eux.

Au mois de mai se produisit dans tout le Sud vaincu la même scène qu'à la plantation Murray. Le maître réunit ses esclaves sur la grande pelouse. Il avait un visage bouleversé, ma'me Murray pleurait, à côté d'eux Vieux George et Martha Johnson restaient interdits — rangés en file, les Noirs osaient à peine regarder les Blancs. D'une voix étranglée, le maître leur lut un papier où il était dit que le Sud avait perdu la guerre.

En essayant de maîtriser son émotion, il ajouta :

— Cela signifie que vous êtes désormais aussi libres que nous. Si vous voulez partir, vous le pouvez ; si vous voulez rester, nous essaierons de payer votre labeur...

Mais déjà les Murray noirs se livraient à de bruyantes démonstrations de joie :

— On est libres !... Enfin libres !... Merci, Jésus !...

Les clameurs exultantes portèrent jusqu'à la case de Virgile, où Lilly Sue était restée au chevet d'Urie, alité depuis des semaines par une forte fièvre. Entendant crier « On a la liberté ! » le gamin bondit du lit avec toute la fougue de ses dix ans et, bannière au vent, il courut jusqu'à la soue, où il hurla aux cochons :

— Grognez plus, les cochons, vous v'là libres ! (De là il gagna l'étable pour prévenir les vaches :) Z'avez plus à donner d' lait, les vaches, vous v'là libres ! (Et il repartit comme une flèche vers le poulailler pour crier triomphalement :) Gardez vos cocos, les poulettes. Vous v'là libres... et moi Z'AVEC !

Mais le soir, lorsque l'exaltation eut fait place à la lassitude, Tom réunit toute la famille dans la grange. Qu'allaient-ils faire de cette « liberté » si longtemps, si chèrement attendue ?

— C'est pas d'être 'mancipés qui nous donn'ra à manger, dit-il. Faut décider de c' qu'on va faire pour gagner not' vie. On a qu'un tout p'tit peu d'argent d'vant nous, et à part moi qu'est forgeron, et mammy avec sa cuisine, on connaît rien d'aut' que l' travail des champs.

Matilda annonça que m'sieu Murray avait insisté pour qu'ils réfléchissent à l'offre qu'il leur faisait : il morcellerait la propriété entre eux, et ceux qui le voudraient exploiteraient leur parcelle en métayage. L'idée fut vivement débattue. Plusieurs d'entre eux souhaitaient partir au plus vite. Mais Matilda protesta :

— Moi, j' veux qu' not' famille elle reste ensemb'. On

décampe, que vous dites, et quoi qu'il arrive quand vot' papa va s' ram'ner ? Y aura plus personne pour lui dire où qu'on est partis !

Un silence se fit, et Tom prit la parole :

— Écoutez un peu ! On peut pas s'en aller maint' nant, on est pas prêts ! Je s'rai l' premier à partir quand ce s'ra l' moment.

La plupart convinrent qu'il avait raison, et l'on se sépara. Dans le clair de lune, Tom prit la main d'Irène et ils se dirigèrent vers les champs. Soudain, Tom franchit souplement une barrière, partit à longues enjambées, tourna à angle droit, poursuivit son chemin, tourna de nouveau et revint vers la barrière pour dire à Irène d'un air rayonnant :

— Tu vois, ça s'ra à *nous !*

Et Irène répondit en écho :

— A nous !

En une semaine, les parcelles furent délimitées et chacun se mit au travail dans « son » champ. Un matin où Tom avait abandonné la forge pour venir au renfort des cultures, il aperçut sur la route un cavalier solitaire : c'était le major Cates tout dépenaillé, chevauchant une bête boiteuse. Cates avait lui-même reconnu Tom et il retint son cheval en arrivant à proximité.

— Eh ! négro, apporte-moi une mesure d'eau ! lui lança-t-il.

Tom regarda longtemps l'homme avant de réagir, puis il plongea la mesure dans le seau d'eau et la lui apporta.

— C'est plus pareil, à c't' heure, m'sieu Cates. J' vous apporte de l'eau pasque j' donn'rai toujours à boire à un homme qu'a soif, mais pas à cause que vous avez braillé !

— Apporte-m'en une autre, dit simplement Cates en tendant la mesure vide à Tom.

Tom prit la mesure, la laissa tomber au fond du seau et partit sans se retourner.

Mais voici qu'un matin un cavalier arriva à grand fracas sur la route en bordure des champs. Levant le nez, les Noirs distinguèrent un melon noir cabossé, une écharpe verte délavée... et, abandonnant tout, ils prirent leur course vers le quartier des esclaves.

— Le v'là, mammy, le v'là ; il est rev'nu !

Chicken George eut à peine le temps de mettre pied à terre — déjà ses fils le hissaient sur leurs épaules et le portaient en triomphe devant une Matilda en larmes.

— Quoi qu' t'as donc à beugler, femme ? dit Chicken George en la serrant à l'étouffer. Hé là, vous aut', lança-t-il alors à la famille attroupée autour d'eux, ça vous démange, hein, d' savoir quoi qu' j'ai passé pendant tout c' temps-là ? Mais faudra attendre. A c't' heure, y a quèq' chose de plus pressant : j'ai trouvé un endroit où qu'on va aller tous ensemb' !

Et Chicken George raconta aux siens qu'il était venu les chercher. Il les mènerait vers l'ouest, au Tennessee, où les Blancs qui venaient de s'y établir n'attendaient plus qu'eux pour les aider à édifier une ville.

— C'te terre noire qu'ils ont là-bas, l'est si riche qu'elle donne même du cochon rien qu'en plantant des queues..., les pastèques, elles mûrissent si vite que d'un bout d' la nuit à l'aut' z'éclatent comme des pétards ! Les opossums, ils sont trop gras pour se r'muer, alors ils restent couchés sous les plaqueminiers, la gueule ouverte, et l'sirop des fruits leur goutte tout droit dans la gorge, épais comme de la mélasse !...

Aussitôt, la frénésie s'empara de la famille. Tandis que certains couraient propager l'heureuse nouvelle dans les plantations voisines, Tom passa son après-midi à tirer des plans pour transformer les chariots usuels en « Rockaways », c'est-à-dire en chariots bâchés et aménagés de telle sorte qu'une dizaine suffiraient pour transporter toute la famille et ses possessions. Mais, vers la fin de la soirée, une douzaine d'autres chefs de famille étaient déjà venus le trouver, non pour solliciter, mais pour exiger d'être, eux aussi, du voyage — il y avait là des Holt, des Fitzpatrick, des Perm, des Taylor, des Wright, des Lake, des MacGregor noirs, affranchis récents des plantations du comté d'Alamance.

En deux mois d'une fiévreuse activité, les hommes fabriquèrent et équipèrent les « Rockaways ». Les femmes préparèrent les amples provisions de route : viandes séchées ou fumées, conserves de légumes et de fruits, et firent le tri de tous les objets indispensables. Chicken George se répandait dans tous les quartiers, surveillait les opérations, se carrait dans son rôle de héros. De nouvelles familles manifestaient encore le désir de se joindre à eux et, finalement, Tom annonça que tous pourraient être du voyage à condition de disposer d'un « Rockaway » par maisonnée. Et vint le dernier soir. Tout était chargé. Le lendemain, à l'aube, les vingt-huit chariots prendraient le départ. Saisis d'une étrange tristesse, les affranchis erraient d'un lieu à l'autre, effleurant de la main une auge, une barrière, un mur, avec le sentiment poignant que c'était pour la dernière fois.

Pendant des jours, les Murray noirs avaient à peine aperçu les Murray blancs. Matilda ne pouvait retenir ses larmes.

— Seigneur ! Quand j' pense à c' qu'ils doivent passer, eux aut' ! J' vous jure que ça m' fait deuil !

Tom Murray s'était installé pour la nuit dans son chariot. Quand il entendit frapper de légers coups à l'arrière, il sut qui était son visiteur avant même d'avoir soulevé le battant de toile. Le visage crispé d'émotion, le Vieux George tortillait son chapeau.

— Tom, si j' te dérange pas..., j'ai quèq' chose à t' dire...

Tom Murray sauta à terre et suivit le Vieux George Johnson à la lueur de la lune. Mais, quand celui-ci fit halte, c'est à peine s'il réussit à articuler quelques mots, tant il avait la gorge nouée :

— On a discuté avec Martha... On a que vous, comme famille. Tom, vous nous laisseriez partir aussi, dans c't' endroit où vous allez ?

Après un moment de silence, Tom lui répondit :

— Y aurait que ceux d' ma famille, j' pourrais décider tout d' suite. Mais aux aut', faut que j' leur demande...

Alors, il alla d'un chariot à l'autre, en appelant les hommes. Lorsqu'ils se furent rassemblés autour de lui, il les informa de la requête du Vieux George. Quand il eut terminé, un silence pesant s'installa. Tom Murray reprit :

— L'a été l' meilleur régisseur qu'on pouvait avoir, pasque l'était pas un vrai régisseur, il besognait coude à coude avec nous aut'.

Il y eut, chez certains, une vive opposition. Qu'avaient-ils à faire d'un Blanc ? Mais, au bout d'un moment, une voix s'éleva :

— Quoi qu'il y peut, s'il est blanc...

Il fut finalement décidé, par vote majoritaire, que l'on emmènerait les Johnson.

Le départ fut repoussé d'une journée — le temps de fabriquer un « Rockaway » pour le Vieux George et Martha. Et, enfin, le jour se leva sur la file des vingt-neuf « Rockaways » qui sortaient en craquant et en grinçant de la propriété Murray. En tête, monté sur son cheval « Vieux Bob » en compagnie de son vénérable coq de combat borgne, venait Chicken George, portant beau malgré ses soixante-trois ans, le melon noir vissé sur la tête, l'écharpe verte négligemment nouée. Tom conduisait le premier chariot, Irène assise à côté de lui et, derrière eux, leurs enfants éperdus d'excitation, dont la benjamine, Cynthia, avait deux ans. Il était suivi de vingt-sept chariots peuplés de Noirs et de mulâtres avec, en serre-file, celui du Vieux

George et de Martha Johnson. Juchés sur le haut siège, ceux-ci tendaient le cou pour essayer d'entrevoir, à travers le nuage de poussière soulevé par les véhicules, le chemin de cette terre promise annoncée par Chicken George.

102

— Alors, c'est là ? demanda Tom.

— La terre promise ? demanda Matilda.

— Où sont-y, les cochons et les pastèques ? demanda une des fillettes, tandis que Chicken George arrêtait son cheval.

Devant eux s'étendait une zone déboisée. Au centre, l'agglomération se ramenait à quelques boutiques de bois au carrefour des deux chemins qui la coupaient en croix. Trois Blancs — assis respectivement sur un baril de clous, dans un fauteuil à bascule et le troisième renversé sur sa chaise, les pieds en l'air sur une balustrade — échangèrent des signes d'intelligence devant la longue file de chariots poussiéreux. Deux garçonnets blancs poussant un cerceau s'arrêtèrent brusquement pour contempler les arrivants, oubliant leur jouet qui poursuivit un moment sa course avant de s'effondrer en tournoyant sur lui-même. Un vieux Noir en train de balayer un porche les regarda avec surprise, puis esquissa un sourire. Un gros chien occupé à se gratter s'interrompit un instant, la patte en l'air, la tête penchée, puis retourna à ses affaires.

— J' vous l'avais dit, qu' c'est une nouvelle colonie, s'empressa d'expliquer Chicken George. Y a pas plus d'une centaine de Blancs dans l' coin, alors, même si on reste plus qu'à quinze chariots à c't' heure, vu qu' les aut' nous ont lâchés en ch'min, on va doubler la population d'un seul coup. C'te ville, elle est juste partie à grandir, et nous, on s'ra aux premières loges.

— Ça s' voit qu'elle vient tout juste d' partir, remarqua P'tit George sans ironie.

— Avec ça qu' la terre est d' première qualité ! Vous m'en direz des nouvelles ! poursuivit Chicken George, emporté par son propre enthousiasme.

— Ah ! ouiche, tu vas voir les marécages, marmonna Ashford entre ses dents.

Mais la terre était *vraiment* de première qualité — riche et grasse. Côte à côte, les parcelles des Noirs — trente acres par famille — s'étendaient de la lisière de la ville jusqu'aux grandes exploitations des Blancs qui occupaient déjà les meilleurs sols du comté de Lauderdale, sur les bords de la Hatchie, à six milles au nord. Sans doute la plupart des propriétés blanches avaient-elles une superficie égale à celle de toutes les parcelles des Noirs réunies, mais pour ces derniers, qui n'avaient jamais possédé un pouce de terre, trente acres constituaient déjà un joli lopin.

Tout en continuant de camper à l'étroit dans les chariots, ils attaquèrent aussitôt l'essouchage et le défrichage. Bientôt les champs furent retournés, les sillons tracés, et ils firent leurs premières semailles — beaucoup de coton, un peu de maïs, sans oublier le coin réservé au potager et aux fleurs. Il fallut ensuite abattre et débiter des arbres afin de construire les maisons. Sans mettre lui-même la main à la pâte, Chicken George se révéla imbattable sur le chapitre des conseils. Il en avait bien le droit, lui qui avait changé leurs vies — et qui n'oubliait jamais de le leur rappeler. Seulement, sa forfanterie le poussa aussi à s'en vanter auprès des colons blancs — grâce à ceux qu'il avait amenés, la ville allait s'étendre, prospérer, et bientôt son fils Tom ouvrirait la première forge de la région.

Peu après, trois cavaliers arrivèrent chez Tom au

moment où il préparait un enduit de boue et de soies de porc pour colmater ses murs de rondins, déjà élevés à mi-hauteur.

— C'est vous le forgeron ?

Tom vint aussitôt vers les cavaliers. Allons, voilà que les clients le devançaient !

— Il paraît que vous voulez vous établir en ville, dit l'un d'eux.

— Oui, m'sieu. Je m' demandais où qu' ce s'rait l' mieux d' bâtir ma forge. Y a c' terrain à côté d' la scierie, si personne l'a en vue.

— Écoutez, mon garçon, dit le second homme après avoir échangé un regard avec ses compagnons, c'est pas la peine de tourner autour. Vous connaissez le travail de la forge, c'est une affaire entendue. Mais vous ne pouvez pas vous mettre à votre compte en ville. Il faut que l'atelier appartienne à un Blanc. Vous y aviez pensé ?

— Non, m'sieu, dit Tom en s'efforçant de maîtriser la fureur qui l'envahissait. Moi et ma famille, on est libres, à c't' heure, et tout c' qu'on veut c'est gagner not' vie comme tout l' monde, en f'sant l' métier qu'on a. Si j' peux pas être le maître de ma besogne, on a pas not' place ici.

— Avec des idées comme ça, répondit le troisième homme, vous n'avez pas fini de déménager, dans cet État.

— On a pas peur des voyages. C'est pas que j' tiens à faire des embarras, mais j' veux vivre comme un homme. On aurait-y su qu' vous étiez comme ça par ici, qu'on vous aurait jamais dérangés, avec ma famille.

— Enfin, réfléchissez encore, mon garçon, reprit le second Blanc. C'est à vous de choisir.

— Méfiez-vous donc que ces histoires d'émancipation vous montent pas à la tête, à vous autres, conclut le premier Blanc.

Et les trois hommes s'en furent sans un mot de plus.

Dès que la nouvelle eut circulé dans les fermes, les chefs de famille vinrent trouver Tom.

— Fils, dit Chicken George, ça s'rait-y qu'tu connais pas encore les manières des Blancs ? Tu peux pas faire comme ils disent, juste pour commencer ? Une fois qu'ils t'auront vu à l'ouvrage, z'auront bien vite fait d' tourner casaque.

— On est v'nus d' si loin ! s'écria Matilda, et v'là qu'il faudrait r'commencer les paquets. Fais pas ça à ta famille, fils !

— Tom, j' t'en prie, j' suis éreintée ! Éreintée ! intercéda Irène.

Mais le visage de Tom reflétait sa détermination.

— Moi, je reste pas dans un endroit où j' peux pas faire c' qu'un homme libre il a l' droit. Je d'mande à personne de v'nir avec nous, mais on va charger l' chariot et d'main on quitte le coin.

— J' m'en vas aussi ! dit Ashford, furibond.

A la nuit tombée, Tom se mit à arpenter les champs. Il était accablé à la pensée des épreuves qu'il allait de nouveau imposer à sa famille — il n'avait pas oublié les interminables semaines du premier voyage... Une sentence favorite de Matilda lui revint à l'esprit : « A bien chercher dans c' qu'est mauvais, on finit par trouver quèq' chose de bon. »

Et soudain une idée lui traversa l'esprit. Il déambula encore une bonne heure — le temps que le projet prenne tout à fait forme. Et il regagna alors le chariot où les siens dormaient déjà.

Au matin, Tom demanda à James et à Lewis de confectionner des abris temporaires pour Irène et les enfants, car il avait besoin du chariot. Sous les yeux étonnés de la famille — et à la grande fureur d'Ashford — il entreprit de décharger la lourde enclume avec l'aide de Virgile, et de la fixer sur un billot. A midi, il avait réuni tous les éléments d'une forge de fortune.

Devant son public de plus en plus intéressé, il débâcha le chariot, en désarticula le coffre et s'attaqua ensuite à la plate-forme. Et les autres commencèrent alors à entrevoir en quoi consistait l'ahurissant projet de Tom.

A la fin de la semaine, Tom arriva en ville avec sa forge ambulante et tous les habitants restèrent bouche bée devant son agencement : enclume, foyer, bac à refroidir et panoplie complète des outils de maréchalerie, tout cela solidement fixé sur la plate-forme du chariot renforcée par d'épais madriers.

Saluant poliment tous ceux qu'il rencontrait — Blancs ou Noirs — Tom leur proposait ses services, au plus juste prix. En quelques jours, les demandes affluèrent de toutes les fermes environnantes, nul ne voyant ce que l'on pouvait valablement objecter contre un Noir servant la pratique en chariot. Et Tom fut si vite indispensable que personne ne songea plus à lui créer la moindre difficulté. D'ailleurs, il faisait correctement son ouvrage et se mêlait de ses affaires — attitude qui lui valait l'estime générale. En fait, la famille n'avait pas tardé à se faire une réputation honorable : de bons chrétiens, payant rubis sur l'ongle et ne se mêlant de rien — une réputation de « gens sachant rester à leur place », comme le Vieux George Johnson l'avait entendu formuler, dans la principale boutique, par un groupe de Blancs.

Pourtant, le Vieux George lui-même était traité comme « eux » — les autres Blancs l'évitaient ; il était servi en dernier dans les boutiques ; et même, ayant voulu essayer un couvre-chef chez le chapelier, il s'en était retrouvé « acheteur » après l'avoir pourtant reposé sur le rayon, car il ne lui entrait pas sur la tête. La famille se tint les côtes en l'entendant raconter sa mésaventure, le chapeau trop étroit perché sur le sommet du crâne. Il n'y eut qu'Ashford — fidèle à son personnage — pour envisager de faire manger l'objet du litige à ce gredin de boutiquier.

Que la communauté blanche n'ait rien à faire d'eux — et vice versa — Tom et les autres en étaient parfaitement conscients, mais ils n'ignoraient pas non plus que les commerçants se frottaient les mains devant le notable accroissement de leurs ventes. Sans doute les Noirs se suffisaient-ils largement à eux-mêmes, pour ce qui était de la nourriture, du vêtement ou du bois de construction et de chauffage. Mais la croissance de leur communauté aurait pu se mesurer rien qu'aux quantités de clous, de tôle ondulée et de fil de fer barbelé qu'ils achetèrent dans les deux ans qui suivirent leur arrivée.

En 1872, toutes les fermes avaient fini de s'équiper : maisons, granges, appentis, clôtures — plus rien ne manquait.

Alors, sous l'impulsion de Matilda, la famille commença de se préoccuper d'une entreprise dont les bienfaits devaient rejaillir sur tous : la construction d'un temple, qui remplacerait les lieux de prière improvisés sous des charmilles. Ils y consacrèrent toute une année et y engloutirent la plus grande part de leurs économies. Mais vint enfin le moment où, après avoir poncé le dernier banc et décoré le chœur de la superbe tenture blanche barrée d'une croix pourpre qu'Irène avait tissée et cousue, Tom et ses frères scellèrent le vitrail de deux cent cinquante dollars, commandé à la firme de vente par correspondance Sears, Roebuck & Co. Et tous s'accordèrent alors à dire que le temple du Nouvel Espoir (Église épiscopale méthodiste des gens de couleur) valait largement les sommes et la peine qu'il avait coûtées.

Le premier office du dimanche attira une telle foule — pratiquement tous les Noirs habitant dans un rayon de vingt milles — que beaucoup ne purent trouver place dans le temple. Mais, de la pelouse, on entendait parfaitement la voix sonore du révérend Sylus Henning, ancien esclave d'un directeur aux chemins de fer de l'Illinois, le Dr D.C. Henning, qui possédait de vastes terres aux environs. P'tit George glissa à Virgile que le révérend semblait *se prendre* pour le Dr Henning lui-même, mais pas un fidèle n'aurait osé mettre en doute la ferveur de ses invocations.

L'office se termina par le vibrant cantique *O Jésus, ta Croix domine...*, dirigé par une Matilda radieuse. Les fidèles séchèrent leurs larmes et défilèrent devant le prédicateur — lui serrant la main, lui tapotant l'épaule. Puis ils récupérèrent les paniers déposés sous le porche, déployèrent les nappes sur la pelouse et attaquèrent leur pique-nique : poulet frit, côtelettes de porc, œufs durs, salades de pommes de terre et de chou, pickles, galettes de maïs, citronnade, gâteaux et tourtes — P'tit George était sur le point de demander grâce en avalant la dernière bouchée.

Ensuite, ils restèrent à bavarder ou à déambuler par petits groupes — les hommes et les jeunes gens en costume et cravate, les femmes vêtues de blanc, les jeunes filles en robes de teintes vives, la taille ceinte d'un ruban. Les yeux embués, Matilda regardait s'ébattre la vaste nichée de ses petits-enfants. Elle posa sa main sur la grosse patte de son mari, noueuse et balafrée de coups d'ergots.

— C'te journée, George, dit-elle avec douceur, j' pourrai jamais l'oublier. On a fait du ch'min, pas vrai, d'puis qu' tu t'am'nais avec ton m'lon noir pour me r'chercher en mariage ! On a eu une grande famille, et les v'là qu'ont plein de p'tits à c't' heure, et l' Seigneur il a permis qu'on reste tous ensemb'. Y a qu'une chose qui m' fait deuil : la mammy Kizzy, elle est pas avec nous.

— T'en fais pas, fifille, répondit George, les yeux humides, elle nous r'garde, la mammy ! Tu peux m'en croire, elle nous *r'garde !*

103

Ce lundi-là, pendant la pause de midi, les enfants se hâtèrent de quitter les champs et de gagner le temple : ils avaient enfin un toit pour abriter leurs études. C'était là un événement, car depuis deux ans les classes de Sœur Carrie White, fraîchement émoulue du Lane College (1) de Jackson, Tennessee — promotion inaugurale — se passaient en plein air. Les administrateurs du temple du Nouvel Espoir avaient payé de leur bourse crayons, cahiers, manuels de lecture, d'écriture et d'arithmétique. Comme elle enseignait simultanément à tous les enfants d'âge scolaire, Sœur Carrie avait la responsabilité de six classes, regroupant des élèves de cinq à quinze ans, parmi lesquels les cinq premiers enfants de Tom : Maria Jane, douze ans, Ellen, Viney, P'tite Matilda, et Elizabeth, six ans, Tom le Jeune devait entrer à l'école l'année d'après, suivi par la benjamine, Cynthia.

Lorsque Cynthia passa son examen de sortie, en 1883, Maria Jane était déjà mariée et mère d'un enfant ; quant à Elizabeth, elle s'occupait de la comptabilité de la forge — et, grâce à elle, Tom Murray savait désormais signer son nom. Le succès de sa forge ambulante avait permis à ce dernier d'installer un atelier en ville — sans que personne y trouvât à redire. Ne comptait-il pas à présent parmi les habitants les plus prospères ?

Elizabeth travaillait pour son père depuis environ un an lorsqu'elle s'éprit d'un nouveau venu à Henning,

(1) Les « collèges » américains sont des établissements d'enseignement supérieur plus ou moins comparables à des universités. (*N.d.T.*)

John Toland, qui exploitait en métayage une propriété de Blancs — six cents acres de bonne terre — située près de la rivière Hatchie. Ils s'étaient rencontrés dans une boutique, et Elizabeth avait confié à sa mère qu'il lui avait fait une forte impression, non seulement parce qu'il était bien bâti et beau garçon, mais à cause de sa dignité et de son intelligence. Il savait même un peu écrire, puisqu'elle l'avait vu signer un reçu. Pendant plusieurs semaines, ils se retrouvèrent pour se promener dans les bois, et la jeune fille put pleinement apprécier la personnalité de John Toland : homme de bien, bon croyant, de caractère doux en dépit de sa force physique, et économe — car il ambitionnait d'avoir un jour sa propre exploitation agricole.

Ils se rencontraient régulièrement depuis deux mois — et commençaient à parler mariage — lorsque Tom Murray, parfaitement au courant de leur idylle, dit à Elizabeth qu'au lieu de filer à tout instant elle ferait mieux d'amener son jeune homme à la maison après l'office du dimanche. L'attitude de John Toland envers Tom Murray fut franche et respectueuse, tandis que ce dernier se montrait encore plus taciturne que de coutume et s'esquivait après quelques minutes d'un échange de menus propos. Une fois John parti, Tom Murray appela sa fille et lui dit d'un ton sévère :

— Y a pas besoin de t' voir deux fois avec lui, hein ! Vous avez-t-y parlé d' quèq' chose ? (Elizabeth resta interdite.) Ça va, j'ai compris. Mais j' te laiss'rai pas l' marier, quoiqu'il aye l'air d'être très correk'. (Elizabeth regardait son père sans comprendre.) L'est trop clair. L'est presque blanc — mais pas comme un vrai Blanc. Ni chair ni poisson, qu'il est. Tu comprends c' que j' te dis ? Trop clair pour les Noirs, trop foncé pour les Blancs. Il y peut rien, à sa couleur, mais il arriv'ra jamais à être d'un bord ou d' l'aut'. Et faut penser aux p'tits qui viendraient, Elizabeth. J' veux pas d'une vie comme ça pour ma fille.

— Mais, papa, tout l' monde *aime* John. Nous aut' on s'entend bien avec le Vieux George Johnson, alors pourquoi pas avec lui ?

— C'est pas pareil !

— Mais, papa, plaida désespérément la jeune fille, tu parles que d'un bord ou d' l'aut' on voudrait pas de John ! Mais c'est *toi* qui veux pas d' lui.

— Ça suffit ! J' t'ai assez entendue ! Puisque t'es pas capab' d'estimer les ennuis qu' tu t' ménages, j' vais l' faire pour toi. Tu l' verras plus !

— Mais, papa..., sanglota Elizabeth.

— Allez, ouste ! Tais ton bec !

— Si j' peux pas marier John, jamais j' marierai personne ! hurla Elizabeth.

Tom Murray quitta brusquement la pièce en claquant la porte. Il s'arrêta un instant près d'Irène, qui restait figée dans son fauteuil.

— Tom, quoi que t'es en train..., commença-t-elle.

— J'ai dit c' que j'avais à dire ! lança-t-il hargneusement en sortant à grandes enjambées.

En apprenant la scène, Matilda fut prise d'un tel courroux qu'Irène eut toutes les peines du monde à l'empêcher d'aller dire son fait à Tom.

— Quand on pense que l' papa de c' garçon il a du sang blanc ! hurla-t-elle. (Et brusquement elle chancela, crispant les mains sur sa poitrine. Irène la rattrapa comme elle allait s'effondrer.) Oh ! mon Dieu ! gémissait Matilda, le visage convulsé de douleur. Doux Jésus ! O Seigneur ! Non !

Elle battit des paupières et se laissa aller, inerte, les yeux clos.

— Grand-mammy ! cria Irène.

Elle colla l'oreille contre le sein de Matilda. Le cœur palpitait encore faiblement. Mais, deux jours plus tard, il cessa de battre.

Chicken George ne versa pas une larme. Mais il y avait quelque chose de déchirant dans son air pétrifié, ses yeux éteints. Dès lors, plus personne ne put lui tirer un sourire, un mot aimable. Lui et Matilda n'avaient jamais été étroitement unis — et pourtant il semblait que sa propre chaleur était morte avec elle. Et il se ratatina, se dessécha. En peu de temps, Chicken George était devenu un vieillard — mais, loin d'être débile ou gâteux, il était plus raide et hargneux que jamais. Comme la maison où il avait habité avec Matilda lui était devenue odieuse, il prit le pli d'aller s'installer chez l'un de ses nombreux descendants — pour passer chez le suivant lorsque l'on était trop excédé de part et d'autre. Lorsqu'il ne se répandait pas en plaintes, il restait sur le perron pendant des heures, à se balancer dans son fauteuil en balayant les environs d'un œil féroce.

Peu après avoir atteint ses quatre-vingt-trois ans — et s'être obstinément refusé à goûter au gâteau d'anniversaire confectionné en son honneur — à la fin de l'hiver 1890, il était assis devant la cheminée crépitante, dans la maison de sa petite-fille Maria Jane. Celle-ci lui avait enjoint de rester tranquillement à se chauffer en étendant sa jambe malade, tandis qu'elle s'absentait quelques minutes pour porter le déjeuner à son mari dans un champ voisin. Maria Jane s'était pourtant hâtée, mais, au retour, elle trouva Chicken George étendu sur le sol : il était tombé dans l'âtre et avait réussi tout juste à s'en dégager. Son chapeau melon, son écharpe, son tricot achevaient de se consumer, et des cheveux jusqu'à la ceinture, il portait d'atroces brûlures. Il mourut la nuit même.

Toute la population noire de Henning, ou peu s'en faut, assista à ses funérailles — et ses enfants, petits-enfants et arrière-petits-enfants en constituaient déjà une bonne fraction. Au moment où on le descendit dans la fosse, à côté de Matilda, son fils P'tit George se pencha vers Virgile et murmura :

— L' vieux dur à cuir, il pouvait pas finir de mort naturelle.

— Tu sais, moi, j'y étais attaché, répondit tristement Virgile, et tous autant qu'on est, c'était pareil.

— Pour sûr, approuva P'tit George. Y en a pas un qui pouvait supporter c'te vieille fripouille de cocoricoteur, et les v'là tous à r'nifler à c't' heure qu'il a passé.

104

— Maman ! Will Palmer, il voudrait m' raccompagner à la maison dimanche, après l'office ! s'écria Cynthia d'un air extasié.

— C'est pas vitesse et précipitation avec c' garçon, hein ? Ça fait bien deux ans que j' le vois te r'luquer au temple chaque dimanche que Dieu fait, observa Irène.

— Qui ça ? demanda Tom.

— Will Palmer. Peut-y la ram'ner à la maison après l' temple ?

— Faudra voir, répondit froidement Tom.

Cynthia quitta la pièce comme un chien battu.

Irène fixait son mari d'un œil sévère.

— Tom, y en a donc *pas un* qu'est assez bon pour tes filles ? Y a-t-y du monde en ville qui sait pas encore que c'est ce jeune Will qui fait marcher *quasiment seul* le commerce de bois de c' pochard 'vétéré de M. James ? Les gens de Henning, ils le voient pas qu'est à décharger les wagons, à faire les ventes, et les livraisons, et que j' te dresse les factures, et que j' te ramasse l'argent, et que j' te l' dépose à la banque, c'est pas lui qui s' coltine le tout ? Et avec ça, jamais un mot plus haut qu' l'aut' contre M. James.

— Il fait son boulot, v'là tout ! Mais tu crois que

j' vois pas ces yeux blancs qu'elles ont les filles, au temple, quand il s'amène ?

— Il peut bien ram'ner la gamine, non ? Z'ont envie d'être ensemb', laisse donc faire. Question d' rester ensemb' après, ça les r'garde.

— Et *moi* aussi ! répondit Tom d'un air intraitable.

Il n'avait pas l'intention de paraître abandonner un pouce de son autorité paternelle — et maritale. Et, par-dessus tout, Irène devait continuer à ignorer qu'il avait, depuis déjà un bon moment, jugé ce Will Palmer à sa propre valeur, soupesé ses possibilités, et approuvé d'avance son éventuelle entrée dans la famille. C'était un garçon avisé, compétent et ambitieux — Tom retrouvait beaucoup de son propre caractère chez ce futur gendre.

Nul, pourtant, n'aurait pensé que les choses iraient aussi vite. Onze mois plus tard, le mariage de Will et de Cynthia était célébré au temple du Nouvel Espoir. Plus de deux cents personnes assistèrent à la cérémonie — pour la moitié venues en un temps lointain de Caroline du Nord, dans un convoi de chariots bâchés, et fixées depuis lors dans tout le comté de Lauderdale.

Will édifia de ses mains leur petite maison, dans laquelle un an plus tard, en 1894, Cynthia allait mettre au monde un fils qui ne vivrait que quelques jours. A ce moment, il n'était plus question pour lui de distraire le moindre moment de ses journées, tant son patron sombrait dans la boisson ; quant à mener tout seul le commerce, c'était chose faite. Un vendredi d'orage, alors qu'il contrôlait les livres comptables en fin d'après-midi, Will découvrit qu'une traite à régler ce jour demeurait impayée à la Banque populaire. Il prit son cheval et fit plus de huit milles sous une pluie battante pour atteindre la propriété du président de la banque. Là, il se présenta à la porte de service.

— Monsieur Vaughan, dit-il, voici un règlement qui a échappé à l'attention de M. James, mais je sais qu'il ne voudrait pas vous faire attendre jusqu'à lundi.

Invité à entrer pour se sécher, il répondit :

— Non, merci, monsieur, Cynthia s'inquiéterait si je tardais.

Et il repartit aussitôt sous les trombes d'eau.

Vivement impressionné par cet incident, le banquier le colporta dans toute la ville.

A l'automne 1893, un messager vint prévenir Will qu'on l'attendait à la banque. En chemin, Will supputait les raisons de cette convocation inopinée. Il trouva en train de l'attendre dix des principaux commerçants blancs de Henning, arborant tous un air gêné. M. Vaughan expliqua en quelques mots que le patron de Will venait de déclarer faillite, et s'apprêtait à quitter la ville avec les siens.

— Henning a besoin d'un marchand de bois, expliqua le banquier. Cela fait des semaines que nous en discutons, et nous ne voyons pas qui serait plus apte que vous, Will, à remplir cet office. Nous nous sommes tous mis d'accord pour éponger en commun les dettes de cette entreprise et vous en faire propriétaire.

Sans se soucier de retenir ses larmes, Will Palmer passa devant la rangée de Blancs en leur serrant les mains sans un mot. Les Blancs eux-mêmes ne cherchaient pas à dissimuler leur émotion. Une fois qu'ils furent partis, Will retint un long moment la main du banquier dans la sienne, puis il lui demanda :

— Monsieur Vaughan, pouvez-vous faire encore quelque chose pour moi ? Ce serait de verser la moitié de ce qui se trouve sur mon compte d'épargne à M. James, sans lui dire d'où vient cette somme.

En un an le credo commercial de Will — la meilleure qualité au prix le plus juste — attirait même la clientèle des villes voisines. Mais, en plus, des visiteurs — surtout noirs — se déversaient dans Henning à pleins chariots, certains venus d'aussi loin que Memphis, à quarante-huit milles au sud, pour voir de leurs propres yeux la première entreprise de l'ouest du Tennessee appartenant à un Noir — une bâtisse aux fenêtres garnies par Cynthia de rideaux à volants, portant sur sa façade, en grandes lettres peintes par Will : *MAISON W. E. PALMER. BOIS DE CONSTRUCTION ET DE CHARPENTE.*

105

En 1895, les prières de Cynthia et de Will furent exaucées : une belle et robuste fillette leur naquit, qu'ils prénommèrent Bertha George — « George » en l'honneur du père de Will. Devant une foule de parents, invités pour l'occasion, Cynthia raconta au poupon toute l'histoire des siens jusqu'à l'Africain, Kounta Kinté, cette histoire que Tom Murray avait tant de fois narrée à ses enfants.

Will Palmer était le premier à respecter la vénération de Cynthia pour ses ancêtres, mais son naturel fier acceptait mal qu'on pût le croire « entré » dans la famille de sa femme — et non l'inverse, comme il se doit. Et sans doute fut-ce pour cette raison qu'il monopolisa la petite Bertha avant même qu'elle sût marcher. Tous les matins, avant de partir au travail, il la promenait dans ses bras. Le soir, nul autre que lui ne la couchait dans le berceau qu'il lui avait fabriqué de ses mains.

Bertha n'avait pas plus de cinq ans que toute la famille et la plus grande partie de la communauté noire de Henning reprenaient à leur compte une remarque échappée à Cynthia :

— L'est gâtée pourrie par Will Palmer, c'te gamine !

Le père avait ouvert à sa fille un compte dans toutes

les boutiques où l'on vendait des sucreries et il réglait mensuellement ses notes, tout en exigeant cependant qu'elle lui fournît parallèlement une justification de ses achats, qu'il pointait solennellement, « pour l'initier aux affaires ». Et, pour l'anniversaire de ses quinze ans, Bertha se vit ouvrir un compte à la firme de vente par correspondance Sears, Roebuck & Co. L'étonnement, la consternation même le disputaient à la fierté chez les Noirs de Henning qui disaient en hochant la tête :

— C'te gamine, l'a qu'à choisir dans l' catalogue 'lustré, et puis elle passe sa commande. Et ces Blancs de Sears et Roebuck, là-bas à Chicago, ils y envoient — et son papa, à c'te Bertha, il paye... vous m'avez-t-y entendu ? Tout c' qu'elle *veut* il y paye !

La même année, Bertha commença à apprendre le piano avec un professeur qui venait spécialement de Memphis une fois par semaine. Élève douée, Bertha fut bientôt capable d'accompagner les chœurs au temple du Nouvel Espoir, à l'administration duquel Will et Cynthia prenaient une part prépondérante.

Bertha quitta l'école de Henning en juin 1909. Il était déjà décidé qu'à la rentrée elle irait poursuivre ses études au Lane College de Jackson, Tennessee, établissement d'enseignement supérieur sous l'égide de l'Église méthodiste épiscopale des gens de couleur.

— Fifille, j' peux pas t' dire c' que ça r'présente pour nous aut'... La première de not' famille qu'elle aura été à c'te 'niversité...

— Maman, à quoi serviraient les universités si on n'y allait pas ? Mais est-ce que je n'obtiendrai jamais de toi et de papa que vous cessiez de manger vos mots et de glisser des *c'te* partout ?

Une fois seule avec son mari, Cynthia en pleura.

— Seigneur Dieu, c'te pitié. L'est pas capab' de comprendre, Will.

— Ça vaut p't-êt' mieux, dit-il pour la consoler.

J' me tuerais à l'ouvrage pour y donner une plus belle vie qu' nous aut' !

Comme on pouvait s'y attendre, Bertha fut une brillante étudiante — elle se destinait au professorat — obtenant constamment les meilleures notes, faisant partie du chœur de l'école et l'accompagnant au piano. L'on évoquait souvent son agilité d'esprit dans Henning. N'était-ce pas elle qui avait suggéré à son père de faire tracer sur sa voiture de livraison : *Henning 121 : Pour votre bois — Appelez-moi* — car le téléphone avait fait depuis peu son apparition dans le comté.

Bertha, qui revenait deux fois par mois passer la fin de semaine sous le toit familial, commença à entretenir de plus en plus souvent ses parents d'un garçon qui chantait, comme elle, dans le chœur de l'école. Originaire de Savannah, dans le Tennessee, il s'appelait Simon Alexander Haley et se destinait à l'agronomie. Étant très pauvre, expliquait-elle, il besognait à temps partiel pour payer ses études. Un an plus tard, en 1913, comme ce Haley tenait toujours autant de place dans les conversations de Bertha, Will et Cynthia décidèrent de l'inviter à Henning pour se faire une opinion personnelle à son sujet.

Les nouvelles vont vite dans une petite ville et, le dimanche, l'on put remarquer au temple du Nouvel Espoir une assistance plus nombreuse que de coutume. Dès son entrée, « l'étudiant de Bertha » fut le point de mire de toute la communauté noire. Mais, loin de perdre contenance, il chanta le cantique *Au jardin* en soliste, d'une belle voix de baryton — accompagné au piano par Bertha ; après l'office, il se mêla de bonne grâce aux discussions des fidèles, regardant chacun bien en face, serrant vigoureusement la main des hommes, se découvrant devant les dames.

Le soir, Bertha et Simon Alexander Haley prirent ensemble l'autocar pour regagner leur école. Après leur départ, les conversations allèrent bon train dans la communauté. Nul ne trouvait quoi que ce soit à redire au jeune homme — publiquement. En privé, pourtant, on se demandait s'il ne fallait pas regretter qu'il eût le teint si clair. (Simon avait confié ses origines à Bertha, qui, pour sa part, était de peau très foncée : ses parents, anciens esclaves, étaient l'un et l'autre enfants d'une Noire et d'un Irlandais ; du côté paternel, il s'agissait d'un certain Jim Baugh, régisseur ; du côté maternel, d'un fils de planteur du comté de Marion, en Alabama, qui avait servi dans l'armée sudiste en qualité de colonel pendant la guerre de Sécession.) En revanche, on s'accordait unanimement à lui trouver une belle voix, une bonne éducation, et une réelle simplicité de manières en dépit de son instruction.

Pendant tout l'été, Bertha et Simon durent se contenter de correspondre. Le jeune homme travaillait comme garçon des wagons-lits pour réunir les premières sommes nécessaires à son enrôlement à l'Agricultural and Technological College de Greensboro, en Caroline du Nord, où il ambitionnait de faire un diplôme d'études supérieures de quatre ans. Lorsque les États-Unis entrèrent dans la Première Guerre mondiale, lui et ses condisciples de quatrième année s'engagèrent dans l'armée, et ce fut bientôt de France que parvinrent à Bertha les lettres de Simon. Gazé dans l'Argonne en 1918, il demeura de longs mois dans un hôpital français, avant d'être rapatrié, convalescent. Et ce fut un Simon complètement rétabli qui reparut à Henning au cours de l'année 1919, pour l'annonce de ses fiançailles avec Bertha.

Leur mariage au temple du Nouvel Espoir, durant l'été 1920, fut le premier événement social de Henning auquel assistèrent indistinctement Noirs et Blancs — non seulement parce que Will Palmer comptait à présent parmi les notables, mais aussi à cause de la fierté qui s'attachait à la réussite de Bertha, cette enfant de Henning qui avait justifié tous les espoirs mis en elle. La réception eut lieu sur la vaste pelouse se déployant en pente douce devant la nouvelle maison des Palmer — dix pièces, dont un salon de musique et une bibliothèque. L'on festoya ; l'on admira la profusion des cadeaux de noces ; l'on écouta béatement le chœur du Lane College — amené par un autocar frété pour l'occasion par Will Palmer.

Dans la soirée, ce fut une véritable foule qui envahit la petite gare de Henning pour mettre Simon et Bertha dans le train de nuit qui allait à Chicago d'où, en prenant une autre ligne, ils aboutiraient à Ithaca, dans l'État de New York. Il y avait là une « université Cornell » où Simon terminerait son diplôme d'agronomie, tandis que Bertha entrerait au Conservatoire de musique.

Pendant près de trois trimestres, Bertha écrivit régulièrement aux siens — elle avait tant de choses passionnantes à raconter sur leur lointaine résidence ! Et elle ne cessait de redire combien elle et Simon étaient heureux ensemble. Mais, au début de l'été 1921, ses lettres commencèrent à s'espacer singulièrement. Cynthia et Will finirent par être très inquiets : Bertha devait avoir des ennuis et les leur dissimuler. Will remit cinq cents dollars à sa femme, avec mission de les envoyer à leur fille en lui disant de les employer au mieux, sans en parler à son mari. Les lettres de Bertha ne s'en firent pas moins de plus en plus rares, si bien qu'à la fin août Cynthia prévint Will et leurs amis intimes qu'elle allait se rendre à Ithaca pour voir sur place de quoi il retournait.

Deux jours avant le départ de Cynthia, ils furent réveillés à minuit par des coups frappés à la porte d'entrée. Aussitôt debout, Cynthia enfila sa robe de chambre et se précipita, avec Will sur ses talons. Du seuil de leur chambre, ils pouvaient apercevoir le perron d'entrée à travers les portes-fenêtres de la salle de séjour : dans la clarté de la lune se découpaient les silhouettes de Bertha et de Simon. Avec un grand cri, Cynthia bondit pour ouvrir la porte.

— Excusez-nous de ne pas vous avoir prévenus. Nous voulions vous apporter une surprise, dit calmement Bertha en déposant dans les bras de Cynthia un petit paquet roulé dans une couverture.

Le cœur battant, Cynthia souleva le coin de la couverture — Will regardant par-dessus son épaule — et découvrit une petite tête brune...

Ce bébé de six semaines, c'était *moi*.

106

Papa se plut souvent, par la suite, à évoquer cette nuit de la « grande surprise ».

— Pendant un moment, j'ai cru que j'avais perdu mon fils, disait-il en riant.

Il racontait que grand-père Will Palmer m'avait pris des bras de grand-mère et emporté.

— Sans un mot, il est sorti dans la cour et il est allé quelque part, derrière la maison. Il a dû rester parti une bonne demi-heure, mais, à son retour, aucun de nous ne lui a fait la moindre remarque. D'abord, parce que nul ne se permettait de faire des remarques à Will Palmer, mais peut-être encore plus parce que nous savions tous avec quelle ardeur il avait souhaité un fils — avec toi, l'enfant de Bertha, il avait enfin ce fils.

Papa repartit une semaine plus tard pour Ithaca — seul. Ils avaient décidé qu'il était plus sage que maman restât à Henning avec moi, tandis qu'il terminerait son diplôme. Grand-père et grand-mère s'emparèrent alors littéralement de moi, surtout grand-père.

Je ne marchais pas encore que déjà il m'emportait à

bras jusqu'au chantier de bois, où il me déposait dans un berceau fabriqué de ses mains, tandis qu'il vaquait à ses affaires. Cela, je l'ai su par grand-mère. Mais combien de souvenirs n'ai-je pas de nos promenades en ville, dès que je pus me tenir sur mes jambes. Je trottinais à côté de lui, la menotte accrochée à son index. Je le voyais se dresser au-dessus de moi comme un grand arbre brun. En chemin, il s'arrêtait pour bavarder avec les gens. C'est grand-père qui m'a appris à regarder n'importe qui bien en face, à m'adresser aux autres distinctement et courtoisement. Lorsqu'on lui faisait des compliments sur ma bonne éducation ou sur ma solide croissance, il répondait :

— J' pense que ça ira.

A la « Maison W. E. Palmer — Bois de construction », grand-père me permettait de jouer parmi les grosses piles de planches, dans l'odorant mélange des diverses essences : chêne, cèdre, pin, hickory, et je m'inventais toute sorte d'aventures, presque toujours dans les pays lointains et dans d'autres temps. Parfois, grand-père me faisait entrer dans son bureau, m'abandonnait son fauteuil et me coiffait de sa visière verte. Alors, je tournais et tournais sur le siège, à m'étourdir. Avec grand-père, je ne connaissais que de bons moments.

Mais grand-père mourut avant que j'aie atteint mes cinq ans. J'eus une telle crise de nerfs qu'il fallut appeler le Dr Dillard. Il me donna à boire un liquide blanchâtre qui devait me faire dormir. Et je me souviens avoir revu, avant de sombrer dans le sommeil, le long défilé des gens, Noirs et Blancs — toutes les têtes inclinées, les femmes coiffées d'un fichu, les hommes, le chapeau à la main. Pendant les jours qui suivirent, il me sembla que le monde entier pleurait mon grand-père.

Papa, qui était sur le point de terminer sa thèse, quitta la Cornell University pour venir gérer le commerce de bois. Maman entra comme institutrice à l'école de Henning. La perte de grand-père, à qui j'avais été si profondément attaché, et le chagrin dans lequel s'enfermait grand-mère nous rapprochèrent, maman et moi, et elle m'emmenait à peu près partout avec elle.

Je suppose que ce fut en partie pour combler le vide laissé par la disparition de son mari que grand-mère prit l'habitude d'inviter chaque année des parentes du côté Murray à passer tout ou partie de l'été avec nous. Ces vieilles dames — « vieilles » à mes yeux d'enfant, car elles étaient toutes aux environs de la cinquantaine — venaient de villes aux noms exotiques : Dyersburg au Tennessee ; Inkster au Michigan ; St Louis, Kansas City. Il y avait là tante Plus, tante Liz, tante Till, tante Viney et cousine Georgia. Après avoir fait la vaisselle du dîner, elles s'installaient sous la véranda de devant dans des fauteuils à bascule, et moi je me faisais tout petit derrière celui de grand-mère. La nuit tombait, piquetée du vol des lucioles, parfumée des senteurs du chèvrefeuille, et elles parlaient — toujours des mêmes choses, sauf en cas d'événement local particulièrement digne d'intérêt. Bribes par bribes, elles dévidaient la longue histoire de notre famille, transmise et augmentée de génération en génération — bien sûr, je n'ai compris cela que plus tard.

Ces évocations étaient l'unique source de dissentiments entre maman et grand-mère. Il arrivait en effet que cette dernière s'y abandonnât même en l'absence de ses « contemporaines », et maman ne tardait pas alors à l'interrompre sans ménagements :

— Pour l'amour du Ciel, maman ! Tu m'horripiles avec tes vieilles histoires d'esclaves !

Et grand-mère rétorquait sèchement :

— Fifille, p't-êt' bien qu' t'en as rien à faire, *toi,* mais *moi,* si !

Et elles se boudaient ensuite pendant toute la journée, sinon le lendemain.

Malgré mon jeune âge, je sentais que ces vieilles dames grisonnantes parlaient de temps très reculés. Bien sûr, je ne savais guère faire le partage entre les divers récits. Que les choses fussent arrivées longtemps auparavant ou du temps de leur jeunesse (« Tiens ! J'étais pas plus grande que c' gamin ! ») échappait à ma compréhension, car je ne pouvais imaginer que ces vieilles personnes ridées aient jamais pu avoir le même âge que moi. Mais je savais que ce dont elles parlaient était très, très ancien.

Je suivais d'ailleurs avec difficulté leurs récits. Que pouvaient bien signifier les mots « maître » et « maîtresse » ? Et une « plantation » ? Je me représentais quelque chose comme une grande ferme. Mais, à force de les entendre été après été, j'arrivais à retenir certains noms, à me souvenir de quelques événements. Il y avait un personnage au-delà duquel elles ne semblaient plus rien savoir. Celui-là c'était « l'Africain ». Elles racontaient qu'il avait été amené sur un bateau, et débarqué dans une ville appelée « Naplis ». Il avait été acheté par un « m'sieu John Waller », qui possédait une plantation dans un certain « comté de Spotsylvanie, en Virginie ». Cet Africain avait constamment essayé de se sauver et, à sa quatrième tentative, il avait eu le malheur d'être capturé par deux chasseurs d'esclaves professionnels — des Blancs. Sans doute pour faire un exemple, ils lui avaient fait choisir entre deux choses aussi horribles l'une que l'autre : le castrer ou lui sectionner le pied et — « Jésus soit loué ! ou on s'rait pas là, nous aut' ! » — l'Africain avait choisi la seconde. Je n'arrivais pas à comprendre pourquoi des Blancs avaient commis une telle vilenie.

Mais, poursuivaient les vieilles dames, un certain Dr William Waller — le propre frère de m'sieu John — avait sauvé la vie de l'Africain et l'avait installé dans sa plantation, car il était révolté par cette mutilation. Désormais estropié, l'Africain ne pouvait travailler aux champs, aussi le docteur lui avait-il confié le jardin potager. Et cet Africain était resté très longtemps dans la plantation — alors qu'à cette époque on vendait fréquemment les esclaves, surtout les hommes, plusieurs fois de suite. Pour cette raison, beaucoup d'enfants d'esclaves n'avaient jamais connu leurs parents.

Grand-mère et les autres racontaient que les maîtres donnaient un nouveau nom aux esclaves africains fraîchement débarqués des vaisseaux négriers. L'Africain en question avait été appelé « Toby ». Mais il protestait véhémentement que son nom était « Kinne-tay ».

« Toby » ou « Kinne-tay », s'était occupé clopin-clopant du jardin jusqu'au moment où le maître l'avait pris pour conduire son buggy. Et puis il s'était uni à une esclave, « Bell, la cuisinière de la grande maison ». Ils avaient eu une petite fille, « Kizzy ». Quand l'enfant avait atteint quatre ou cinq ans, l'Africain avait commencé à faire des promenades avec elle en lui disant le nom africain de ce qu'ils voyaient sur leur passage. Par exemple, lui montrant une guitare, il lui faisait répéter : *ko*. Ou, désignant la rivière voisine de la plantation — c'était la Mattaponi — il disait quelque chose qui ressemblait à « Kamby Bolongo ». Et ainsi enseignait-il tout un tas de mots à Kizzy. L'Africain avait peu à peu appris à s'exprimer en anglais, si bien que, quand Kizzy était plus grande, il avait pu lui raconter ce qui lui était arrivé, lui parler de son peuple, de son pays — et décrire comment on l'en avait arraché. Il était allé tailler un tronc dans la forêt, non loin du village, en vue de se confectionner un tambour, et là quatre hommes l'avaient assailli, battu et enlevé — pour en faire un esclave.

Lorsque Kizzy avait eu seize ans, poursuivaient grand-mère Palmer et les autres vieilles dames du clan

Murray, elle avait été vendue à un nouveau maître dénommé Tom Lea, qui possédait une petite plantation en Caroline du Nord. Et c'était dans cette plantation qu'elle avait donné le jour à son fils, baptisé George par Tom Lea, qui en était le père.

Lorsque George avait eu quatre ou cinq ans, sa mère avait commencé à lui répéter les histoires de son grand-père l'Africain, à lui apprendre les mots qu'elle avait retenus, et peu à peu l'enfant les avait sus aussi bien qu'elle. A douze ans, racontait grand-mère, le maître l'avait confié à « Oncle Mingo », le vieil esclave qui élevait et dressait ses coqs de combat. La réputation qu'il s'était acquise, très jeune, dans ce domaine, lui avait valu d'être appelé, sa vie durant, « Chicken George ».

A vingt et un ans, Chicken George s'était uni à une esclave nommée Matilda, qui devait lui donner huit enfants. A chaque naissance, disaient grand-mère et les autres, Chicken George réunissait autour de lui le cercle sans cesse élargi de ses enfants pour raconter une fois de plus l'histoire de leur arrière-grand-père, cet Africain qui disait s'appeler « Kinne-tay » et désignait une guitare sous le nom de *ko,* une rivière de Virginie sous celui de « Kamby Bolongo », et beaucoup d'autres choses encore. Avant cela, il avait été enlevé et emmené en esclavage alors qu'il taillait un tronc dans la forêt pour s'en faire un tambour.

Devenus adultes, les huit enfants de Chicken George et de Matilda s'étaient à leur tour mariés, avaient eu des enfants. Leur quatrième fils, Tom, était forgeron. Il avait été vendu, avec toute la famille, à un m'sieu Murray qui possédait une plantation de tabac dans le comté d'Alamance, en Caroline du Nord. C'était là qu'il s'était uni à une jeune esclave nommée Irène, qui était fille d'une Noire et d'un Indien. Irène venait de la plantation de « m'sieu Holt », propriétaire d'une grande filature. Ils avaient eu, à leur tour, une nombreuse famille, et à chaque naissance Tom avait perpétué la tradition inaugurée par Chicken George, en réunissant autour de lui ses enfants pour leur raconter l'histoire de leur arrière-arrière-grand-père et de sa descendance.

Après l'émancipation des esclaves, Tom et Chicken George avaient conduit un convoi de chariots bâchés jusqu'à Henning, au Tennessee, où toute la famille s'était installée. Et c'est à Henning que la benjamine des filles de Tom, Cynthia, s'était unie à Will Palmer.

J'étais si captivé par ces récits de temps lointains, de personnages inconnus, que j'avais chaque fois peine, lorsque l'on arrivait vers la fin, à identifier cette Cynthia de deux ans sautant de joie dans le chariot qui l'emmenait au Tennessee avec la Cynthia qui était devant moi..., ma grand-mère ! Et tante Viney, tante Matilda, tante Liz — les aînées de grand-mère — elles aussi avaient connu le convoi de chariots, avaient fait le long voyage !

Nous nous trouvions toujours à Henning lorsque naquirent mes frères : George, en 1925, et Julius, en 1929. Après cela, papa vendit le commerce de bois pour le compte de grand-mère et retourna à sa vocation pédagogique. Maman et nous trois le suivions au hasard de ses postes. Nous étions restés plus longtemps qu'ailleurs à Normal, Alabama, où papa enseignait l'agriculture à l'Agricultural and Mechanical College, lorsque, en 1931, on vint un matin me chercher dans ma classe. Je courus jusque chez nous, poussai la porte comme un fou : les sanglots déchirants de papa emplissaient la maison. Maman était mourante. Depuis notre départ de Henning, elle avait été souvent malade. Maintenant, c'était la fin — elle avait trente-six ans.

George, Julius et moi passions toutes nos vacances d'été à Henning, chez grand-mère. Mais il semblait que son entrain s'en fût allé avec grand-père et avec maman. Les gens la saluaient au passage, lui adressaient un mot aimable :

— Eh bien, Sœur Cynthia, comment qu'on s' porte à c't' heure ?

Et grand-mère, assise dans son fauteuil à bascule blanc, répondait généralement :

— On s' porte assise...

Deux ans après la mort de maman, papa se remaria avec une collègue, Zeona Hatcher, originaire de Colombus, Ohio, et diplômée de l'université de cet État. Nantie du jour au lendemain de trois garçons à élever et à éduquer, elle s'attaqua de tout son cœur à la tâche, et nous donna un peu plus tard une petite sœur — Lois.

Au sortir de ma deuxième année de collège, je m'engageai volontaire dans les gardes-côtes, où je fus affecté au service du carré des officiers — j'avais dix-sept ans. Et ce fut dans le Pacifique Sud-Ouest, sur un ravitailleur de munitions, que commença pour moi le long chemin qui allait me mener à écrire *Racines*.

Parfois en mer pendant trois mois d'affilée, le plus tenace ennemi que nous avions à combattre était moins les avions et les sous-marins de l'adversaire que le pur et simple ennui. Quand j'étais encore au lycée, papa m'avait forcé à apprendre la dactylographie — à présent, je n'avais rien de plus précieux que ma machine à écrire portative. Il n'y eut pas, je crois, un seul de mes amis et connaissances à qui je n'aie envoyé une lettre. Je lisais et relisais tout ce qui me tombait sous la main : les livres de la petite bibliothèque du bord, mais aussi ceux que j'empruntais à mes camarades. Depuis l'enfance, la lecture avait été un de mes passe-temps favoris, surtout les récits d'aventures. Et si je me mis à écrire, ce fut peut-être parce que j'étais excédé d'avoir lu tout ce qui était disponible sur notre navire. Le processus m'intriguait et me fascinait tout à la fois : on glisse une feuille dans la machine, on tape des caractères, et il se trouve, ailleurs, des gens pour vous lire. Et aujourd'hui encore je demeure dans les mêmes sentiments à cet égard. Je ne sais ce qui a pu m'encourager à me lancer — et à persévérer. Tous les soirs, et sept jours par semaine, j'écrivais. J'envoyais le produit de mes veilles aux magazines. Je dus, au total, soumettre des centaines de nouvelles — qui me furent retournées avec une constance égale à la mienne. Et cela dura bien huit ans avant qu'un de mes textes fût enfin accepté.

Lorsque, quelques années après la guerre, certaines de mes nouvelles parurent dans des magazines, le corps des gardes-côtes me bombarda « journaliste ». Cela me permettait de consacrer beaucoup plus de temps à l'écriture — et d'être publié plus fréquemment. Mais vint le moment où j'avais tiré vingt ans de service — j'étais habilité à prendre ma retraite. C'était en 1959, j'avais trente-sept ans. Je résolus de tenter une nouvelle carrière : auteur.

Je commençai par des récits historiques de grands drames de la mer, destinés aux magazines spécialisés dans l'aventure. Et puis je reçus des commandes du *Reader's Digest* — il s'agissait de relater des « vies » particulièrement intéressantes.

En 1962, j'enregistrai un entretien avec le célèbre trompettiste de jazz Miles Davis, et ce texte inaugura la série des « interviews » de *Playboy*. Peu après, le porte-parole des « Musulmans noirs », Malcolm X, accepta lui aussi de se prêter à une interview. Intéressé par son contenu, un éditeur proposa à Malcolm X de publier l'histoire de sa vie, et celui-ci me demanda de collaborer à sa rédaction. Il nous fallut une bonne année d'entretiens fréquents pour en réunir la matière, et encore une autre année pour la rédaction définitive de l'*Autobiographie de Malcolm X*. Et, comme il l'avait prédit, il ne devait pas en voir la parution : à peine deux semaines après avoir terminé le manuscrit, Malcolm X était assassiné.

Je dus, peu après, aller à Londres pour le compte d'un magazine. Je profitai de mes moindres moments de liberté pour circuler dans cette ville où le poids de l'Histoire est partout sensible. Il est peu de visites guidées que je n'aie suivies. Et, un jour où je fouinais au British Museum, je tombai en arrêt devant quelque chose dont j'avais vaguement entendu parler : la pierre de Rosette. Je ne sais pourquoi cet objet me transporta. Je me rendis aussitôt à la bibliothèque pour consulter un ouvrage à son sujet.

J'appris ainsi que cette pierre, découverte dans le delta du Nil, était gravée de trois textes, en trois registres : l'un en caractères grecs, le second en caractères inconnus à l'époque de la trouvaille, et le troisième en hiéroglyphes — écriture de l'ancienne Égypte que l'on estimait alors indéchiffrable. Mais, en comparant les hiéroglyphes, les caractères inconnus et les lettres grecques, le savant français Jean Champollion arriva à la conclusion qu'il s'agissait du seul et même texte. Et c'est ainsi qu'il avait percé le mystère du déchiffrement de l'écriture égyptienne ancienne. Tout un grand pan de l'histoire antique de l'humanité allait s'éclairer, puisque la lecture des annales consignées dans cette écriture devenait dès lors possible.

Cette découverte d'une clé ouvrant la porte du passé me fascinait. Je sentais qu'il s'y attachait pour moi une sorte de signification personnelle, mais j'aurais été bien en peine de dire laquelle. Et ce fut dans l'avion qui me ramenait aux États-Unis qu'une idée me traversa l'esprit. A partir d'une langue gravée dans la pierre, le savant français avait déchiffré un contenu historique jusque-là inconnu en le comparant avec ce qui était déjà connu. Là se situait, toutes proportions gardées, l'analogie en ce qui me concernait : le connu, c'était l'histoire que m'avaient transmise oralement, depuis mon enfance, grand-mère, tante Liz, tante Plus, cousine Georgia et les autres ; l'inconnu, c'étaient ces mots ou ces sons bizarres qui nous venaient de l'Africain. Voyons, pensai-je, il disait s'appeler « Kinne-tay », il désignait une guitare sous le nom de *ko,* une rivière sous celui de « Kamby Bolongo ». C'étaient des mots secs, pointus, où les *k* prédominaient. Ces sons avaient d'ailleurs dû subir quelques transformations au cours de leur transmission, mais ils constituaient indéniablement des bribes phonétiques de la langue de cet ancêtre africain dont notre famille perpétuait la légende. De quel idiome africain pouvait-il s'agir ? Existait-il un moyen de le savoir ?

107

Trente ans s'étaient écoulés depuis les veillées de mon enfance à Henning. De nos vieilles conteuses, seule la plus jeune — cousine Georgia Anderson — survivait encore. Grand-mère et toutes les autres n'étaient plus. Cousine Georgia, qui avait dépassé quatre-vingts ans, vivait auprès de son fils et de sa fille, Floyd Anderson et Bea Neely, à Kansas City, Kansas, au 1200 Everett Avenue. Je ne l'avais pas revue depuis quelques années — depuis une époque où je m'étais rendu là-bas à plusieurs reprises pour soutenir, dans la mesure de mes moyens, les ambitions politiques de mon frère George. Celui-ci avait été dans l'armée de l'Air, puis au Morehouse College d'Atlanta et enfin à la faculté de droit de l'université du Kansas. A présent, il briguait dans cet État un siège de sénateur. George menait rondement sa campagne, mais, le soir où fut annoncée la victoire de son parti, l'on convint en riant que l'artisan de son succès n'était autre que... cousine

Georgia. Son fils étant l'organisateur de la campagne, cousine Georgia avait eu maintes occasions de l'entendre souligner la haute intégrité de George. Et la chère créature, toute voûtée, toute blanche, s'était mise de la partie, en faisant du porte-à-porte. Frappant chez les uns et chez les autres du bout de sa canne, elle leur brandissait sous le nez une photo de son petit-neveu en déclarant :

— C' garçon a plus de 'tégrité qu'y en faut pour être honnête !

A présent j'étais dans l'avion de Kansas City, j'allais revoir cousine Georgia.

Je ne pourrai jamais oublier sa réaction lorsque j'évoquai l'histoire de notre famille. J'étais à son chevet — car elle était souffrante — je contemplais son visage ridé. Et soudain elle se mit sur son séant et retrouva instantanément le fil des récits qui avaient bercé mon enfance.

— Oui, mon garçon, c't' Africain, il disait qu'il s'appelait « Kinne-tay » !... Une guitare c'était *ko,* la rivière c'était « Kamby Bolongo », et il taillait du bois pour s' fabriquer un tambour et puis les hommes, ils l'ont attrapé !

Floyd, Bea et moi eûmes du mal à la calmer, car ce flot de souvenirs familiaux la bouleversait. Je lui expliquai que j'étais en train de chercher le moyen de retrouver d'où était venu « Kinne-tay »..., ce qui nous ferait retrouver *notre* tribu ancestrale.

— Vas-y, mon garçon ! s'écria cousine Georgia. Ta bonne grand-mère et toutes les autres, elles te r'gardent de là-haut !

Et ce fut à mon tour d'être bouleversé.

A peu de temps de là, je me rendis aux Archives nationales — qui sont conservées à Washington — et demandai à consulter les relevés des rencensements effectués dans le comté d'Alamance, Caroline du Nord, juste après la guerre de Sécession. On me communiqua plusieurs bobines de microfilms. Je commençai à les passer dans la machine. Devant mes yeux défilaient des listes et des listes de noms, dressées par divers recenseurs dans cette calligraphie du XIXe siècle, désuète, certes, mais si lisible. Je commençais à me lasser lorsque soudain défilèrent, devant mes yeux stupéfaits : *Tom Murray, Noir, forgeron... Irène Murray, Noire, mère de famille...* et puis les noms des sœurs aînées de grand-mère ces noms que j'avais entendu répéter d'innombrables fois sous la véranda de la maison Henning. *Elizabeth, six ans* — c'était ma grand-tante Liz ! Et grand-mère n'était pas encore née, au moment de ce recensement !

Non que j'eusse jamais douté des récits de grand-mère ou des autres. Il aurait été impensable, pour quiconque, de *ne pas ajouter foi* aux dires de ma grand-mère. Mais de là à lire de ses propres yeux ces noms dans les archives officielles des États-Unis, il y avait un grand pas — et je venais de le franchir.

Je vivais à New York, et, chaque fois que je parvenais à en trouver le temps, je retournais à Washington — pour continuer à explorer les Archives nationales, mais aussi pour fouiller la Bibliothèque du Congrès et celle des Filles de la Révolution américaine. Dans quelque département que ce fût, les documents que je demandais à consulter m'étaient fournis à une vitesse accélérée dès que des bibliothécaires noirs étaient informés de l'objet de mes recherches. Au cours de l'année 1966, je trouvai ici et là des preuves confirmant matériellement la véracité de certains grands événements familiaux. J'aurais donné cher pour pouvoir le dire à grand-mère — mais cousine Georgia n'avait-elle pas affirmé qu'avec les autres elle me regardait de là-haut ?

Cependant, un point capital demeurait sans solution : vers qui, vers quoi et comment orienter mes recherches pour retrouver l'origine de ces étranges sons proférés par notre ancêtre africain ? J'en vins à la conclusion qu'il me fallait entrer en contact avec le plus grand nombre possible d'Africains — et d'Africains de diverses régions, étant donné la multitude des langues tribales africaines. New York abritant le siège des Nations Unies, je me dis qu'en bonne logique je trouverais là quantité d'Africains — et d'Africains différents. Alors, je commençai à me rendre aux Nations Unies à l'heure où tout le monde en sortait ; de pleins ascenseurs déversaient dans le hall d'entrée des gens pressés de rentrer chez eux. Chaque fois que je détectais un Africain — ce qui est facile — je l'abordais, et, s'il acceptait de m'écouter, je lui répétais mes sons incompréhensibles. Je dus bien en accoster ainsi plus d'une vingtaine en deux semaines : mais chacun me dévisageait, tendait impatiemment l'oreille et s'empressait de me planter là. Loin de moi l'idée de leur en faire reproche — proférés avec l'accent du Tennessee, quels sons africains demeureraient reconnaissables ?

Déçu et malheureux, je parlais longuement de mes déboires avec George Sims, un chargé de recherches qui avait été mon camarade d'enfance à Henning. Quelques jours plus tard, George me remettait une liste de douze spécialistes faisant autorité dans le domaine des langues africaines. Le nom que je retins en premier, en raison de l'énoncé de ses qualifications et de son expérience, fut celui d'un Belge, le Dr Jean

Vansina. Au sortir de l'École des hautes études africaines et orientales de l'université de Londres, il avait inauguré sa carrière en allant vivre dans des villages africains, et il était l'auteur d'un ouvrage intitulé *la Tradition orale*. Il enseignait alors à l'université du Wisconsin. Je lui téléphonai sur-le-champ et il accepta de me recevoir. Ce fut un mercredi matin que je pris l'avion pour Madison, dans le Wisconsin... Je n'avais que quelques sonorités africaines à lui soumettre... et pas la moindre idée de ce qui allait en découler...

Ce soir-là, dans la salle de séjour des Vansina, je racontai dans le plus menu détail tout ce que j'avais retenu des récits transmis dans notre famille, ces récits que je connaissais depuis ma petite enfance et que venait de rafraîchir cousine Georgia, à Kansas City. Le Dr Vansina m'écouta d'un bout à l'autre avec la plus extrême attention et, quand j'eus fini, il se mit à me questionner. Historien de la tradition orale, cette transmission matérielle d'un récit au long des générations l'intéressait particulièrement.

Il était si tard lorsque notre conversation prit fin qu'il m'offrit de passer la nuit sous son toit. Et, le lendemain matin, voici ce que me déclara le Dr Vansina :

— Il me fallait laisser au sommeil le soin de décanter votre affaire. Ces sons, transmis dans votre famille de génération en génération, peuvent avoir d'immenses ramifications.

Il avait déjà téléphoné à un confrère africaniste, le Dr Philip Curtin, et ils étaient tombés d'accord sur un point : la langue en question devait être du « mandingue ». Je ne connaissais pas ce mot ; le Dr Vansina m'expliqua que c'était la langue des « Mandingues », ou « Malinkés ». Un des sons que je lui avais rapportés signifiait probablement vache ou bétail ; un autre devait être le nom du baobab en Afrique occidentale. *Ko* correspondait certainement à la *kora*, la harpe-luth qui est l'un des plus anciens instruments à cordes des Mandingues — elle se compose d'une caisse de résonance faite d'une demi-calebasse fermée par une peau de chèvre, d'un long manche et de vingt et une cordes tendues par un chevalet. Un esclave mandingue pouvait faire un rapprochement entre la *kora* et les instruments à cordes dont jouaient les Noirs en Amérique.

Quant au nom de « Kamby Bolongo », que mon ancêtre répétait à sa fille Kizzy en traversant la Mattaponi, rivière du comté de Spotsylvanie, en Virginie, le Dr Vansina fut affirmatif : le mot mandingue *bolongo* désigne de l'eau en mouvement, par exemple celle d'une rivière ; précédé de Kamby, il pouvait s'agir de la Gambie.

Ce fleuve m'était totalement inconnu.

Et voici qu'on me demanda de faire une conférence à l'occasion d'un séminaire organisé par le collège de la ville d'Utica, dans l'État de New York. Tout en parcourant un corridor en compagnie du professeur qui m'avait invité, je mentionnai que j'arrivais de Washington et l'informai en quelques mots des recherches que j'y effectuais.

— La Gambie ? me dit-il, mais il me semble qu'on m'a récemment parlé d'un étudiant gambien qui étudierait à Hamilton, un brillant sujet, paraît-il.

Le Hamilton College, institution vénérable et réputée, se trouve à Clinton, dans l'État de New York, à une demi-heure de route d'Utica. Avant que j'aie pu m'enquérir plus avant, un autre professeur, nommé Charles Todd, me renseigna :

— Il s'appelle Ebou Manga.

Il put même me préciser que je le trouverais dans la section d'économie agraire. De petite taille, avec un regard attentif et un maintien réservé, Ebou Manga était d'un noir de suie. Il lui sembla pouvoir confirmer l'origine des sons que je proférais. Etait-il lui-même de langue mandingue ?

— Non, mais elle m'est familière.

Il m'expliqua qu'il était ouolof. Je lui racontai toute l'histoire de ma quête. A la fin de la semaine suivante, nous partions ensemble pour la Gambie.

Nous débarquâmes de notre vol transatlantique à Dakar, au Sénégal, d'où un petit appareil nous déposa sur l'aéroport exigu de Youndoum, en Gambie. Après quelques minutes de route, nous entrions dans la capitale, Bandjoul — qui s'appelait encore Bathurst. Ebou et son père, Alhadji Manga — la majorité des Gambiens sont musulmans — rassemblèrent un petit groupe d'hommes versés dans l'histoire de leur modeste territoire, et nous nous rencontrâmes dans le salon de l'Atlantic Hotel. Je leur racontai toute l'histoire que notre famille s'était transmise au long des générations. Mais je commençai par la fin et remontai de grand-mère à Tom, puis Chicken George, puis Kizzy, à qui son papa africain, qui affirmait s'appeler « Kinne-tay », avait appris des mots de sa langue et raconté maintes fois l'histoire de sa capture, dans le bois proche de son village, où il voulait tailler un tronc pour se faire un tambour...

Lorsque j'eus terminé, ils se récrièrent d'un ton non exempt d'ironie :

— Il tombe sous le sens que « Kamby Bolongo » c'est la Gambie ; tout le monde le sait.

— Eh bien, non ! rétorquai-je vivement, il y a une multitude de personnes qui ne le savent pas !

Mais ce qui les intéressait le plus, c'était ce nom de « Kinne-tay ».

— Chez nous, les très vieux villages ont souvent pris le nom de ceux qui les ont fondés, il y a de cela des siècles. (Ils envoyèrent chercher une carte et me désignèrent un point :) Vous voyez, ici, c'est le village de Kinté-Koundah. Et, non loin de là, celui de Kinté-Koundah Djanneh-Ya.

Et ils m'apprirent alors quelque chose dont je n'aurais jamais osé rêver : dans les villages les plus reculés, on trouvait encore des hommes de très grand âge, les griots, qui étaient véritablement des archives vivantes de la tradition orale. Le griot émérite, celui que l'on sollicitait dans les grandes occasions pour raconter l'histoire séculaire des villages, des clans, des familles, des héros, avait largement dépassé la soixantaine ; en dessous de lui venaient des griots dont le savoir décroissait avec l'âge, jusqu'aux garçons débutants — ainsi était-ce après avoir entendu répéter les mêmes récits pendant quarante à cinquante ans que l'on devenait griot émérite. Dans toute l'Afrique noire, des chroniques orales s'étaient transmises depuis les ancêtres. Quelques griots légendaires avaient emmagasiné un tel trésor d'événements historiques qu'ils pouvaient littéralement parler trois jours sans s'arrêter — et sans jamais se répéter.

Devant mon étonnement, ces Gambiens me rappelèrent que tout être remonte ancestralement à un temps où l'écriture n'existait pas ; les hommes ne disposaient que de leur seule mémoire pour conserver la trace des faits, de leur bouche et de leurs oreilles pour en assurer la transmission. Rares sont les hommes de culture occidentale, me dirent-ils, qui peuvent mesurer ce dont est capable une mémoire exercée, conditionnés qu'ils sont par la « béquille de la chose imprimée ».

Mon ancêtre avait dit se nommer « Kinne-tay » — ils estimaient qu'il fallait entendre « Kinté ». Or le clan Kinté était un clan de haute antiquité et de grand renom en Gambie. Ils allaient donc essayer de dénicher un griot qui pourrait éclairer mes recherches.

Revenu aux États-Unis, je me mis à dévorer des ouvrages d'histoire de l'Afrique. La nécessité de combler mon ignorance sur ce continent, qui est, par la taille, le deuxième du monde, tourna bientôt à l'obsession. J'éprouve encore aujourd'hui de la honte à penser que jusqu'alors les images que je m'en faisais provenaient largement des films de Tarzan ; quant au peu que j'en savais réellement, c'était pour avoir feuilleté de loin en loin le *National Geographic.* Et voici qu'à présent, après avoir lu toute la journée, je passais encore mes soirées à étudier une carte de l'Afrique, me mettant en tête les différentes contrées, les fleuves, ainsi que les zones maritimes où avaient croisé les bateaux négriers.

Quelques semaines plus tard, je reçus de Gambie une lettre recommandée. Elle m'invitait à retourner là-bas dès que possible. Mais je n'avais plus un sou — ne pouvant mener de front recherches et « travail », j'avais terriblement négligé ce dernier.

Je me souvins qu'au cours d'une réception donnée par le *Reader's Digest,* la cofondatrice de cette revue, Mrs DeWitt Wallace, m'avait dit avoir beaucoup apprécié le « portrait » que je leur avais donné — celui d'un vieux maître coq des gardes-côtes dont j'avais été le second. En me quittant, Mrs Wallace m'avait encouragé à m'adresser à elle, si j'étais un jour dans l'ennui. Alors, j'envoyai à Mrs Wallace une lettre assez embarrassée, en lui décrivant brièvement l'objet de ma quête et son caractère contraignant. Elle demanda à quelques rédacteurs de me sonder. Ceux-ci m'invitèrent à déjeuner, et je parlai pendant trois heures d'affilée. Peu après, je recevais une lettre m'informant que le *Reader's Digest* m'allouerait mensuellement trois cents dollars pendant un an ainsi que des frais de déplacement « dans des limites raisonnables » — le point le plus important pour moi. Je retournai voir cousine Georgia à Kansas City — je ne sais ce qui m'y avait poussé, mais je la trouvai très malade. Elle n'en palpita pas moins à l'évocation de ce que j'avais déjà appris et de ce que j'espérais apprendre encore. Elle me souhaita bon voyage et je pris l'avion pour l'Afrique.

Les hommes que j'avais déjà rencontrés en Gambie m'informèrent tout uniment qu'ils avaient fait circuler dans l'intérieur du pays la nouvelle que l'on cherchait un griot très ferré sur le clan Kinté. Eh bien, oui, il s'en trouvait un, « Kebba Kandji Fofana ». Je me sentais prêt à exploser.

— Où est-il ?

— Dans son village, me répondirent-ils avec un regard bizarre.

J'en compris assez vite la raison : aller voir ce griot représentait une petite expédition ! Je me lançai à corps perdu dans son organisation. Il me fallut trois jours de négociations, emplies de ces interminables palabres africaines dont j'ignorais tout, pour m'assurer les services du bateau à moteur qui remonterait le fleuve ; ensuite, vint la location d'un camion et d'une Land-Rover qui transporteraient le matériel par voie de terre ; et enfin la constitution d'une équipe qui ne comprenait pas moins de quatorze personnes, dont trois interprètes et quatre musiciens — les vieux griots de l'intérieur n'acceptaient pas de réciter sans fond musical, m'expliquèrent-ils.

A bord du *Baddibou,* qui remontait le large et rapide « Kamby Bolongo », je me sentais mal à l'aise, étranger. Est-ce que ces gens me prenaient pour un touriste en mal d'aventures ? Nous arrivâmes en vue de l'île James, où s'élevait jadis un fort qui fut, pendant deux siècles, l'enjeu d'affrontements armés entre l'Angleterre et la France, en raison de sa situation idéale pour le commerce des esclaves. Je demandai à débarquer un moment et me frayai un chemin parmi les ruines sur lesquelles veillent toujours de fantomatiques canons. Je tremblais de répulsion en songeant aux atrocités qui y avaient été perpétrées. A défaut de trouver un restant de chaîne, j'emportai une brique et un fragment de mortier. Avant de remonter à bord du *Baddibou,* je contemplai longuement le cours de ce fleuve dont mon ancêtre avait enseigné le nom à sa fille, là-bas, de l'autre côté de l'océan Atlantique, dans le comté de Spotsylvanie, en Virginie. Puis notre bateau reprit sa route jusqu'au village d'Albreda, où nous débarquâmes. De là, nous devions gagner à pied un village encore plus petit : Djouffouré — et y trouver le griot annoncé.

Tout homme a, dans sa vie, un « grand moment », quelque chose qui surpasse, en intensité, tout ce qu'il a connu et connaîtra jamais. Mon « grand moment », je l'ai connu ce jour-là.

Comme nous arrivions en vue de Djouffouré, les enfants jouant dehors donnèrent l'alerte et les habitants — soixante-dix tout au plus — sortirent aussitôt de leurs cases. Comme tous les villages de l'intérieur, Djouffouré diffère peu de ce qu'il était voici deux siècles, avec ses cases rondes aux murs de torchis, coiffées d'un toit de chaume pointu. Au milieu de l'attroupement, je distinguai un petit vieillard vêtu d'une robe écrue et portant une calotte. Ce visage aux traits aigus, cet air de tranquille assurance — ce ne pouvait être que *lui,* l'homme que j'étais venu écouter.

Tandis que les trois interprètes se détachaient de notre groupe pour s'avancer vers le vieillard, les villageois se rapprochèrent de moi. Ils s'étaient placés sur trois ou quatre rangs et dessinaient un fer à cheval si fermé que j'aurais pu effleurer ceux qui m'encadraient rien qu'en tendant les bras.

Je sentais tous les yeux peser sur moi, me fouiller littéralement. Ils me dévisageaient avec une telle intensité qu'ils en plissaient le front. Quelque chose d'inconnu me prenait aux entrailles... Que m'arrivait-il ? Et ce fut soudain comme une foudroyante révélation : jamais, de ma vie, je ne m'étais trouvé au milieu d'une foule indistinctement noire — ***d'un noir de jais !***

Bouleversé, je baissai les yeux — réflexe banal chez une personne gênée, hésitante — et je vis mes mains..., cette peau marron... J'avais l'impression d'être un hybride — d'être impur parmi les purs. J'éprouvais une incommensurable honte... Mais le vieillard venait juste de s'éloigner des interprètes. A présent, la foule s'attroupait autour de lui.

Un interprète se précipita vers moi pour me dire d'un ton de confidence :

— S'ils vous regardent comme ça, c'est parce qu'ils n'ont jamais vu un Noir américain.

Et cela fut peut-être mon plus gros choc : ces gens ne me regardaient pas, moi, en tant qu'Alex Haley, mais en tant que symbole des vingt-cinq millions de Noirs américains qui vivent de l'autre côté de l'Océan — *nous autres,* qu'ils ne connaissent pas !

A présent, la foule se pressait autour du vieillard, en lui parlant avec animation tout en me regardant à la dérobée. Au bout d'un moment, le griot fendit leur groupe et vint directement à moi. Me transperçant de son regard, il s'exprima comme si j'étais capable de comprendre le mandingue — et un des interprètes traduisit :

— Nous tenons de nos ancêtres que beaucoup des nôtres, gens d'ici, sont en exil dans ce lieu appelé Amérique — et dans d'autres lieux.

Le vieillard s'assit alors en face de moi et tout le village s'installa derrière lui. Et il se mit à réciter l'histoire ancestrale du clan Kinté, transmise oralement de temps immémorial. On aurait pu croire qu'il lisait un parchemin. C'était là, manifestement, un moment faste pour Djouffouré. Le griot disait quelques phrases, penchant en avant son buste raidi, comme si ce qu'il proférait pouvait être appréhendé matériellement. Puis il se rejetait en arrière, pour laisser à un interprète le temps de traduire. Il déversait tout le lignage du clan Kinté, remontant à maintes générations : qui avait épousé qui ; quels enfants leur étaient nés ; qui ces enfants avaient à leur tour engendré.

Toute la scène était proprement incroyable. D'abord, j'étais ahuri par la profusion des détails, mais surtout par leur tournure biblique :... et il prit telle femme et il engendra... qui engendra... qui engendra... Et il citait à chaque fois les époux, ou les épouses de cette descendance, et leur propre descendance, généralement nombreuse. Pour dater cette geste familiale, le griot se référait à des événements marquants. L'année de la « grande eau » — c'est-à-dire de l'inondation » — « il a tué un buffle ».

Pour ne citer que les grands traits de la fresque fourmillante qu'il dessina, le clan Kinté avait pris naissance dans une région appelée « l'empire du Mali ». Les Kinté étaient traditionnellement forgerons — « ils avaient domestiqué le feu » — et leurs femmes potières ou tisserandes. Et puis un rameau du clan était allé s'installer dans un pays appelé Mauritanie. Et c'est de là qu'un fils de ce clan, nommé Kaïraba Kounta Kinté — un *marabout,* c'est-à-dire un saint homme de l'Islam — était descendu jusqu'au pays appelé Gambie. Il était demeuré un moment au village de Pakali N'Ding, puis dans celui de Djiffarong, et s'était fixé à Djouffouré.

A Djouffouré, Kaïraba Kounta Kinté avait pris pour épouse une jeune Mandingue nommée Sireng. Et il avait engendré deux fils nommés Djanneh et Saloum. Puis il avait pris une deuxième épouse, qui s'appelait Yaïssa. Et il avait engendré un fils nommé Omoro.

Une fois devenus des hommes, les deux aînés, Djanneh et Saloum, avaient quitté Djouffouré et avaient fondé un nouveau village appelé Kinté-Koundah Djanneh-Ya. Le plus jeune fils, Omoro, était toujours demeuré à Djouffouré et, arrivé à l'âge de trente pluies, il avait pris pour épouse une jeune Mandingue nommée Binta Kebba. Et, approximativement entre 1750 et 1760, Omoro avait engendré quatre fils nommés Kounta, Lamine, Souwadou et Madi.

Le vieux griot parlait déjà depuis près de deux heures, et il avait bien dû interrompre son récit une cinquantaine de fois pour ajouter un détail à propos d'une personne dont il citait le nom. Comme il venait juste d'énumérer les quatre fils d'Omoro, il s'interrompit de nouveau pour fournir encore une précision, et l'interprète traduisit :

— Vers les temps où arrivèrent les soldats du roi — un des repères chronologiques du griot — l'aîné de ces quatre fils, Kounta, sortit du village pour aller tailler du bois... et on ne le revit jamais...

Et le griot reprit sa narration.

Je restai pétrifié. Il me semblait que le sang s'était figé dans mes veines. Cet homme, dont toute la vie s'était écoulée dans un village africain, ne pouvait savoir qu'il venait de faire écho à ce que j'avais entendu au long de mon enfance, sous la véranda de la maison de grand-mère à Henning, au Tennessee..., sur cet Africain qui n'avait cessé de protester que son nom était « Kinne-tay » ; qui disait *ko* en désignant une guitare, et « Kamby Bolongo » devant une rivière de Virginie ; qui avait été enlevé non loin de son village, alors qu'il était allé tailler un tronc pour se faire un tambour, et emmené en esclavage.

Fouillant fébrilement dans mon sac de toile, j'en sortis mon carnet et montrai à l'interprète les premières pages, sur lesquelles j'avais consigné le récit de grand-mère. Il les parcourut rapidement, visiblement stupéfait, et les mit alors sous les yeux du vieux griot à qui il sembla en résumer rapidement le contenu. Aussitôt, l'émoi s'empara du vieillard ; il se dressa et interpella l'assistance en désignant le carnet que tenait l'interprète ; et, cette fois, *tous* furent en émoi.

Spontanément, les soixante-dix villageois se rangèrent en cercle autour de moi et ce large anneau humain commença à tourner de droite à gauche, en modulant un chant tantôt très doux, tantôt très sonore ; ils piétinaient au coude à coude, levaient les genoux, frappaient du pied la poussière rouge...

Une femme se détacha des autres et vint vers moi d'un air tendu. Saisissant le bébé qu'elle portait sur son dos, arrimé par une écharpe, elle me le tendit d'un geste brusque signifiant à l'évidence :

— Prends-le !... et je serrai l'enfant dans mes bras.

Elle reprit aussitôt le petit, mais déjà une autre mère me tendait le sien, puis une autre, et encore une autre... Je dus étreindre une douzaine de bébés. Le sens de leur geste devait m'être expliqué, un an plus tard, par le Dr Jerome Bruner, professeur à l'université Harvard et spécialiste de ces questions :

— Vous avez participé à une des plus anciennes cérémonies de l'humanité, *l'imposition des mains !* Elles vous disaient à leur façon : *Par cette chair qui est nôtre, nous ne faisons qu'un avec toi.*

Plus tard, les hommes de Djouffouré me conduisirent dans leur mosquée de bambou et de chaume, et ils prièrent autour de moi en arabe. Je me souviens avoir pensé alors en me prosternant :

« Voici que j'ai retrouvé les miens, et je ne comprends pas un mot de ce qu'ils disent. » L'essentiel de leur prière me fut ensuite traduit par un interprète : « Loué soit Allah, car celui qui était perdu il nous l'a ramené. »

Étant venu par le fleuve, je voulais rentrer par terre. J'avais pris place derrière le jeune chauffeur mandingue, qui négociait vigoureusement la méchante route cahoteuse nous ramenant à Bandjoul. Dans la poussière et la chaleur, je retournais une idée stupéfiante : *à supposer* que chaque Noir américain ait eu comme moi le bonheur de détenir un mince fil conducteur jusqu'à ses ancêtres, ne pourrait-il dès lors arriver à savoir *qui* était son ancêtre paternel ou maternel africain, *où* vivait cet ancêtre lorsqu'il avait été emmené en esclavage, et enfin *quand* il avait été enlevé ? Et, muni de ces seuls indices, ce Noir américain ne pourrait-il arriver à dénicher un vieux griot dont le récit lui permettrait de retrouver son clan familial, peut-être même son village ?...

Je me représentais — ou plutôt je « voyais », comme une brumeuse projection — cette déportation de millions de nos ancêtres dont j'avais lu des descriptions. Des milliers d'entre eux avaient été enlevés individuellement, comme Kounta, mais il y avait eu aussi pour des milliers d'autres l'horrible réveil nocturne, les hurlements, le tumulte et la terreur des villages attaqués, souvent livrés aux flammes. Les survivants valides étaient alors encordés par le cou en longs « convois » — s'étirant parfois sur un mille. Et je les voyais, ces chaînes de captifs, dans leur torturante marche vers la mer. Combien étaient morts en chemin ou, pire encore, avaient été abandonnés, à bout de forces ? Quel sort, pourtant, attendait ceux qui atteignaient la côte ! Rasés, frottés d'huile, inspectés jusque dans leurs plus intimes orifices, souvent marqués au fer rouge, ils étaient enfournés dans les grands canots sous le cinglement des fouets. Certains résistaient en hurlant, enfonçaient leurs ongles dans le sable de la plage, s'en emplissaient la bouche, essayant désespérément de rester encore un instant accrochés à leur sol natal. Je voyais les captifs roués de coups, jetés dans les cales puantes et ténébreuses des vaisseaux négriers, enchaînés sur des planches, souvent si à l'étroit qu'ils devaient se tenir étendus sur le côté...

Tout cela tourbillonnait dans ma tête au moment où la voiture arriva en vue d'un gros village. Il était évident que le bruit de ma visite à Djouffouré nous y avait précédés. Le chauffeur ralentit : tous les habitants s'étaient massés sur la route. Ils nous faisaient de grands signes et s'égosillaient à crier quelque chose. Alors, je me levai et agitai les bras tandis qu'ils s'écartaient lentement pour laisser passer la Land-

Rover. Nous n'avions encore parcouru qu'un tiers du village lorsque je compris brusquement ce qu'ils clamaient tous..., jeunes hommes et vieillards parcheminés, mères et petits enfants d'un noir de goudron — le visage illuminé par un sourire radieux. *Mister Kinté ! Mister Kinté !*

Je sentis un sanglot monter du tréfonds de moi-même et, l'instant d'après, le visage enfoui dans mes mains, je versai toutes les larmes de mon corps. L'homme mûr que je suis n'avait jamais pleuré comme ça depuis son enfance. *Mister Kinté !* Il me semblait que je pleurais sur toutes les atrocités que l'homme a commises envers l'homme, sans doute la pire tare de l'humanité...

Je repris l'avion à Dakar. Et ce fut pendant ce vol de retour que je décidai d'écrire un livre. L'histoire de mes ancêtres serait, symboliquement, le geste de tous les descendants d'Africains — tous issus, comme nous de Kounta, d'un homme ou d'une femme né dans un village d'Afrique noire et puis un jour capturé et enchaîné au fond d'un de ces vaisseaux négriers qui l'avait emmené de l'autre côté de l'Océan. Ces descendants d'Africains pour qui, après la succession des plantations, était venue la lutte pour l'émancipation.

A New York m'attendait, parmi beaucoup d'autres, un message de l'hôpital de Kansas City : notre cousine Georgia venait de mourir, à quatre-vingt-trois ans. En comparant les heures, je devais découvrir qu'elle avait quitté ce monde juste au moment où j'entrais dans Djouffouré. Étant la dernière des vieilles dames investies de la mission de conter « notre » histoire, cousine Georgia avait rempli son dernier devoir en me menant jusqu'en Afrique, et puis elle était allée rejoindre les autres installées là-haut — et qui me regardaient.

Au fond, dès ma petite enfance, des faits sont survenus dont je distingue après coup la chaîne, et qui devaient me conduire à écrire le présent livre. En tout premier lieu, grand-mère et les autres ont ancré dans ma mémoire notre histoire familiale. Ensuite, un pur concours de circonstances m'a poussé à tenter d'écrire pour tromper l'ennui de la navigation, et à persévérer jusqu'à ce que j'en fusse capable. Comme j'aimais la mer, j'avais pris pour sujet de mes premières nouvelles de dramatiques « aventures en mer » glanées dans les archives jaunies des gardes-côtes des États-Unis. Je ne pouvais souhaiter meilleure préparation au casse-tête qu'allaient constituer, pour ma rédaction, les recherches ayant trait aux questions maritimes.

Le bateau avait amené l'Africain dans « un endroit appelé Naplis », disaient grand-mère et les vieilles dames. Il devait s'agir d'Annapolis, dans le Maryland. Pourrais-je arriver à trouver *quel* navire en provenance de la Gambie avait accosté à Annapolis avec une cargaison humaine parmi laquelle se trouvait « l'Africain », celui qui tenait tant à son nom de « Kinne-tay » auquel m'sieu John Waller avait substitué celui de « Toby » ?

La première chose à faire était de déterminer approximativement l'époque de ce passage. Des mois plus tôt, à Djouffouré, le griot avait situé la capture de Kounta Kinté « vers les temps où arrivèrent les soldats du roi ». Après avoir dépouillé pendant une dizaine de jours les archives concernant tous les déplacements de troupes anglaises au cours des années 1760, je finis par trouver : les « soldats du roi » ne pouvaient être que les « forces du colonel O'Hare », un détachement envoyé de Londres en 1767 pour défendre le fort James, sur la Gambie — fort qui était alors aux mains des Anglais et servait de point de concentration et d'écoulement de la traite. Le griot avait été si précis que j'avais un peu honte d'être en train de vérifier ses dires.

Puis je m'adressai aux Lloyds de Londres. Le directeur qui me reçut, Mr R.C.E. Landers, écouta patiemment toute mon histoire et me déclara en conclusion :

— Soyez assuré, monsieur, que les Lloyds de Londres vous accorderont toute l'aide possible.

Je n'aurais pu espérer aide plus efficace, car elle m'ouvrit les portes qui allaient me permettre de consulter les anciens registres de l'Inscription maritime.

Mes six premières semaines de recherches furent des plus éprouvantes. Je revois la succession de ces journées, toutes semblables, toutes infructueuses, à dépouiller dossier après dossier, à parcourir feuillet après feuillet d'inscriptions maritimes consignant des milliers de voyages triangulaires des vaisseaux négriers, relâchant alternativement en Angleterre, en Afrique et en Amérique — pour repérer un unique navire, à une unique date. Et ma déception se doublait d'une fureur croissante en constatant à quel point ceux qui participaient alors à la traite des esclaves n'y voyaient qu'un commerce de grande envergure, comparable à celui du bétail de nos jours.

J'en étais à ma septième semaine de recherches sans avoir trouvé un seul mouvement de navire entre la Gambie et Annapolis. Il devait être 14 h 30 lorsque j'attaquai le 1 023e feuillet d'inscription des vaisseaux négriers. De format oblong, plus large que haut, il contenait un état descriptif de quelque trente mouvements de vaisseaux sur la Gambie — accostages au fort James, ou appareillages depuis ce point, pour les années 1766 et 1767. Arrivé à celui qui était inscrit sous le numéro 18, mes yeux remontèrent automatiquement aux intitulés des colonnes : Nom du bateau... Nom du capitaine... Destination...

Le 5 juillet 1767 — l'année « où arrivèrent les soldats du roi » — le *Lord Ligonier,* commandé par le capitaine Thomas E. Davies, avait appareillé pour Annapolis...

Curieusement, je ne réagis pas aussitôt. Je me

souviens avoir noté passivement ces indications, avoir rendu les dossiers, être sorti. Il y avait un petit salon de thé à deux pas. J'y entrai, commandai du thé, et soudain quelque chose se déclencha dans mon esprit : ce bateau pouvait être celui qui avait emmené Kounta Kinté !

Déjà j'étais debout — et j'avoue être parti sans payer ! J'appelai la Pan Am, retins la dernière place sur le vol de New York. Je n'avais même pas le temps de repasser par mon hôtel. Un taxi me déposa de justesse à l'aéroport de Heathrow. Bien que ce fût un vol de nuit, je ne pus fermer l'œil. Une seule chose m'occupait l'esprit : consulter de nouveau un livre que j'avais eu en mains à la Bibliothèque du Congrès de Washington. Je revoyais sa reliure marron clair, son titre estampé en brun : *le Trafic du Port d'Annapolis,* par Vaughan W. Brown.

A New York, je pris la navette des Eastern Airlines pour Washington. A l'aéroport, je sautai dans un taxi et me fis conduire à la Bibliothèque du Congrès. J'y demandai le livre, l'arrachai presque des mains du jeune homme qui me l'apporta, le feuilletai fiévreusement... et la confirmation était là ! Le 29 septembre 1767, le *Lord Ligonier* avait été examiné par la douane portuaire d'Annapolis.

Je louai une voiture et me rendis à Annapolis. J'allai tout droit aux Archives de l'État du Maryland. Je voulais consulter la presse locale du début d'octobre 1767. La bibliothécaire, Mrs Phebe Jacobsen, m'apporta bientôt une bobine de microfilms : la *Gazette* du Maryland. Et je trouvai l'annonce dans le numéro du 1er octobre, composée dans ces caractères qui nous paraissent surannés : « VIENT D'ARRIVER, A bord du *Lord Ligonier,* capitaine : Davies, du fleuve Gambie, en Afrique, et offerte à la vente par les soussignés, le 7 octobre prochain à Annapolis, contre argent comptant ou lettres de change, une cargaison d'ESCLAVES

SAINS DE PREMIER CHOIX. Ledit bateau chargera du tabac en franchise à destination de Londres au prix de 6 £ Sterling la tonne. » Les soussignés étaient John Ridout et Daniel of St. Thos. Jenifer.

Le 29 septembre 1967, je ne pouvais me trouver qu'en un unique lieu : sur un quai d'Annapolis. C'est là que deux siècles plus tôt, jour pour jour, avait accosté le *Lord Ligonier*. Tourné vers l'Océan, vers cette « grande eau » à travers laquelle on avait amené mon arrière-arrière-arrière-grand-père, je pleurai — encore une fois.

Dans le feuillet où j'avais trouvé inscrit, parmi les mouvements des trente navires qui avaient accosté au fort James sur la Gambie ou qui en avaient appareillé, durant la période 1766-1767, celui du *Lord Ligonier*, il était précisé qu'il avait emporté cent quarante esclaves. Combien avaient survécu au voyage ? Il me fallait retourner aux Archives du Maryland. Et j'y trouvai un inventaire de la cargaison du navire, à son arrivée dans le port d'Annapolis, à savoir : 3 265 « dents d'éléphants », comme on appelait alors les défenses de ces animaux ; 3 700 livres de cire d'abeille ; 800 livres de coton brut ; 32 onces d'or de Gambie ; et 98 « nègres ». Ainsi, quarante-deux Africains étaient morts pendant la traversée, soit près d'un tiers de sa cargaison de « bois d'ébène » — eh bien, ce chiffre se situait dans la moyenne des pertes sur les vaisseaux négriers.

Mais au fond, me dis-je à ce moment-là, grand-mère, tante Liz, tante Plus, cousine Georgia n'avaient-elles pas été, à leur façon, des sortes de griots ? Dans mes carnets, pleins de leurs récits séculaires, il était dit que notre Africain avait été vendu à « m'sieu John Waller », celui qui l'avait baptisé « Toby ». Au cours de sa quatrième tentative de fuite, se trouvant acculé, il avait blessé d'un jet de pierre un des deux chasseurs d'esclaves professionnels qui l'avaient rattrapé, et ceux-ci lui avaient sectionné le pied.

« Le Dr William Waller » avait, par ses soins, sauvé la vie de cet esclave et, indigné par sa mutilation, l'avait acheté à son frère John. Allais-je dénicher, là-dessus, un document ? Au point où j'en étais, je n'en doutais plus.

Alors, je me rendis à Richmond, Virginie. Je scrutai — en microfilm — tous les actes légalement passés dans le comté de Spotsylvanie après septembre 1767. Et je trouvai un acte du 5 septembre 1768, par lequel John Waller et sa femme, Ann, transféraient à William Waller les terres et les biens ci-après désignés, dont deux cent quarante acres de terres arables... et, sur la deuxième page, *un esclave mâle noir, du nom de Toby.*

Seigneur Dieu !

Mon choc devant la pierre de Rosette remontait à douze ans. Depuis lors, j'avais couvert au moins huit cent mille kilomètres — à chercher, à filtrer, à vérifier, à trouver de plus en plus de choses sur des gens dont les traditions orales respectives ne s'étaient pas seulement révélées exactes, mais se recoupaient des deux côtés de l'Océan. Le moment était venu d'abandonner mes recherches et d'écrire le livre que je projetais !

Évoquer l'enfance et l'adolescence de Kounta Kinté me fut une longue tâche, et j'en étais venu à le connaître si bien que sa capture me mit au supplice. Mais j'en arrivai au moment de son transport sur un navire négrier parti de Gambie. Alors, je repris l'avion pour l'Afrique. Et je fis le siège des compagnies pour trouver le bateau qui me ramènerait de n'importe quel port africain aux États-Unis. Quelle pouvait avoir été l'atmosphère de ces transports ? J'embarquai sur l'*African Star,* un navire de la compagnie Farrell. Une fois en mer, j'expliquai qu'écrivant un livre je voulais essayer de retrouver l'ambiance de la traversée de mon ancêtre. Et tous les jours, après dîner, je descendis par les échelles de fer jusqu'à fond de cale — comme la cale était profonde et sombre, dans ce vieux cargo ! Ne gardant que mes sous-vêtements, je me couchais sur les dures planches du fardage. Étendu sur le dos, j'essayai d'imaginer ce que Kounta distinguait, entendait, sentait, goûtait et surtout, tel que je le connaissais, ce qu'il éprouvait. En réalité, mes dix jours de traversée furent grotesquement luxueux, comparés à l'atroce épreuve du « passage » de Kounta Kinté, de ses compagnons, de ces millions d'hommes terrifiés, enchaînés, immobilisés dans leurs déjections pendant un voyage de quatre-vingts à quatre-vingt-dix jours, au terme duquel les attendaient encore d'autres abominations physiques et psychiques. Mais je parvins finalement à décrire cette traversée de l'Océan — cet enfer flottant vécu par une cargaison humaine.

J'ai déroulé dans *Racines* l'histoire de nos sept générations. Tandis que je l'écrivais, maintes occasions me furent données de parler à un auditoire de sa genèse et de sa rédaction. Et il est une question que l'on me posait généralement :

— Quelle part y a-t-il de réel dans *Racines,* et quelle part d'inventé ?

Eh bien, toute la lignée décrite est telle que la tradition orale de mes familles africaine et américaine en a préservé l'histoire — histoire corroborée par les nombreux documents que j'ai pu retrouver. Quant à la texture de *Racines,* elle procède d'innombrables recherches sur les mœurs et coutumes, les cultures, les modes de vie indigènes. Pour réunir tout ce matériel, j'ai fouillé une cinquantaine de bibliothèques, de dépôts d'archives et autres hauts lieux de la conservation pendant des années et sur trois continents.

Et je pense à présent que ceux qui « regardent de là-haut » ne sont pas seulement grand-mère, cousine Georgia et les vieilles dames mais aussi tous les autres ; Kounta et Bell ; Kizzy ; Chicken George et Matilda ; Tom et Irène ; grand-père Will Palmer ; maman — et celui qui les a rejoints depuis peu : papa...

Il avait quatre-vingt-trois ans. George, Julius, Lois et moi étions en train d'organiser ses funérailles lorsque l'un de nous exprima qu'à son sens papa avait eu une vie bien remplie et riche, dans l'acception qu'il donnait du terme « richesse ». En outre, il était mort rapidement, sans souffrir, et nous le connaissions trop bien pour savoir qu'il n'aurait pas voulu nous voir pleurer. Eh bien, nous n'allions pas pleurer.

Je remuais tant de souvenirs que, lorsque le chargé des pompes funèbres parla du « défunt », j'eus du mal à faire la relation entre ce mot et notre père, autour de qui l'ambiance avait toujours été si vivante. Peu avant le service funèbre, qui devait se dérouler dans une chapelle de Washington bondée d'amis de la famille, mon frère George prévint l'officiant, le révérend Boyd, que nous, les fils, prendrions à un certain moment la parole pour évoquer le souvenir de papa avec nos amis.

Et c'est ainsi qu'à un moment de la cérémonie juste après qu'eut été interprété un des cantiques préférés de papa, George se leva et se tint à côté du cercueil ouvert. L'un des souvenirs les plus nets qu'il avait, dit-il, c'était que de tout temps nous avions hébergé au moins un des élèves de papa — parce que, ayant poussé un petit fermier à mettre son garçon au collège, il avait résolu la question des frais en disant :

— Il habitera chez nous.

George estimait qu'il devait y avoir dans le Sud près d'une vingtaine d'ingénieurs agronomes, directeurs de lycée et enseignants qui revendiquaient avec fierté d'être des « garçons du professeur Haley ».

Puis George évoqua un de ses plus anciens souvenirs. Papa nous avaient emmenés tous les trois à Tuskeegee, Alabama, pour voir un « grand homme ». Il s'agissait du Dr George Washington Carver, scientifique noir de génie. Celui-ci nous avait fait visiter son laboratoire, recommandé de bien travailler en classe et donné à chacun une petite fleur. Et George termina en disant que, puisque papa regrettait, vers la fin de sa vie, que nous n'organisions pas, chaque année, de grandes réunions de famille, nous devions considérer notre présence ici comme une grande réunion en son honneur.

Ce fut alors à mon tour. J'allai prendre la place de George et, contemplant papa, je dis à l'assistance qu'étant l'aîné j'avais de lui des souvenirs plus anciens que quiconque. Ainsi, ma première impression distincte de ce qu'était l'amour, je l'avais eue tout enfant en voyant mes parents se regarder au temple, tandis que maman jouait l'introduction du cantique que papa allait chanter en soliste. Un autre souvenir de ma petite enfance, c'était que papa disposait toujours pour moi d'une piécette de cinq ou même de dix cents, aussi serré que pût être le budget familial. Il me suffisait de le trouver seul et de lui demander de me raconter, une fois de plus, les combats de son unité, la 92e section du 366e d'infanterie du corps expéditionnaire américain, dans l'Argonne.

— Fils, s'écriait-il, nous étions féroces !

A la fin du récit, il ressortait à l'évidence que toutes les fois où les choses avaient pris trop mauvaise tournure, le général Pershing avait fait mander le sergent Simon A. Haley, de Savannah, Tenessee (matricule 2816106), nouvelle aussitôt transmise par les espions allemands à leur haut commandement et qui faisait trembler jusqu'au Kaiser lui-même.

L'événement le plus décisif pour nous dans la vie de papa, racontai-je à nos amis, hormis sa rencontre de maman au Lane College, survint lorsqu'il était à l'Agricultural and Technological College de Greensboro, en Caroline du Nord. Il en était arrivé au point d'envisager d'abandonner ses études et de se faire métayer.

— Vous comprenez, les enfants, avec quatre boulots

à temps partiel, je n'avais plus une minute pour étudier.

Mais, juste à ce moment, sa demande de travail temporaire pour l'été, comme garçon des wagons-lits, avait été agréée. En service sur le train Buffalo-Pittsburgh, il avait été sonné à 2 heures du matin : c'étaient un Blanc et sa femme qui, n'arrivant pas à s'endormir, demandaient du lait chaud. Papa leur avait apporté le lait et, racontait-il :

— Je voulais repartir, mais l'homme avait envie de bavarder. Il semblait surpris de rencontrer un étudiant à ce poste. Il me posa une foule de questions et me donna un généreux pourboire en arrivant à Pittsburgh.

Ayant épargné au maximum, papa était retourné au collège en septembre 1916. Et voici que le directeur lui avait montré une lettre, émanant du client des wagons-lits — il s'appelait R.S.M. Boyce ; c'était un ancien chef de service de l'agence de publicité Curtis, à présent retraité. S'étant enquis du montant global d'une année d'études, il avait envoyé un chèque couvrant toutes les dépenses de papa : cours, pension complète et livres — au total 513 dollars et 15 *cents*. Et papa avait obtenu des notes qui lui avaient fait attribuer la bourse instituée la même année par la faculté d'agriculture de l'université Cornell en faveur des meilleurs élèves des collèges noirs patronnés par les États.

Et c'est ainsi que papa avait pu passer son diplôme à l'université Cornell et devenir professeur. Nous, les enfants, avions bénéficié de l'influence de ce milieu enseignant conjuguée à celle des réussites dans la famille de maman, d'où ce que nous étions devenus, nous, ses quatre enfants, réunis pour la dernière fois autour de lui : moi — écrivain ; Georges — directeur adjoint à l'Agence d'information des États-Unis ; Julius — architecte de la Marine ; Lois — professeur de musique.

Nous nous envolâmes ensuite pour l'Arkansas, où

une seconde cérémonie attendait la dépouille de papa : celle qu'avaient organisée la foule de ses amis de l'université de Pine Bluff et des environs, où il avait terminé ses quarante ans d'enseignement comme doyen du département d'agriculture. Nous le conduisîmes à travers le campus et lui fîmes monter et redescendre la voie qui a été baptisée, lorsqu'il a pris sa retraite : « Avenue S.A. Haley ».

Après le service funèbre de Pine Bluff, nous avons emmené papa là où il voulait reposer — dans le cimetière des Anciens Combattants, à Little Rock. Arrivés à la section 16, nous avons vu descendre son cercueil dans la tombe n° 1429. Et les enfants qu'il a engendrés — la septième génération depuis Kounta Kinté — sont alors partis très vite, en évitant de se regarder. Nous avions promis de ne pas pleurer.

Ainsi, papa a rejoint les autres là-haut. Et, tous ensemble, ils nous regardent et nous guident. Et je sens qu'ils partagent mon espoir : que ce récit sur notre peuple contribue à rendre un peu moins pesant le fait que l'Histoire, le plus généralement, est écrite par les vainqueurs.

ÉDITIONS J'AI LU

31, rue de Tournon, 75006-Paris

diffusion

France et étranger : Flammarion - Paris
Suisse : Office du Livre - Fribourg
Canada : Flammarion Ltée - Montréal

IMPRIMÉ EN FRANCE PAR BRODARD ET TAUPIN
7, bd Romain-Rolland - Montrouge.
Usine de La Flèche, le 03-07-1979.
6498-5 - Dépôt légal 3e trimestre 1979.
ISBN : 2 - 277 - 11969 - 5